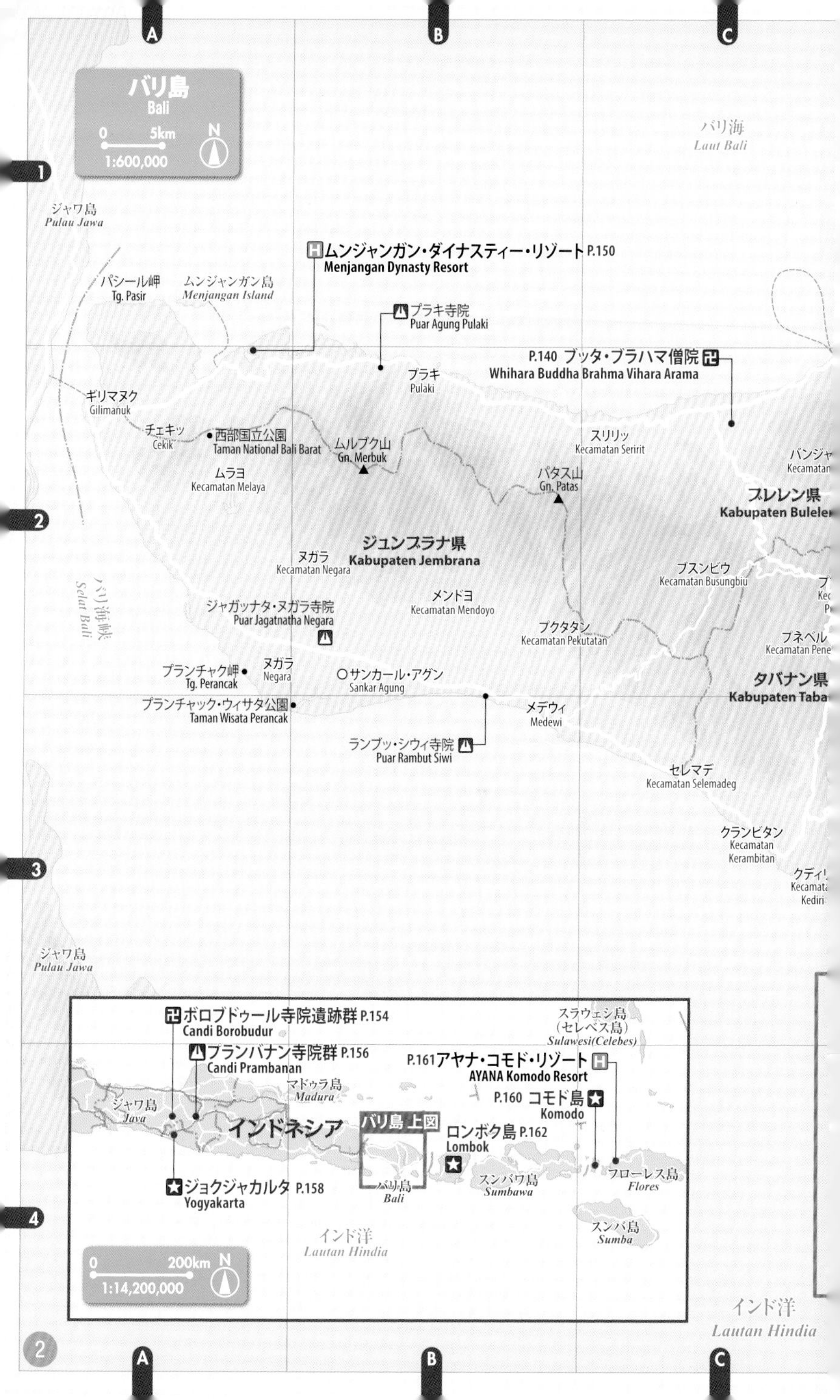
バリ島
Bali
0 5km
1:600,000
バリ海
Laut Bali
ジャワ島
Pulau Jawa
ムンジャンガン・ダイナスティー・リゾート P.150
Menjangan Dynasty Resort
パシール岬
Tg. Pasir
ムンジャンガン島
Menjangan Island
プラキ寺院
Puar Agung Pulaki
P.140 ブッタ・ブラハマ僧院
Whihara Buddha Brahma Vihara Arama
プラキ
Pulaki
ギリマヌク
Gilimanuk
チェキッ
Cekik
西部国立公園
Taman National Bali Barat
ムルブク山
Gn. Merbuk
スリリッ
Kecamatan Seririt
ムラヨ
Kecamatan Melaya
パタス山
Gn. Patas
ブレレン県
ジュンブラナ県
Kabupaten Jembrana
ヌガラ
Kecamatan Negara
ブスンビウ
Kecamatan Busungbiu
メンドヨ
Kecamatan Mendoyo
バリ海峡
Selat Bali
ジャガッナタ・ヌガラ寺院
Puar Jagatnatha Negara
プクタタン
Kecamatan Pekutatan
プネベル
プランチャク岬
Tg. Perancak
ヌガラ
Negara
サンカール・アグン
Sankar Agung
タバナン県
プランチャック・ウィサタ公園
Taman Wisata Perancak
メデウィ
Medewi
ランブッ・シウィ寺院
Puar Rambut Siwi
セレマデ
Kecamatan Selemadeg
クランビタン
Kecamatan Kerambitan
ジャワ島
Pulau Jawa
ボロブドゥール寺院遺跡群 P.154
Candi Borobudur
プランバナン寺院群 P.156
Candi Prambanan
スラウェシ島
(セレベス島)
Sulawesi(Celebes)
P.161 アヤナ・コモド・リゾート
AYANA Komodo Resort
P.160 コモド島
Komodo
マドゥラ島
Madura
ジャワ島
Java
インドネシア
バリ島 上図
ロンボク島 P.162
Lombok
ジョクジャカルタ P.158
Yogyakarta
バリ島
Bali
スンバワ島
Sumbawa
フローレス島
Flores
スンバ島
Sumba
インド洋
Lautan Hindia
0 200km
1:14,200,000
インド洋
Lautan Hindia

ベジ寺院
Beji Temple
ブンクラン岬
Tg. Bungkulan
ムドゥ・カラン寺院
Puar Maduwe Kareng
ブレレン
Kecamatan Buleleng
クブタンバハン
Kecamatan Kubutambahan
サワン
Kecamatan Sawan
テジャクラ
Kecamatan Tejakula
シガラジャ
Singaraja
キンタマーニ P.138
Kintamani
バトゥール山 P.139
Gunung Batur
バンリ県
Kabupaten Bangli
スカサダ
Kecamatan Sukasada
バトゥール湖 P.55
Danau Batur
アバン山
Gn. Abang
クブ
Kecamatan Kubu
トゥランベン
Tulamben
バリ植物園
ウルン・ダヌ・ブラタン寺院 P.140
Pura Ulun Danu Bratan
カランガッセム県
Kabupaten Karangasem
バグース・ジャティ P.47/P.149
Bagus Jati
P.53/P.144
タマン・ティルタ・ガンガ
Taman Tirta Gangga
ジャティルイ P.54
Jatiluwih
P.52/P.144 ブサキ寺院
Pura Besakih
アグン山 P.141
Gunung Agung
スラヤ山
Gn. Seraya
バトゥカル山 P.140
Gunung Batukaru
ティルタ・エンプル・オブ・スパトゥ P.55
Tirta Empul of Sepatu
P.53
カランガッセム王宮
Puri Agung Karangasem
P.69 Wanna Jungle Pool & Bar
ティルタ・エンプル寺院 P.140/P.143
Pura Tirta Empul
Yeh Panes
ブバンデム
Kecamatan Bebandem
タマン・ウジュン宮殿
Puri Taman Ujung
P.53
グヌン・カウィ P.141/P.143
Gunung Kawi
P.73 Tebasari Resto, Bar & Lounge
P.141 トゥガナン
Tenganan
P.150 ワパ・デ・ウメ・シドメン
Wapa di Ume Sidmen
スバック博物館 P.54
Museum Subak
ブキッ・ジャンブル P.52
Bukit Jambul
ウブド
Kecamatan Ubud
ギャニャール
Gianyar
スマラプラ王宮 P.141/P143
Puri Semarapura
アムック湾
Teluk Amuk
タマン・アユン寺院 P.54
Pura Taman Ayun
タバナン
Tabanan
パダンバイ
Padangbai
ウブド広域 P.6-7
バリ・サファリ＆マリン・パーク P.41
Bali Safari & Marine Park
クルンクン県
Kabupaten Klungkung
P.148 サントゥー・ヴィラ
The Sanctoo Villa at Bali Zoo
P.32 サントゥー・スパ
Sanctoo Spa
ギャニャール県
Kabupaten Gianyar
ロンボク海峡
Selat Lombok
バドゥン海峡
Selat Badung
デンパサール市
Kotamadya Denpasar
スタラ・ア・ポートフォリオ・ホテル・ウブド P.149
Sthala, a Tribute Portfolio Hotel, Ubud
P.138
Pura Tanah Lot
バリ動物園 P.41
Bali Zoo
レンボンガン島
Nusa Lembongan
トヤパケ
Toyopakeh
サンパラン
Sampalan
サヌール
Sanur
デンパサール
Denpasar
レンボンガン島ツアー P.37
クタ
Kecamatan Kuta
チェニンガン島
Nusa Ceningan
スランガン島
Pulau Serangan
ペニダ島ツアー P.36
ペニダ島
Nusa Penida
国際空港
ジンバラン
Jimbaran
ヌサ・ドゥア
Nusa Dua
バドゥン半島
Bukit Badung
パクン岬
Tg. Bakung
バリ島南部 P.4-5
ウルワツ寺院 P.139
Pura Uluwatu

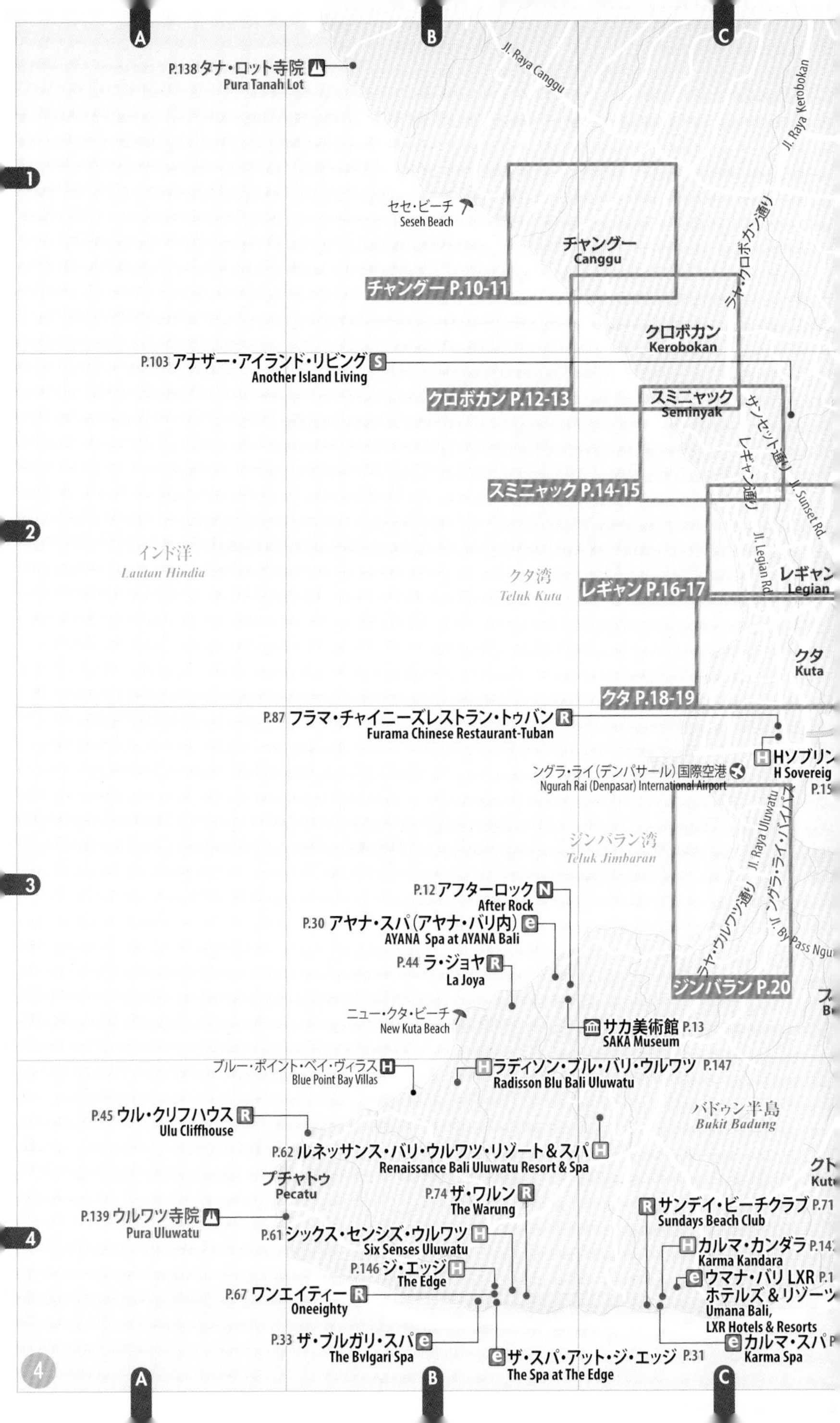

P.138 タナ・ロット寺院
Pura Tanah Lot
Jl. Raya Canggu
Jl. Raya Kerobokan
セセ・ビーチ
Seseh Beach
チャングー
Canggu
チャングー P.10-11
ラヤ・クロボカン通り
クロボカン
Kerobokan
P.103 アナザー・アイランド・リビング
Another Island Living
クロボカン P.12-13
スミニャック
Seminyak
サンセット通り
レギャン通り
スミニャック P.14-15
Jl. Sunset Rd.
インド洋
Lautan Hindia
クタ湾
Teluk Kuta
Jl. Legian Rd.
レギャン P.16-17
レギャン
Legian
クタ
Kuta
クタ P.18-19
P.87 フラマ・チャイニーズレストラン・トゥバン
Furama Chinese Restaurant-Tuban
Hソブリン
H Sovereig
P.15
ングラ・ライ(デンパサール)国際空港
Ngurah Rai (Denpasar) International Airport
ジンバラン湾
Teluk Jimbaran
Jl. Raya Uluwatu
ングラ・ライ・バイパス
ラヤ・ウルワツ通り
Jl. By Pass Ngu
P.12 アフターロック
After Rock
P.30 アヤナ・スパ(アヤナ・バリ内)
AYANA Spa at AYANA Bali
P.44 ラ・ジョヤ
La Joya
ジンバラン P.20
ニュー・クタ・ビーチ
New Kuta Beach
サカ美術館 P.13
SAKA Museum
ブルー・ポイント・ベイ・ヴィラス
Blue Point Bay Villas
ラディソン・ブル・バリ・ウルワツ P.147
Radisson Blu Bali Uluwatu
バドゥン半島
Bukit Badung
P.45 ウル・クリフハウス
Ulu Cliffhouse
P.62 ルネッサンス・バリ・ウルワツ・リゾート&スパ
Renaissance Bali Uluwatu Resort & Spa
プチャトゥ
Pecatu
P.74 ザ・ワルン
The Warung
サンデイ・ビーチクラブ P.71
Sundays Beach Club
P.139 ウルワツ寺院
Pura Uluwatu
P.61 シックス・センシズ・ウルワツ
Six Senses Uluwatu
カルマ・カンダラ
Karma Kandara
P.146 ジ・エッジ
The Edge
ウマナ・バリ LXR ホテルズ&リゾーツ
Umana Bali, LXR Hotels & Resorts
P.67 ワンエイティー
Oneeighty
P.33 ザ・ブルガリ・スパ
The Bvlgari Spa
ザ・スパ・アット・ジ・エッジ P.31
The Spa at The Edge
カルマ・スパ
Karma Spa

バリ島南部
Bali South
周辺図 P.2-3
0
1
2km
N
1:143,000
ププタン広場 P.144
Medan Puputan
デンパサール
Denpasar
バリ州政府観光局
Bali Govt. Tourism Offices
在デンパサール日本国総領事館 P.173
Konsulat Jenderal Jepang di Denpasar
Jl. Imam Bonjol
カシイブ総合病院 P.173
サヌール
Sanur
サヌール P.21
レンボンガン島
ングラ・ライ・バイパス
Pass Ngurah Rai
有料道路
スランガン島
Pulau Serangan
バリ・ハイ・クルーズ P.39
Bali Hai Cruise
中国寺院（昭應廟）
Chinese Temple
タンジュン・ブノア
Tanjung Benoa
ヌサ・ドゥア
Nusa Dua
グデ島
Nusa Gede
ヌサ・ドゥア・ビーチ
Nusa Dua Beach
ヌサ・ドゥア P.22
レンボンガン島
ジ・アプルヴァ・ケンピンスキー P.60
The Apurva Kempinski
D
E
F
1
2
3
4

ウブド広域
Ubud
周辺図 P.2-3
0 500m 1km
1:67,000
N
P.46 オム・ハム・リトリート
Om Ham Retreat
クデワタン
Desa Kedewatan
デサ・ジュンジュンガン
Pura Desa Junjungan
P.149 ザ・ロイヤル・ピタマハ
The Royal Pita Maha
ジャングル・フィッシュ
P.136 Jungle Fish
P.32 マンゴーツリー・スパ・バイ・ロクシタン
Mango Tree Spa by L'Occitane
ダラム・ブントゥユン寺院
Pura Dalem Bentuyung
ボンカソ
Desa Bongkasa
P.68 クブ・レストラン
Kubu Restaurant
P.149 デサ・ヴィセサ・ウブド
Desa Visesa Ubud
P.69 ウマ・クッチーナ
Uma Cucina
P.41 バリ・スウィング
Bali Swing
P.28 ネカ美術館
Museum Neka
P.73 ミスター・ワヤン・コーヒー＆イータリー
Mr.Wayang Coffee & Eatery
P.135 ウブド・ロー・チョコレート
Ubud Raw Chocolate
モザイク
Mozaic
P.137
P.35 ザ・セイクリッド・リバー・スパ
The Sacred River Spa
ザ・エレファント P.83
The Elephant
P.148 フォーシーズンズ・リゾート・バリ・アット・サヤン
Four Seasons Resort Bali at Sayan
トゥジュ・トロピック・クラブ・ウブド
P.13 Tuju Tropic Club Ubud
P.107 ビンタン・スーパーマーケット・ウブド
Bintang Supermarket Ubud
P.101 ガヤ・ケラミック
Gaya Ceramic
P.134 ウブド市場
Ubud Market
(Pasar Ubud)
サヤン
Desa Sayan
モンキーフォレスト
Monkey Forest
ウブド中心部 P.8-9
P.28 アルマ美術館
ARMA (Agung Rai Museum of Art)
P.28 ルダナ美術館
Museum Rudana
P.46 ウブド・ヨガ・センター
Ubud Yoga Center
セージ P.82
Sage
P.79 オチン・バビ・グリン・サムサム
Ocin Babi Guling Samsam
P.101 エクリップス・ポトゥリ
Eclipse Pottery
アユン川
Yeh. Ayung
Jl. Raya Keliki
Jl. Raya Kedewatan
Jl. Raya Sangeh
Jl. Raya Campuhan
Jl.Raya Ubud
Jl. Raya Sayan
Jl. Puputan Badung
Jl. Raya Puspa Resti
Jl. Raya Mambal Semana
Jl. Raya Kengetan
Jl. Raya Samu
A B C
1 2 3 4

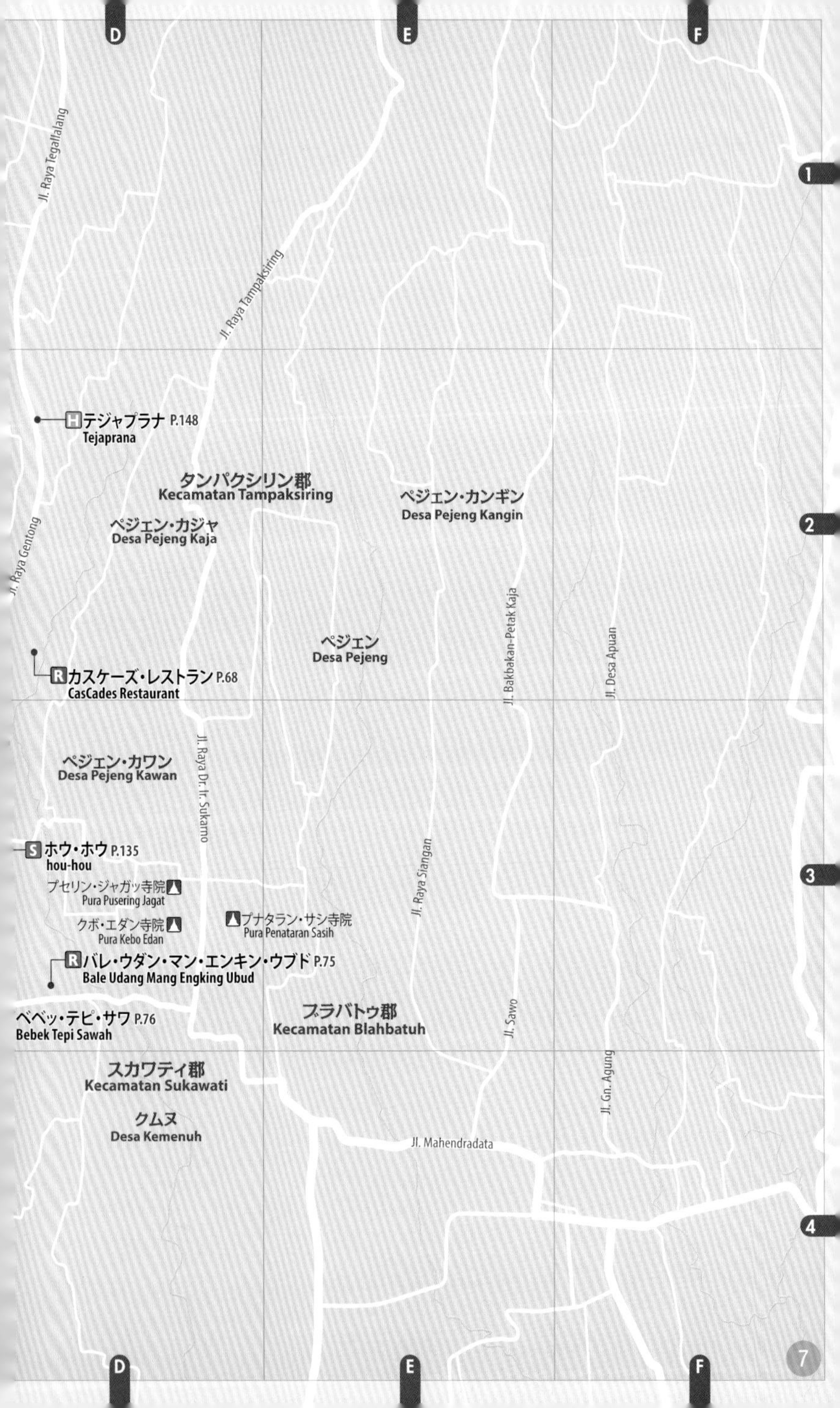

D
E
F
1
2
3
4
Jl. Raya Tegallalang
Jl. Raya Tampaksiring
テジャプラナ P.148
Tejaprana
タンパクシリン郡
Kecamatan Tampaksiring
ペジェン・カンギン
Desa Pejeng Kangin
ペジェン・カジャ
Desa Pejeng Kaja
Jl. Raya Gentong
Jl. Bakbakan-Petak Kaja
Jl. Desa Apuan
ペジェン
Desa Pejeng
カスケーズ・レストラン P.68
CasCades Restaurant
Jl. Raya Dr. Ir. Sukarno
ペジェン・カワン
Desa Pejeng Kawan
ホウ・ホウ P.135
hou-hou
プセリン・ジャガッ寺院
Pura Pusering Jagat
Jl. Raya Siangan
クボ・エダン寺院
Pura Kebo Edan
プナタラン・サシ寺院
Pura Penataran Sasih
バレ・ウダン・マン・エンキン・ウブド P.75
Bale Udang Mang Engking Ubud
ブラバトゥ郡
Kecamatan Blahbatuh
ベベッ・テピ・サワ P.76
Bebek Tepi Sawah
Jl. Sawo
スカワティ郡
Kecamatan Sukawati
Jl. Gn. Agung
クムヌ
Desa Kemenuh
Jl. Mahendradata

グヌン・ルバ寺院
Pura Gunung Lebah
ウブド・カジャ
Ubun Kaja
Jl. Raya Campuan
チャンプアン橋
Jembatan Campuhan
P.28 プリ・ルキサン美術館
Museum Puri Lukisan
ダラム・ウブド寺院
Pura Dalem Ubud
タマン・クロッ
Taman Kelo
アルカディア・レストラン
P.136 Arcadia Restaurant
P.83 ゼスト・ウブド
Zest Ubud
Jl. Penestanan
ブランコ・ルネサンス美術館 P.28
Blanco Renaissance Museum
サラスワティー寺院
Saraswati Temple
インダ ロッジ
In Da Lodge
レイジー・キャッツ P.137
Lazy Cat's
Jl. Penestanan
ザ・スングゥ
The Sungu
P.137 カフェ・デス・アルティスツ
Cafe des Artistes
Jl. Raya Ubud
スリ ラティ コテージズ
Sri Ratih Cottages
カサ・ルナ P.136
Casa Luna
Jl. Bisma
スヴァルガ ロカ リゾート
Svarga Loka Resort
P.99 プサカ
Pusaka
P.134 コウ・キュイジーヌ
KOU Cuisine
ウブド・クロッド
Ubud Kelod
プヌスタナン
Penestanan
P.104 ブルー・ストーン・ボタニカルズ
Blue Stone Botanicals
ウォス川
P.137 CP ラウンジ
CP Lounge
P.99 ピテカントロプス
Pithecanthropus
P.136 チョッパー・キッチン
Copper Kitchen
チェンダナ リゾート＆スパ
Cendana Resort & Spa
モンキー・フォレスト通り
Jl. Bisma
Pankang Siapsiap
S. Wos
パダン・テ
Padang Te
カフェ・ワヤン&ベーカリー
Cafe Wayan & Bakery
コマネカ・ファイ
アート・ギャラリ
Komaneka Fine Art
Jl. Monkey Forest
P.134 バリゼン
Bali Zen
タマラ・ダニエル
Tamara Danielle
Jl. Bisma
イカット・バティック
Ikat Batik
Jl. Monkey
Tk. Tapes
モンキーフォレスト
Mandala Forest
タペス川
ダルム・アグン・パダントゥガル寺院
Pura Dalem Agung Padangtegal
パダン・テガル寺院
Pura Dalem Padang Tegal

ウブド中心部
Ubud Central
周辺図 P.6-7
0 100 200m
1:11,000
N
スレッズ・オブ・ライフ P.135
Threads of Life
ナディス・ハーバル P.49
Nadis Herbal
ウブド市場 P.134
Ubud Market
(Pasar Ubud)
シーズ・オブ・ライフ P.80
Seeds of Life
クリア・カフェ P.81
Clear Café
バリ・ブッダ P.105
Bali Buda
ラディアントリー・アライブ・ヨガ P.47
Radiantly Alive Yoga
ハーブ・ライブラリー P.81
Herb Library
スタジオ・ペラッ P.135
Studio Perak
カド P.134
Kado
ニアブティック
Dunia Boutique
バリ・ヨガ・ショップ P.48
Bali Yoga Shop
トブサヤ
Tebesaya
アパ?情報センター
Information Centre Apa?
テベサヤ コテージ
Tebesaya Cottage
ベベッ・ブンギル
Bebek Bengil
ダラ・スパ P.35
Dala Spa
ザ・アーティニー・リゾート, ウブド
The Artini Resort , Ubud
デサ・クトゥ寺院
Pura Desa Kutuh
デルタ・デワタ
Delta Dewata
グヌン・サリ寺院
Pura Gunun Sari
ダラム・プリ寺院
Pura Dalem Puri
マンガ・マドゥ
Mangga Madu
アルジュナ像
Arjuna Statue
アンベガン
Ambengan
プナタラン・パンデ寺院
Pura Penataran Pande
P.149 アディワナ・ディジワ・ウブド
Adiwana Dijiwa Ubud
バレルン・ステージ
Belerung Stage
プリアタン王宮
Puri Agung Peliatan
プリアタン
Peliatan
ブド王宮
ud Palace
ヤ・ウブド通り
ハノマン通り
ベンベガン川
Tk. Bembengan
Jl. Sri Wedari
Jl. Sandat
Gg. Soka
Jl. Tirta Tawar
Jl. Jero Gadung
Jl. Raya Andong
Jl. Raya Ubud
Jl. Gn. Sari
Jl. Gootama
Jl. Hanoman
Jl. Sugriwa
Jl. Dewisita
Jl. Sukma Kesuma
Jl. Cok Gede Rai
Jl. Jembawan
Jl. Jatayu
Jl. Peliatan 1
D
E
F
1
2
3
4

A
B
C
1
2
3
4
Jl. Pantai Batu Mejan
パンタイ・バトゥ・メジャン通り
P.113 イシャ・ナチュラルズ S
ISHA Naturals
Jl. Pantai Batu Mejan
Jl. Munduk Kedungu
H ザ バリ ドリーム ヴィラ&
リゾート エコー ビーチ チャングー
The Bali Dream Villa & Resort Echo Beach Canggu
パンタイ・バトゥ・ボロン通り
Jl. Tukad Pingai
P.113 デウス・エクス・マキナ S
Deus Ex Machina
P.82 アボカド・ファクトリー・チャングー R
Avocado Factory Canggu
リガーリ ヴィラ チャングー H
Regali Villa Canggu
H アンギンセポイ
Anginsepoi
P.48 デヴァイン・ガッデス S
Divine Goddess
S ラブ・アンカー・チャングー P.113
Love Anchor Canggu
Jl. Pantai Batu Bolong
S ロスト・イン・パラダイス・チャングー P.95
Lost in Paradise Canggu
R ラ・ブリサ P.70
La Brisa
H コモ・ウマ・チャングー P.56
COMO Uma Canggu
エコ・ビーチ
Echo Beach
S エコ・エゴ・ストア P.103
Eco Ego Store
Jl. Nelayan
H ザ ダウン バリ
The Daun Bali
ザ・プラクティス P.47
The Practice
H サーフ ロッジ チャングー
Surf Lodge Canggu
P.113 ペニー・レイン R
Penny Lane
P.112 アップスケール・スカイ・ダイニング R
UpZscale Sky Dining
H アメティス ヴィラ
Ametis Villa Bali
Jl. Nelayan
P.45 ジ・レストラン R
Ji Restaurant
P.112 ヌード・チャングー R
Nude Canggu
Jl. Pemelisan Ag
H セレニティ エコ ゲストハウス
Serenity Eco Guesthouse and Yoga
クタ湾
Teluk Kuta
アーラーダナー ヴィラ H
バイ カラニヤ エクスペリエンス
Aradhana Villas - by Karaniya Experience
Jl. Pemelisan Agung
ザ ヘブンスイーツ バリ ベラワ H
The Haven Suites Bali Berawa
ヌラヤン・ビーチ
Neylan Beach
P.10-11
P.12-13
P.14-15
P.16-17
P.18-19
P.21
P.20
P.22
チャングー
Canggu
周辺図 P.4-5
0 100 200m
1:14,000
N

D
E
F
1
2
3
4
ウタマ・スパイス・ブラワ P.105
Utama Spice Brawa
Pantai Batu Bolong
Jl. Abasan
カンプン チャングー
Kampung Canggu
チャングー
Canggu
Jl. Pantai Berawa
Jl. Krisnantara
Gg. Jalak
サリ・マーケット
Semat Sari Market
マヤナ ヴィラズ
Mayana Villas
Jl. Raya Semat
ヴィラ ケディス チャングー
Villa Kedis Canggu
Jl. Karang Suwung
Jl. Pantai Berawa
Jl. Bumbak
バリ・エクストリアン・センター
Bali Equstrian Centre
Jl. Karang Suwung
SATUSATU COFFEE COMPANY
ザ チャングー ブティック ヴィラズ & スパ
The Canggu Boutique Villas & Spa
ザ ビダダリヴィラス&スパ
The Bidadari Villas And Spa
Raya Semat
パピヨン ウマラス ヴィラズ
Papillon Umalas Villas
Jl. Tegal Sari
Jl. Tegal Sari
サニーカフェ・チャングー
Sunny Cafe Canggu
ザ・ジャングル・トレーダー P.103
The Jungle Trader
バンガロー・リビング P.103
Bungalow Living
Jl. Pantai Berawa
Jl. Pantai Berawa
ミニマーケット・スリ・ナディ
Mini Market Sri Nadi
Jl. Bumbak
フィンズ レクレーション クラブ
Finns Recreation Club
コア D サーファー ホテル
Koa D'Surfer Hotel
チャングー・ステーション
Canggu Station
Jl. Subak Sari 13
Gg. Sri Kahyangan
D
E
F

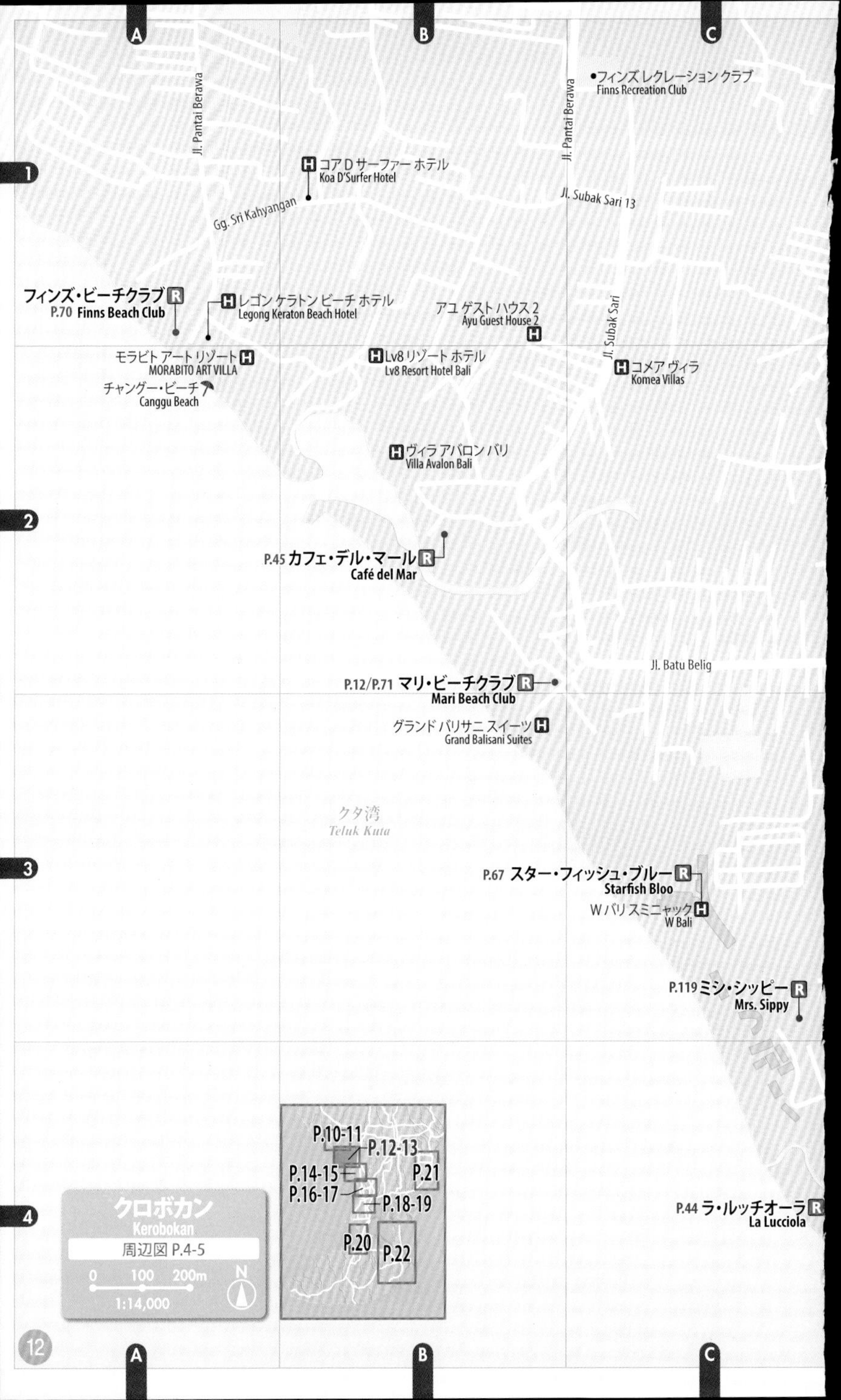

A
B
C
Jl. Pantai Berawa
フィンズ レクレーション クラブ
Finns Recreation Club
コアＤサーファー ホテル
Koa D'Surfer Hotel
Gg. Sri Kahyangan
Jl. Subak Sari 13
フィンズ・ビーチクラブ
P.70 Finns Beach Club
レゴン ケラトン ビーチ ホテル
Legong Keraton Beach Hotel
アユ ゲスト ハウス 2
Ayu Guest House 2
Jl. Subak Sari
モラビト アート リゾート
MORABITO ART VILLA
Lv8 リゾート ホテル
Lv8 Resort Hotel Bali
コメア ヴィラ
Komea Villas
チャングー・ビーチ
Canggu Beach
ヴィラ アバロン バリ
Villa Avalon Bali
P.45 カフェ・デル・マール
Café del Mar
Jl. Batu Belig
P.12/P.71 マリ・ビーチクラブ
Mari Beach Club
グランド バリサニ スイーツ
Grand Balisani Suites
クタ湾
Teluk Kuta
P.67 スター・フィッシュ・ブルー
Starfish Bloo
W バリ スミニャック
W Bali
P.119 ミシ・シッピー
Mrs. Sippy
P.10-11
P.12-13
P.14-15
P.16-17
P.18-19
P.21
P.20
P.22
P.44 ラ・ルッチオーラ
La Lucciola
クロボカン
Kerobokan
周辺図 P.4-5
0 100 200m
1:14,000
N
1
2
3
4

D
E
F
1
2
3
4
Jl. Dukuh Indah
パンダワ オール スイート ホテル
ndawa All Suite Hotel
Jl. Umalas II
ラキ ウマ ヴィラ
Laki Uma Villa
ウマラス ホテル&レジデンス
Umalas Hotel & Residence
バリ プライム ヴィラズ
Bali Prime Villa
Jl. Umalas II
Jl. Raya Kerobokan
P.117 サーディン・バリ
Sardine Bali
ワルン・ナシ・バリ・ブ・クトゥ・ナリ1 P.77
Warung Nasi Bali Bu Ketut Nari1
Petitenget St.
タマンサリ市場
Pasar Tamansari
Jl. Batu Belig バトゥ・ブリッグ通り
ミー・ドゥラパンドゥラパン
Mie 88
P.78
リビングストーン P.117
Livingstone Café & Bakery
ラヤ・クロボカン通り
Jl. Petitenget
116 ザ・ブッチャーズ・クラブ
The Butchers Club
ォー ポイント バイ シェラトン リスミニャック
ur Points By Sheraton Bali, Seminyak
P.84 カインド・コミュニティ
KYND Community
コーヒー・カルテル P.85
Coffee Cartel
クリニック・タマン・フサダ
Klinik Taman Husada
プティトゥンガット通り
Jl. Lb. Sari
バンブー・レストラン P.72
Bambu Restaurant
クロボカン
Kelurahan Kerobokan
ヴィラ・アイル・バリ
Villa Air Bali
Jl. Beraban
Jl. Raya Kerobokan
Jl. Petitenget
カルガ P.119
Carga
P.86 ハッピー・チャッピー
Happy Chappy
ザ・ファット・タートル P.85
The Fat Turtle
Jl. Pangkung Sari
ガヤ・ジェラート P.117
GAYA gelato
バリ・ボート・シェッド P.94
Bali Boat Shed
バヴァナ・ヴィラス
Bhavana Villas
ボーイ'N'カウ
Boy'N'Cow
P.116
Jl. Mertanadi
モーテル・メキシコラ
Motel Mexicola P.119
Jl. Beraban
ワルン・ブナナ P.79
Warung Bunana
シー・サーカス P.118
Sea Circus
スミニャック・ヴィレッジ P.118
Seminyak Village
ルーシーズ・バティック
Lucy's Batik P.98
Jl. Kayu Jati
センセイシャ・ボタニカルズ P.104
Sensatia Botanicals
Jl. Wirasaba
Jl. Astinapura
Jl. Sunset Road
キム・ソー P.119
Kim Soo
スミニャック・スクエア
Seminyak Square
ザ・デッキ・スミニャック P.81
The Deck Seminyak
バリ・バランス P.105
Bali Balance
プティトゥンガット寺院
Pura Petitenget
ラクスマナ(カユ・アヤ)通り
バイ・ザ・シー
By The Sea P.95
シー・ジプシー
Sea Gypsy P.96
Jl. Raya Basangkasa
P.85 フローズン・ヨギ
Frozen Yogi
ラ・ファベラ
La Favela P.119
マッド・ポップス
Mad Pops P.85
ニコニコ・マーレ P.92
Niconico Mare

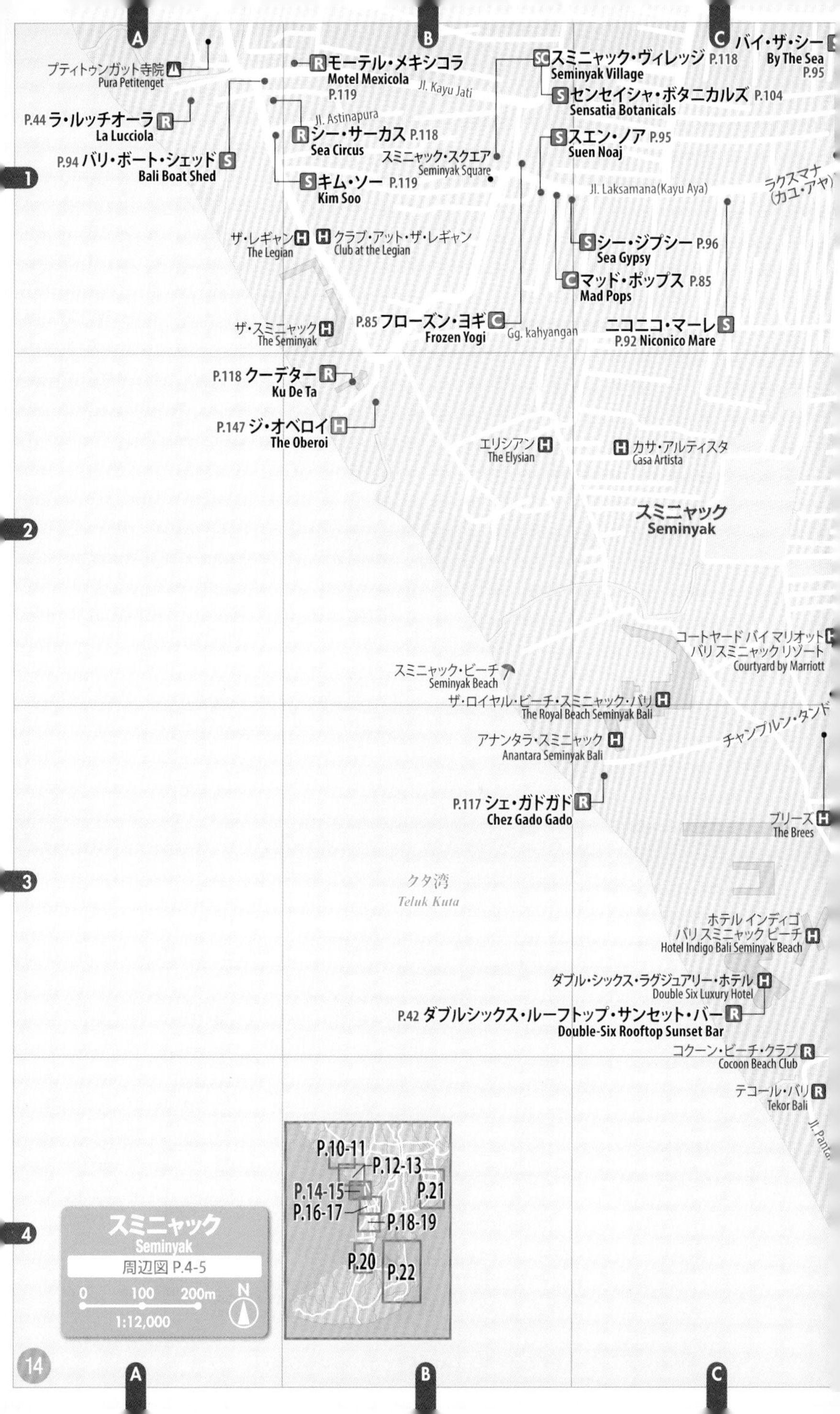

プティトゥンガット寺院
Pura Petitenget
モーテル・メキシコラ
Motel Mexicola
P.119
Jl. Kayu Jati
スミニャック・ヴィレッジ P.118
Seminyak Village
バイ・ザ・シー
By The Sea
P.95
センセイシャ・ボタニカルズ P.104
Sensatia Botanicals
P.44 ラ・ルッチオーラ
La Lucciola
Jl. Astinapura
シー・サーカス P.118
Sea Circus
スエン・ノア P.95
Suen Noaj
P.94 バリ・ボート・シェッド
Bali Boat Shed
スミニャック・スクエア
Seminyak Square
キム・ソー P.119
Kim Soo
Jl. Laksamana(Kayu Aya)
ラクスマナ (カユ・アヤ)
ザ・レギャン
The Legian
クラブ・アット・ザ・レギャン
Club at the Legian
シー・ジプシー P.96
Sea Gypsy
マッド・ポップス P.85
Mad Pops
ザ・スミニャック
The Seminyak
P.85 フローズン・ヨギ
Frozen Yogi
Gg. kahyangan
ニコニコ・マーレ
P.92 Niconico Mare
P.118 クーデター
Ku De Ta
P.147 ジ・オベロイ
The Oberoi
エリシアン
The Elysian
カサ・アルティスタ
Casa Artista
スミニャック
Seminyak
コートヤード バイ マリオット バリスミニャック リゾート
Courtyard by Marriott
スミニャック・ビーチ
Seminyak Beach
ザ・ロイヤル・ビーチ・スミニャック・バリ
The Royal Beach Seminyak Bali
チャンプルン・タンド
アナンタラ・スミニャック
Anantara Seminyak Bali
P.117 シェ・ガドガド
Chez Gado Gado
ブリーズ
The Brees
クタ湾
Teluk Kuta
ホテル インディゴ バリスミニャック ビーチ
Hotel Indigo Bali Seminyak Beach
ダブル・シックス・ラグジュアリー・ホテル
Double Six Luxury Hotel
P.42 ダブルシックス・ルーフトップ・サンセット・バー
Double-Six Rooftop Sunset Bar
コクーン・ビーチ・クラブ
Cocoon Beach Club
テコール・バリ
Tekor Bali
Jl. Panta
P.10-11
P.12-13
P.14-15
P.16-17
P.18-19
P.21
P.20
P.22
スミニャック
Seminyak
周辺図 P.4-5
0 100 200m
1:12,000
N
A B C
1 2 3 4

ワルン・ブナナ P.79
Warung Bunana
ルーシーズ・バティック P.98
Lucy's Batik
サンセット・ポイント
Sunset Point
バリ・バランス P.105
Bali Balance
ドッピオ・カフェ・ピンク P.84
Doppio Café Pink
カ・クア
Ka Kua
ラ・ファベラ P.119
La Favela
ジョイ・ジュエリー
Joy Jewellery
P.96
ナディ・ショップ
Nadi Shop
ジュエリー・ロックス P.97
Jewel Rocks
バリ・デリ
Bali Deli
アマラ
The Amala
アシタバ
Ashitaba
P.34 プラナ・スパ
Prana Spa
P.117 ジャクソン・リリーズ
Jackson Lily's
マデス・ワルン P.75
Made's Warung
スミニャック
Seminyak
バリ・ツアーズ.com
Bali Tours.com
P.92 ロックスラム・サンセット・ロード
69SLAM Sunset Road
バリ サンセット ヴィラ
Bali Sunset Villa
アクサリ ヴィラ
Aksari Villa
パパ・リーズ・ヌードル＆ダンプリング P.87
Papa Lee's Noodle & dumpling
ザ・ヘイブン
The Haven
スヴァルナ スイート スミニャック
Svarna Suite
TS スイーツ スミニャック バリ
TS Suites
ザ レギャン サンセット レジデンス
Legian Sunset Residence
スリヤ・マス
Surya Mas Villa
バリ・コート
Bali Court
ラマダ・リゾート・カマキラ
Ramada Resort Kamakira Bari
アマリス・ホテル・レギャン
Amaris Hotel Legian
トゥンジュン Resort Tunjung Bali
シナール・インダ Sinar Indah
Jl. Bidadari
Jl. Dewi Saraswati
Jl. Sunset Road
サンセット通り
Jl. Drupadi
g. kahyangan
ラヤ・バサンカサ通り
Jl. Raya Basangkasa
Jl. Kunti I
Jl. Kunti 2
Jl. Yudistira
rupadi
Jl. Plawa
Jl. Camplung Tanduk
ラヤ・スミニャック通り
Jl. Raya Seminyak
Tukad Mati
Jl. Arjuna (Jl. Double Six)
アルジュナ(ダブル・シックス)通り
レギャン通り
Jl. Legian
マティ川
Jl. Nakula
Jl. Sri Rama
D
E
F
1
2
3
4

A
B
C
1
2
3
4
アマリス・ホテル・レギャン
Amaris Hotel Legian
ラマダ・リゾート・カマキラ
Ramada Resort Kamakira Bari
バリ・コート Bali Court
トゥンジュン Resort Tunjung Bali
Jl. Pantai Legian
Jl. Sri Rama
マデイ川
ムラスティ
Melasti Beach Resort
シナール・インダ
Sinar Indah
レギャン・ビーチ
Legian Beach
レギャン
Legian
オールシーズンズ・リゾート・レギャン
All Seasons Resort Legian
Jl. Padma Utara
P.147 パドマ・リゾート・レギャン
Padma Resort Legian
Jl. Padma
Jl. Legian
ソル・ハウス・バリ・レギャン
Sol House Bali Legian P.151
Jl. Bunut Sari
Jl. Sriwijaya
P.70
アズール・ビーチクラブ
Azul Beach Club
Jl. Sahadewa
スニ市場
Pasar Seni
Jl. Melasti
ムラスティ通り
レギャン通り
プルマン・レギャン・ニルワナ
Pullman Bali Legian Nirwana
Jl. Lebak Bene
チャンプルン・マス
Camplung Mas
Jl. Patih Jelantik
レギャン・パラディソ
Legian Paradiso Hotel
ハーモニー
The Harmony
ルサ
Hotel Lusa
Jl. Benesari
クタ・バンガロー
Kuta Bungalow
Jl. Legian
ザ・ワン・レギ
The ONE Legian
クタ湾
Teluk Kuta
Jl. Raya Pantai Kuta
P.78 ナシ・バリ・レストラン・レギャン
Nasi Bali Restaurant Legian
レストゥ
Restu Bali Hotel
コピ・ポット
Kopi Pot
マタハリ
Matahari Bunga
P.93 エントワ・ビーチ・ストア
EntoWa Beach Store
カミニ・コテージ
Hotel Kamini Cottages
P.122 ビーチウォーク・ショッピングセンター
Beachwalk Shopping Center
Jl. Poppies II
爆弾テロ事
慰霊碑
P.122 5・ジー・エックス
5GX
クタ・ビーチ
Kuta Beach
P.123 ロッソ・ヴィヴォ
Rosso Vivo
Jl. Legian

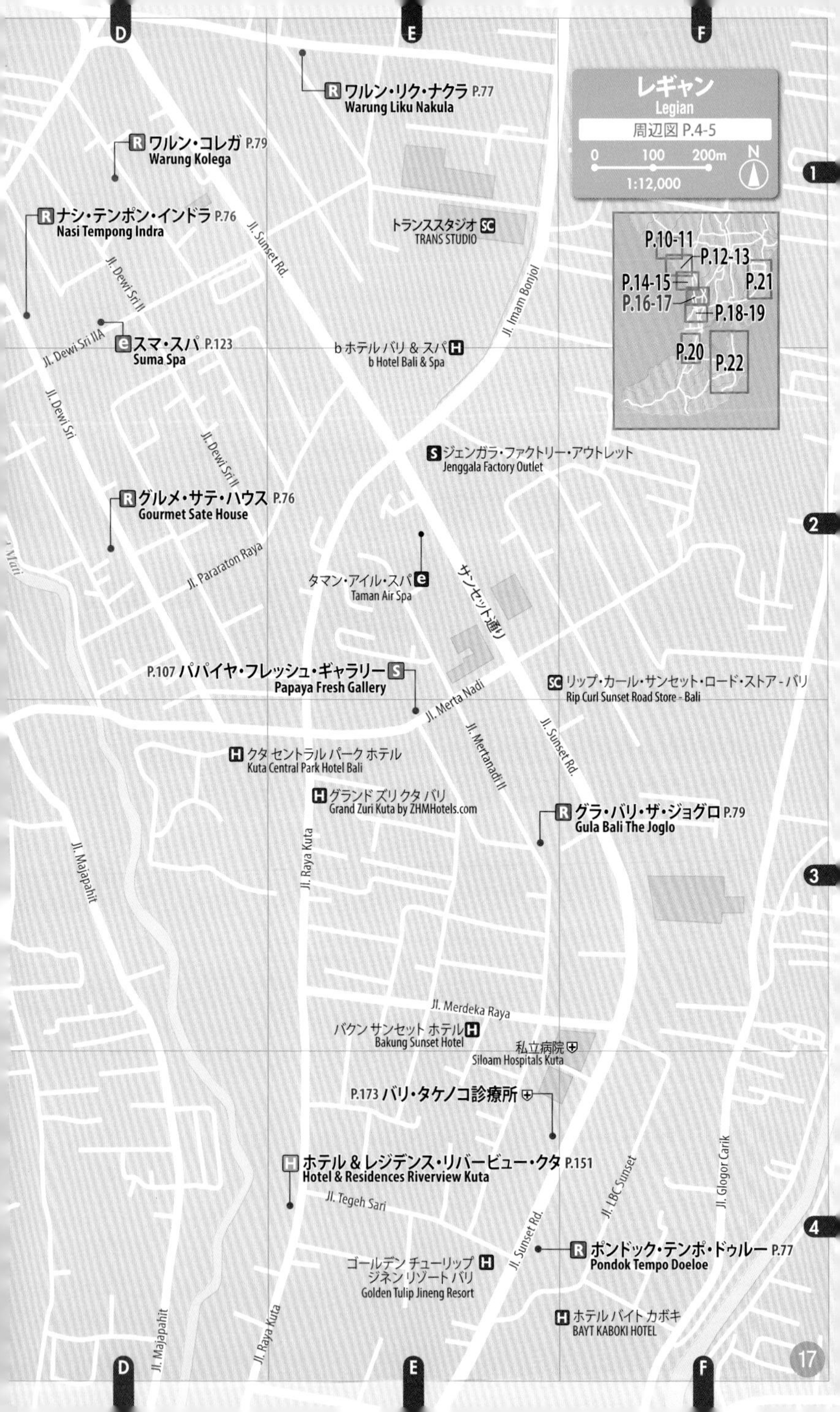
レギャン
Legian
周辺図 P.4-5
0 100 200m
1:12,000
N
P.10-11
P.12-13
P.14-15
P.16-17
P.18-19
P.20
P.21
P.22
ワルン・リク・ナクラ P.77
Warung Liku Nakula
ワルン・コレガ P.79
Warung Kolega
ナシ・テンポン・インドラ P.76
Nasi Tempong Indra
トランススタジオ
TRANS STUDIO
Jl. Sunset Rd.
Jl. Dewi Sri II
Jl. Imam Bonjol
スマ・スパ P.123
Suma Spa
Jl. Dewi Sri IIA
b ホテル バリ & スパ
b Hotel Bali & Spa
Jl. Dewi Sri
Jl. Dewi Sri II
ジェンガラ・ファクトリー・アウトレット
Jenggala Factory Outlet
グルメ・サテ・ハウス P.76
Gourmet Sate House
Jl. Pararaton Raya
タマン・アイル・スパ
Taman Air Spa
サンセット通り
P.107 パパイヤ・フレッシュ・ギャラリー
Papaya Fresh Gallery
リップ・カール・サンセット・ロード・ストア - バリ
Rip Curl Sunset Road Store - Bali
Jl. Merta Nadi
Jl. Mertanadi II
Jl. Sunset Rd.
クタ セントラル パーク ホテル
Kuta Central Park Hotel Bali
グランド ズリクタ バリ
Grand Zuri Kuta by ZHMHotels.com
グラ・バリ・ザ・ジョグロ P.79
Gula Bali The Joglo
Jl. Majapahit
Jl. Raya Kuta
Jl. Merdeka Raya
バクン サンセット ホテル
Bakung Sunset Hotel
私立病院
Siloam Hospitals Kuta
P.173 バリ・タケノコ診療所
ホテル & レジデンス・リバービュー・クタ P.151
Hotel & Residences Riverview Kuta
Jl. Tegeh Sari
Jl. LBC Sunset
Jl. Glogor Carik
Jl. Sunset Rd.
ポンドック・テンポ・ドゥルー P.77
Pondok Tempo Doeloe
ゴールデン チューリップ ジネン リゾート バリ
Golden Tulip Jineng Resort
ホテル バイト カボキ
BAYT KABOKI HOTEL
Jl. Majapahit
Jl. Raya Kuta
D
E
F
1
2
3
4

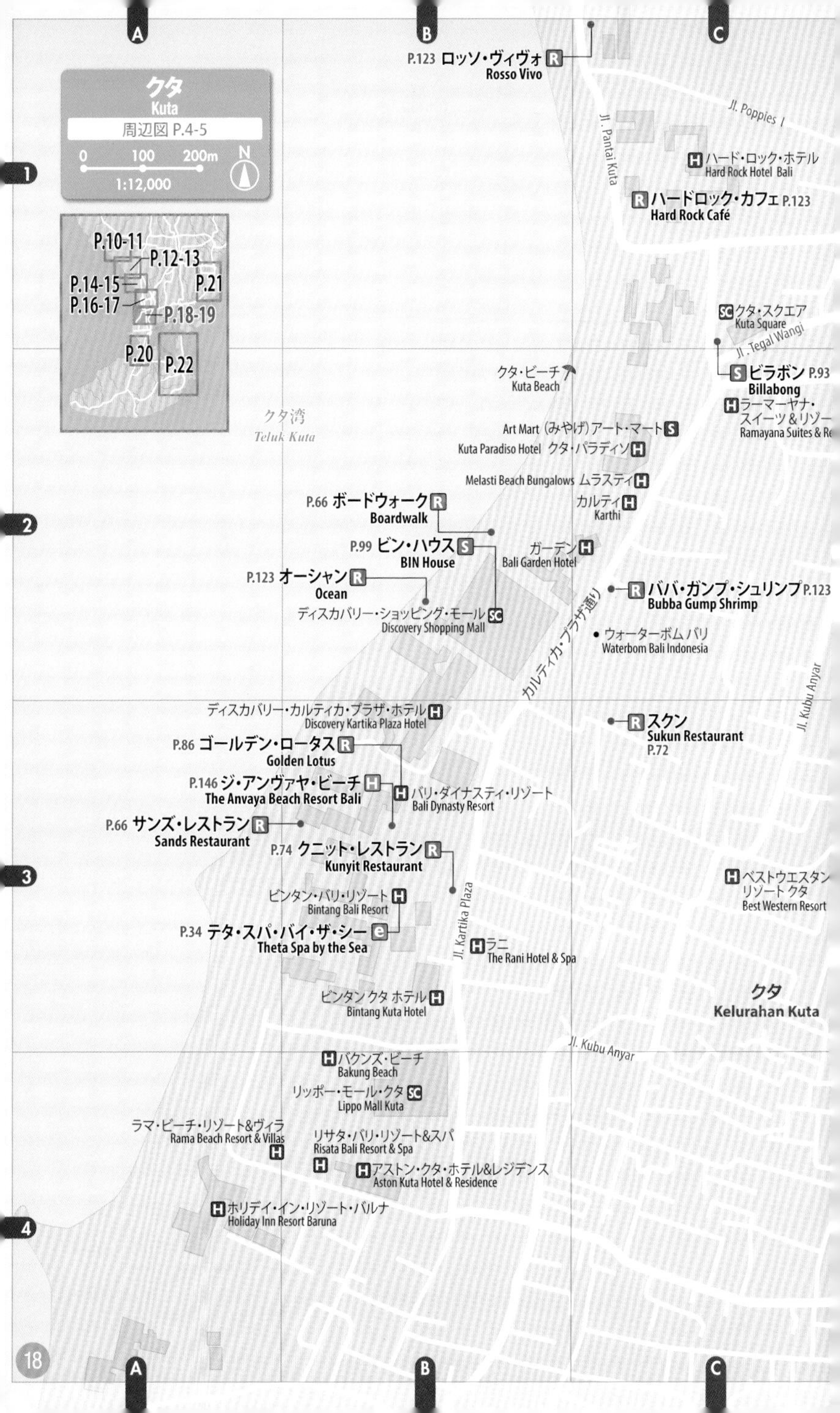
クタ
Kuta
周辺図 P.4-5
0
100
200m
1:12,000
P.10-11
P.12-13
P.14-15
P.16-17
P.18-19
P.20
P.21
P.22
P.123 ロッソ・ヴィヴォ
Rosso Vivo
Jl. Poppies I
Jl. Pantai Kuta
ハード・ロック・ホテル
Hard Rock Hotel Bali
ハードロック・カフェ P.123
Hard Rock Café
クタ・スクエア
Kuta Square
Jl. Tegal Wangi
ビラボン P.93
Billabong
ラーマーヤナ・スイーツ&リゾー
Ramayana Suites & Re
クタ・ビーチ
Kuta Beach
クタ湾
Teluk Kuta
Art Mart (みやげ)アート・マート
Kuta Paradiso Hotel クタ・パラディソ
Melasti Beach Bungalows ムラスティ
カルティ
Karthi
P.66 ボードウォーク
Boardwalk
P.99 ビン・ハウス
BIN House
ガーデン
Bali Garden Hotel
P.123 オーシャン
Ocean
ディスカバリー・ショッピング・モール
Discovery Shopping Mall
ババ・ガンプ・シュリンプ P.123
Bubba Gump Shrimp
ウォーターボム バリ
Waterbom Bali Indonesia
カルティカ・プラザ通り
Jl. Kubu Anyar
ディスカバリー・カルティカ・プラザ・ホテル
Discovery Kartika Plaza Hotel
スクン
Sukun Restaurant
P.72
P.86 ゴールデン・ロータス
Golden Lotus
P.146 ジ・アンヴァヤ・ビーチ
The Anvaya Beach Resort Bali
バリ・ダイナスティ・リゾート
Bali Dynasty Resort
P.66 サンズ・レストラン
Sands Restaurant
P.74 クニット・レストラン
Kunyit Restaurant
ベストウエスタン リゾート クタ
Best Western Resort
ビンタン・バリ・リゾート
Bintang Bali Resort
Jl. Kartika Plaza
P.34 テタ・スパ・バイ・ザ・シー
Theta Spa by the Sea
ラニ
The Rani Hotel & Spa
クタ
Kelurahan Kuta
ビンタン クタ ホテル
Bintang Kuta Hotel
Jl. Kubu Anyar
バクンズ・ビーチ
Bakung Beach
リッポー・モール・クタ
Lippo Mall Kuta
ラマ・ビーチ・リゾート&ヴィラ
Rama Beach Resort & Villas
リサタ・バリ・リゾート&スパ
Risata Bali Resort & Spa
アストン・クタ・ホテル&レジデンス
Aston Kuta Hotel & Residence
ホリデイ・イン・リゾート・バルナ
Holiday Inn Resort Baruna

D
E
F
1
2
3
4
レギャン通り Jl. Legian
パークレジスクタ
Park Regis Kuta
Jl. Raya Kuta
Jl. Seitabudi
Jl. Sunset Rd.
ホテル バイト カボキ
BAYT KABOKI HOTEL
サーファー・ガール P.93
Surfer Girl
Jl. Majapahit
ホテル サンティカ クタ
Hotel Santika Kuta Bali
ラヤ・クタ通り
グランド メガ リゾート & スパ バリ
Grand Mega Resort & Spa Bali
ポピーズ
Poppies Bali
ハリス ホテル クタ ギャラリア - バリ
HARRIS Hotel Kuta Galleria - Bali
Jl . Raya Pantai Kuta
クタ市場
Pasar Kuta
マティ川
モール・バリ・ギャレリア・クタ
Mal Bali Galeria Kuta
Jl. Buni Sari
Jl. Raya Kuta
ワルン・ジョグジャカルタ P.78
Warung Yogjakarta
ハイパーマート
Hypermart
バドゥン県政府観光局
Badung Govt. Tourist Office
ワルン・マカン・ニクマット P.122
Warung Makan Nikmat
Tukad Mati
ングラ・ライ・バイパス
オハナ ホテル クタ
Ohana Hotel Kuta
Jl. Kubu Anyar
Jl. Kendedes
メルキュール バリ ハーベストランド クタ
Mercure Bali Harvestland Kuta
ナチャ ホテル クタ
Natya Hotel Kuta
アヤム・ペニュー・スラバヤ
Ayam Penyet Surabaya
Jl. By Pass Ngurah Rai
Jl. Raya Kuta
総合病院
Graha Asih Hospital
ワルン・ラオタ P.87
Warung Laota
ラヤ・クタ通り
パーク 23 モール
Park 23 Mall

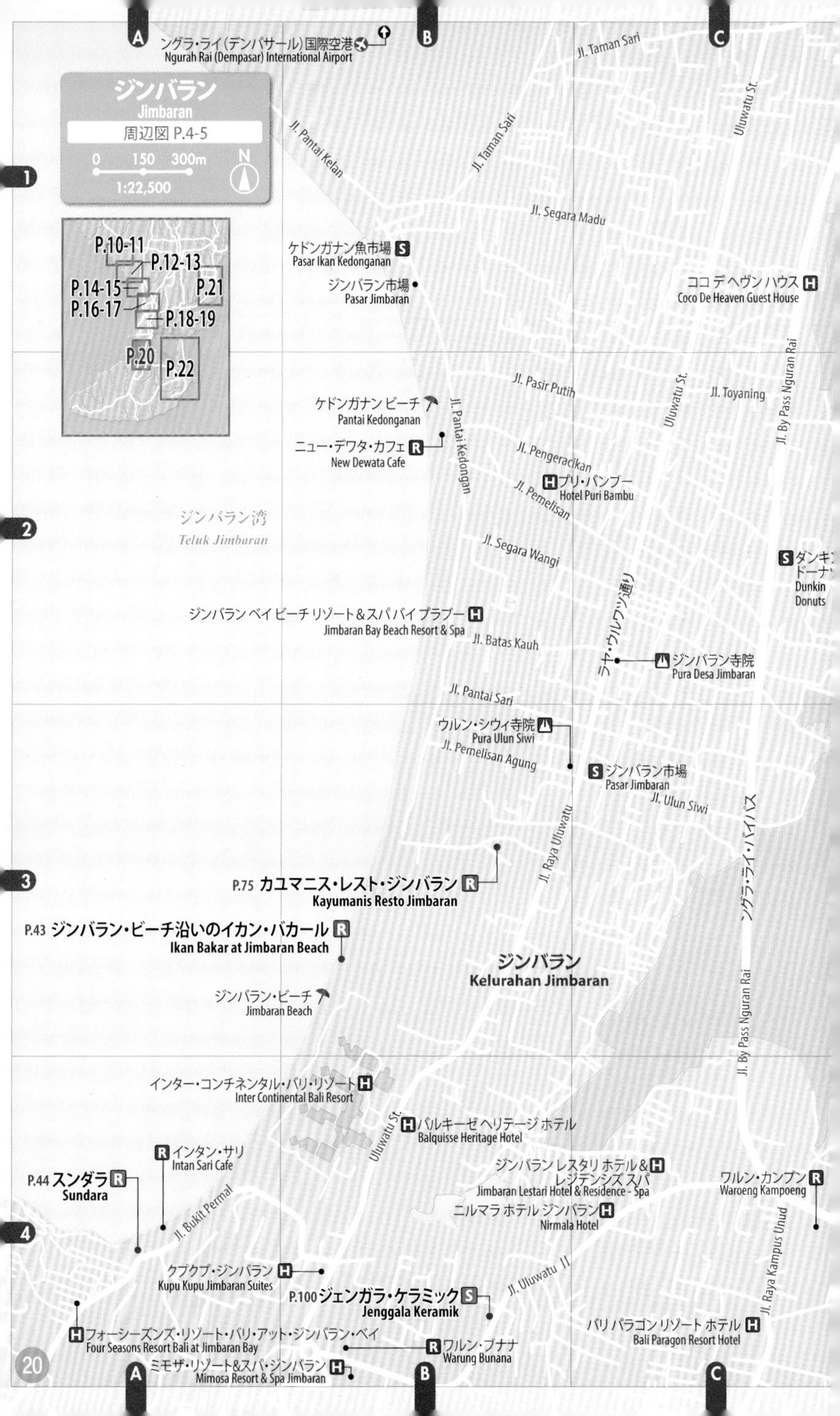

ジンバラン
Jimbaran
周辺図 P.4-5
0 150 300m
1:22,500
N
P.10-11
P.12-13
P.14-15
P.16-17
P.18-19
P.21
P.20
P.22
ングラ・ライ（デンパサール）国際空港
Ngurah Rai (Dempasar) International Airport
Jl. Taman Sari
Jl. Pantai Kelan
Uluwatu St.
Jl. Segara Madu
ケドンガナン魚市場
Pasar Ikan Kedonganan
ジンバラン市場
Pasar Jimbaran
ココ デヘヴン ハウス
Coco De Heaven Guest House
Jl. Pasir Putih
Jl. Toyaning
Jl. By Pass Nguran Rai
ケドンガナン ビーチ
Pantai Kedonganan
Jl. Pantai Kedongan
ニュー・デワタ・カフェ
New Dewata Cafe
Jl. Pengeracikan
プリ・バンブー
Hotel Puri Bambu
Jl. Pemelisan
ジンバラン湾
Teluk Jimbaran
Jl. Segara Wangi
ダンキ
ドーナ
Dunkin
Donuts
ラヤ・ウルワツ通り
ジンバラン ベイ ビーチ リゾート&スパ バイ プラブー
Jimbaran Bay Beach Resort & Spa
Jl. Batas Kauh
ジンバラン寺院
Pura Desa Jimbaran
Jl. Pantai Sari
ウルン・シウィ寺院
Pura Ulun Siwi
Jl. Pemelisan Agung
ジンバラン市場
Pasar Jimbaran
Jl. Ulun Siwi
Jl. Raya Uluwatu
ングラ・ライ・バイパス
P.75 カユマニス・レスト・ジンバラン
Kayumanis Resto Jimbaran
P.43 ジンバラン・ビーチ沿いのイカン・バカール
Ikan Bakar at Jimbaran Beach
ジンバラン
Kelurahan Jimbaran
ジンバラン・ビーチ
Jimbaran Beach
インター・コンチネンタル・バリ・リゾート
Inter Continental Bali Resort
Uluwatu St.
バルキーゼ ヘリテージ ホテル
Balquisse Heritage Hotel
インタン・サリ
Intan Sari Cafe
ジンバラン レスタリ ホテル&レジデンシズ スパ
Jimbaran Lestari Hotel & Residence - Spa
ワルン・カンプン
Waroeng Kampoeng
P.44 スンダラ
Sundara
Jl. Bukit Permai
ニルマラ ホテル ジンバラン
Nirmala Hotel
Jl. Raya Kampus Unud
クプクプ・ジンバラン
Kupu Kupu Jimbaran Suites
Jl. Uluwatu II
P.100 ジェンガラ・ケラミック
Jenggala Keramik
バリ パラゴン リゾート ホテル
Bali Paragon Resort Hotel
フォーシーズンズ・リゾート・バリ・アット・ジンバラン・ベイ
Four Seasons Resort Bali at Jimbaran Bay
ワルン・ブナナ
Warung Bunana
ミモザ・リゾート&スパ・ジンバラン
Mimosa Resort & Spa Jimbaran

サヌール
Sanur
周辺図 P.4-5
0 200 400m
1:26,000
N
P.10-11
P.12-13
P.14-15
P.16-17
P.18-19
P.20
P.21
P.22
トパティ
スリ ファラ リゾート＆ヴィラ
Sri Phala Resort & Villa
アリッツ・ビーチ・バンガローズ
Alit Beach Bungalows
Jl. Sedap Malam
Jl. By Pass Ngurah Rai
Jl. Hang Tuah
プライム・プラザ・ホテル・サヌール
Prime Plaza Hotel Sanur
ラパンガン・レットダ・メイド・ピカ
Lapangan Letda Made Pica
Jl. Danau Beratan
P.28 ル・メイヨール美術館
Museum Le Mayeur
ホテルバリ ホキ
Hotel Bali Hoki
Jl. Tukad Nyali
Jl. Tukad Bilok
インディ・ホテル
Indi Hotel
Jl. Danau Buyan
Jl. Tukad Balian
Jl. Danau Tondano
P.83 ソウル・オン・ザ・ビーチ
Soul on The Beach
シンドゥ市場
Pasar Sindu
サヌール
Kelurahan Sanur
バイパール・サリ通り
P.13 アイコン・バリ
ICON BALI
P.97 マヤ・カネコ・ジュエリー
MAYA KANEKO Jewelry
南デンパサール郡
Kecamatan Denpasar Selatan
レスパティ ビーチ ホテル
Respati Beach Hotel
サヌール・カウ
Desa Sanur Kauh
Jl. Batur Sari
Jl. By Pass Ngurah Rai
ベサキ ビーチ ホテル
Besakih Beach Hotel
スリー・モンキーズ
Three Monkeys
ダナウ・タンブリンガン通り
カフェ・バトゥジンバール
Cafe Batujimbar
P.107 スーパーマーケット・アルタセダナ・サヌール
Supermarket Artasedana Sanur
ングラ・ライ・バイパス
リタ・ギフトショップ
Rita Giftshop
パパスダイブセンター
Papas Dive Center
Jl. Kutat Lestari Gg. 6
シャンカ・スパ
Shankha Spa
Jl. Danau Tamblingan
ワルン・クリシュナ
Warung Krishna
イスクコン・バリ・ジャガナータ・ガウランガ・アスラーマ
ISKCON Bali (Denpasar) Jagannatha Gauranga Mandir
Jl. Kutat Lestari
P.59 ハイアット・リージェンシー
Hyatt Regency
サヌール・ビーチ
Sanur Beach
P.101 ケバラ・ホーム・バトゥブリック
Kevala Home Batubelig
総合病院
RS Bali Mandara
ブランジョン
Belanjong
Jl. Danau Tempe
Jl. By Pass Ngurah Rai
インティ
Inti Bali
マッシモ
Massimo
ゲートウェイ・オブ・インディア
Gateway of India
デアビアン ヴィラ＆スパ
De Abian Villa & Spa
P.100 フィリップ・レイクマン・ケラミック
Philip Lakeman Ceramic
プリ・シンドゥ・ムルタ・スイート
Puri Sindhu Mertha Suite
カムエラ・サヌール
Kamuera Sanur
Jl. By Pass Ngurah Rai
クタ
P.147 プリ・サントリアン
Puri Santrian
サヌール・ビーチ
Sanur Beach
P.81 ジーニアス
Genius
タマン・インスピラシ・マータサリ
Taman Inspirasi Mertasari
メルタサリ・ビーチ
Pantai Mertasari
A B C
1 2 3 4

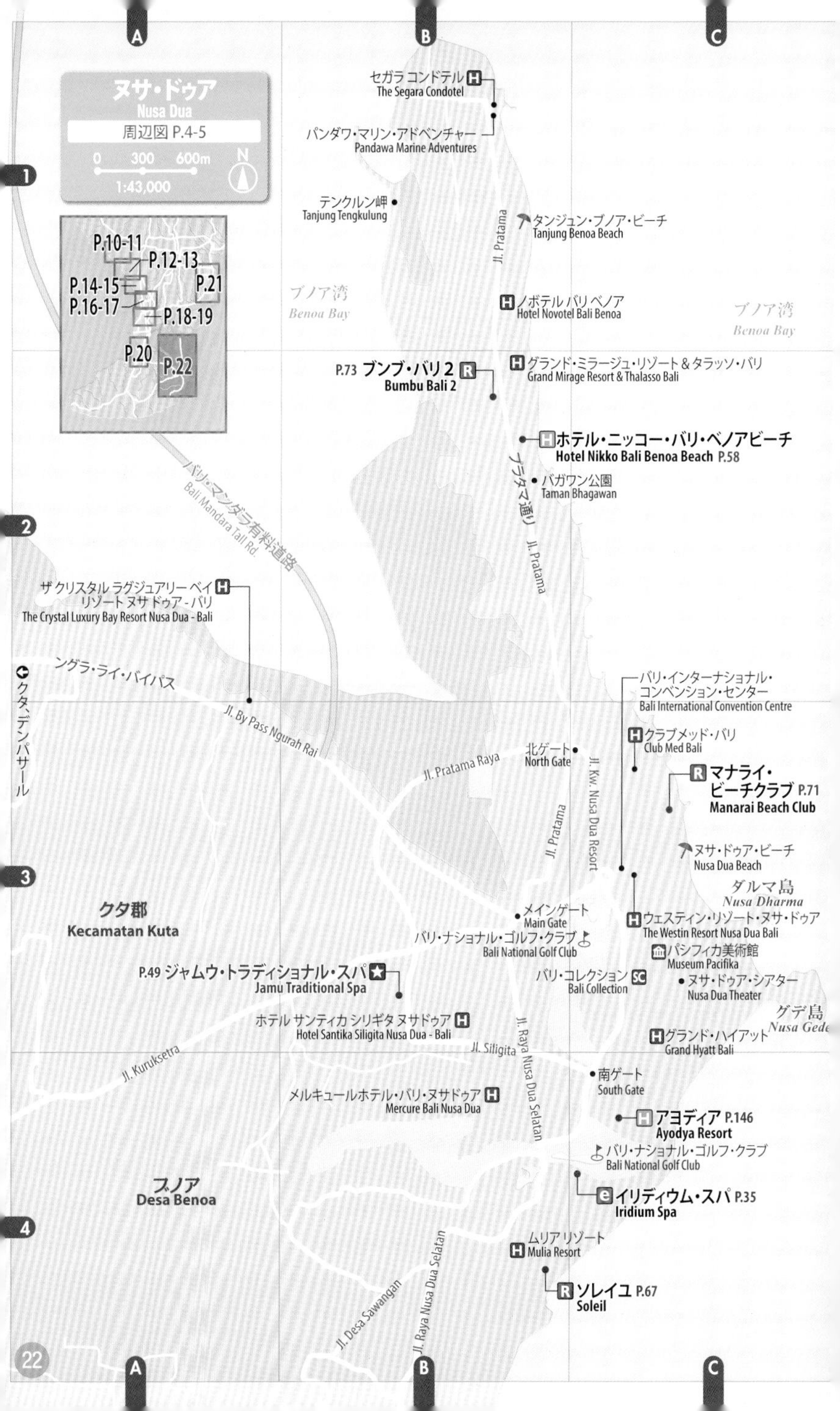

ヌサ・ドゥア
Nusa Dua
周辺図 P.4-5
0 300 600m
1:43,000
N
P.10-11
P.12-13
P.14-15
P.16-17
P.18-19
P.20
P.21
P.22
セガラ コンドテル
The Segara Condotel
パンダワ・マリン・アドベンチャー
Pandawa Marine Adventures
テンクルン岬
Tanjung Tengkulung
タンジュン・ブノア・ビーチ
Tanjung Benoa Beach
Jl. Pratama
ブノア湾
Benoa Bay
ノボテル バリ ベノア
Hotel Novotel Bali Benoa
ブノア湾
Benoa Bay
グランド・ミラージュ・リゾート＆タラッソ・バリ
Grand Mirage Resort & Thalasso Bali
P.73 ブンブ・バリ 2
Bumbu Bali 2
ホテル・ニッコー・バリ・ベノアビーチ
Hotel Nikko Bali Benoa Beach P.58
プラタマ通り
バガワン公園
Taman Bhagawan
バリ・マンダラ有料道路
Bali Mandara Tall Rd.
Jl. Pratama
ザ クリスタル ラグジュアリー ベイ
リゾート ヌサ ドゥア - バリ
The Crystal Luxury Bay Resort Nusa Dua - Bali
ングラ・ライ・バイパス
クタ、デンパサール
Jl. By Pass Ngurah Rai
バリ・インターナショナル・
コンベンション・センター
Bali International Convention Centre
クラブメッド・バリ
Club Med Bali
北ゲート
North Gate
Jl. Pratama Raya
Jl. Kw. Nusa Dua Resort
Jl. Pratama
マナライ・
ビーチクラブ P.71
Manarai Beach Club
ヌサ・ドゥア・ビーチ
Nusa Dua Beach
ダルマ島
Nusa Dharma
クタ郡
Kecamatan Kuta
メインゲート
Main Gate
ウェスティン・リゾート・ヌサ・ドゥア
The Westin Resort Nusa Dua Bali
バリ・ナショナル・ゴルフ・クラブ
Bali National Golf Club
パシフィカ美術館
Museum Pacifika
P.49 ジャムウ・トラディショナル・スパ
Jamu Traditional Spa
バリ・コレクション
Bali Collection
ヌサ・ドゥア・シアター
Nusa Dua Theater
グデ島
Nusa Gede
ホテル サンティカ シリギタ ヌサドゥア
Hotel Santika Siligita Nusa Dua - Bali
グランド・ハイアット
Grand Hyatt Bali
Jl. Siligita
Jl. Kuruksetra
Jl. Raya Nusa Dua Selatan
南ゲート
South Gate
メルキュールホテル・バリ・ヌサドゥア
Mercure Bali Nusa Dua
アヨディア P.146
Ayodya Resort
バリ・ナショナル・ゴルフ・クラブ
Bali National Golf Club
ブノア
Desa Benoa
イリディウム・スパ P.35
Iridium Spa
ムリア リゾート
Mulia Resort
ソレイユ P.67
Soleil
Jl. Desa Sawangan
Jl. Raya Nusa Dua Selatan

TRAFFIC INFORMATION
バリ島の島内交通

鉄道がないバリ島では、タクシーやバスをはじめとする車での移動が基本。最近は便利な配車サービスも普及し、交通手段の選択肢が増えている。

最もポピュラーな移動手段

タクシー Taxi

メーター制と料金交渉制があり、メーター制のほうが、トラブルが少なく安心。交渉制タクシーを利用する際は、先に目的地を告げて料金を確認し、金額が折り合わない場合は別のタクシーを探すこと。

どこから乗る?

主な南部リゾートエリアでは、メーター制のタクシーが街を流しており、日本と同じように手を上げれば止まってくれる。ホテルやレストランではスタッフに頼んで呼んでもらうことも可能。ただし、ウブドやチャングー、ジンバラン・ビーチ周辺などの一部地域では、ブルーバード・タクシーの乗車が禁止(降車はOK)されているため、料金交渉制のローカルタクシーしか拾えない。割高にはなるが、ングラ・ライ国際空港からはブルーバード・グループのゴールデンバード・タクシーが事前予約で利用できる。

料金はどのくらい?

メーター制なら、初乗り料金がRp.1万2000、1kmごとにRp.6500が加算され、深夜の追加料金はない。電話で呼んだ場合は、近距離でも最低料金Rp.3万～。南部エリアから郊外へ行く場合は、3割ほど割増となる。

ングラ・ライ国際空港からのメーター制タクシー料金の目安

乗車区間	所要時間	運賃
ングラ・ライ国際空港周辺	～約10分	～約Rp.18万5000
クタ、レギャン、ジンバラン、サヌール、デンパサール南部、ヌサ・ドゥアまで	～約30分	～約Rp.23万
スミニャック、デンパサール北部、ヌサ・ドゥア南部まで	～約1時間	～約Rp.31万5000
ウブド中心部、チャングーまで	～約1時間30分	～約Rp.45万
ウブド北部まで	約2時間	～約Rp.56万

※ゴールデンバード・タクシーの場合の料金

かしこいタクシーの選び方

最も評判が良いのは、メーター制のブルーバード・タクシー。青い車体で、側面と上部に鳥のマークがあり、フロントガラスに白い文字で「BLUE BIRD GROUP」と記されている。よく似た別会社のタクシーもあるので注意。ブルーバード・タクシーは専用アプリで呼び出すこともできる。

運転手は青いバティックを着用

タクシーの乗り方

① タクシーに乗る

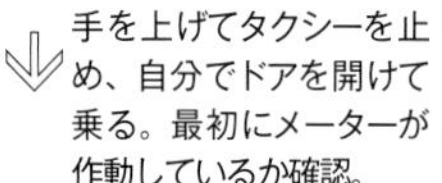

手を上げてタクシーを止め、自分でドアを開けて乗る。最初にメーターが作動しているか確認。

② タクシーを降りる

メーターに表示された金額を確認して支払う。チップは、細かいおつりを渡す程度でOK。高額紙幣で払おうとすると、おつりをくれないこともあるので注意しよう。

タクシー利用の注意点

- メーターを作動させないドライバーには、最初に「メーター・プリーズ」とはっきり言おう。
- 市街地は一方通行が多く、目的地まで遠回りすることも。タクシーを拾う場所に気をつけて。
- 高額紙幣を出すとおつりがないと言われることがあるので、小額紙幣を用意しておくこと。
- ブルーバード・タクシーの車体にそっくりの白タクがあるので、よく確認してから乗車を。
- ウブドではメーター制タクシーを拾えないので、南部エリアから行く場合は往復貸切に。

ここ数年で急速にシェアを拡大

配車サービス Taxi Dispatch App

Grab(グラブ)とGO-JEK(ゴジェック)は、インドネシアの2大配車サービス。スマホに専用アプリをインストールして登録すれば、旅行者でも簡単に使える。

料金

予約時に入力したルートで料金が決まる定額制なので安心。通常のタクシーより2～3割ほど安く、現金もしくは電子マネーで支払う。Grabの場合は、事前に登録しておいたクレジットカードでの支払いも可能。

乗り方

アプリを起動してスマホの位置情報を「ON」にしたあと、乗車と降車の場所を入力。近くを走る車が表示されるので、希望の車を指定して待っていると数分で迎えに来る。ウブドやチャングー、ジンバラン・ビーチ周辺など利用できないエリアもあるので注意。ほかの地区から乗り入れて降車するだけなら問題ない。

電子マネー「OVO」「Go-pay」

インドネシアでは、OVO(オボ)とGo-Pay(ゴーペイ)という2つの電子マネーの競争が激化。OVOはGrab、Go-PayはGO-JEKの支払いで利用できる。2019年にはLinkAja(リンクアジャ)もスタート。

レンタカーやレンタバイクは バリ島では利用しないのが賢明

ほかの観光地同様、バリ島にもレンタカーやレンタバイクはあるが、運転はおすすめできない。運転マナーや道路状況など、交通事情が悪いのが理由だ。近年は渋滞も激しい。また日本の国際運転免許証も、通用したりしなかったり不明瞭なことが多く、万が一事故に遭った場合など、旅行者では対応しきれないことが多い。保険会社の対応範囲や相手が保険に入っているかなど、リスクが高いため、運転手ごとチャーターできるチャーターカーのサービスを利用したい。

自由自在に行動できるのが魅力

チャーターカー Charter Car

遠出する場合や多数の観光地を巡るときは、旅行会社やホテルが手配するチャーターカーがおすすめ。自由にスケジュールが組めるので時間を有効に使える。

料金

料金は会社によって異なり、8時間5000～1万円が目安。日本語ガイドを手配するとやや高くなる。車1台分の料金なので、乗車人数が変わっても同額。高速道路や駐車場代、寺院の入場料などは別途必要となる。

乗り方

現地旅行会社やホテルのツアーデスク、インターネットや電話などで予約する。出発前に日本の旅行会社を通して予約することも可能。当日は宿泊ホテルまで迎えに来てくれるので安心だ。利用条件は会社によってさまざまだが、政府公認の日本語ガイドがつく会社を選ぶのがおすすめ。保険の有無も確認しておきたい。

「ドッカル」

ドッカルは、観光用の馬車のこと。料金は交渉次第だが、近距離でもRp.10万程度とかなり高め。クタ・ビーチ前などで待機しているので、のんびりとした雰囲気を味わいたいなら乗ってみてもよい。

旅行者向けの快適なシャトルバス

クラクラバス Kurakura Bus

クタのDFSバスターミナルを起点に運行する旅行者向けの公共バス。クタとウブドのスポットを巡る。全線予約なしで利用できるが、ネットで座席を予約したほうがベスト。無料Wi-Fiや充電設備、エアコンも完備している。

チケット

チケットは大きく分けて3種類。それぞれに利点があるので、目的に合わせて使い分けたい。
HP ja.kura2bus.com

手軽に使えるシンプルな1回乗車券

クラクラコイン　KURAKURA COIN

1回のみの乗車券。路線によって料金が異なる。各エリアのチケットブースや車内で購入できる。

クラクラバスの乗り方

① 停留所を探す

クタのDFSバスターミナルのほか、主要ホテルやショッピングモールなどに専用のバス停がある。カメのマークが描かれた緑色のポールが目印。

② チケットを提示して乗車

乗車する際に予約チケットをドライバーに提示する。ドライバーからチケットを購入する場合は乗車時に申し出る。

③ バスを降りる

すべてのバス停に停まるため、ボタンを押したりする必要はない。車内案内は英語だけなので、自分が降りる停留所の英語表記は覚えておこう。

バス利用の注意点

1人につき1個の手荷物を持ち込むことができ、サーフボードのような大きな荷物や刃物の携帯、ペットの同伴は不可。車内は全席禁煙で、飲食も禁止されている。道路の渋滞などにより、大幅に運行スケジュールが遅れる場合もある。

クラクラバスの路線

路線名	区間	運賃	運行時間
クタ→ウブド	リッポ・モール・クタ → ビーチウォーク → グランド・ラッキー・サヌール → ココ・スーパーマーケット・ウブド → プリ・ルキサン美術館	Rp.10万	1日2本運行（8：00発／14：00発）
ウブド→クタ	プリ・ルキサン美術館 → マクドナルド・サヌール → ングラ・ライ国際空港 → リッポ・モール・クタ → ビーチウォーク	Rp.10万	1日2本運行（11：00発／17：00発）

長距離移動に便利な格安バス

手ごろな料金で主要エリアを結ぶ中・長距離のシャトルバス。前日までの予約が無難で、ネット予約も可。

どこから乗る？

各エリアにあるプラマ社の営業所から乗車。窓口でチケットを購入し、待合スペースで出発時間を待つ。ホテルまで迎えに来てもらうことも可能だが別料金。

料金はどのくらい？

クタからウブドまで片道Rp.10万、クタからチャンディ・ダサまで片道Rp.12万5000。タクシーやチャーターカーに比べてかなり安く、長距離を低予算で移動したい人におすすめ。バックパッカーの利用者が多い。

予約の場合は時間に余裕をもって到着を

新しい公共バスサービス

トランス・メトロ・デワタ Trans Metro Dewata

インドネシア政府が提供する新しい公共交通機関サービス。街なかでも目立つ赤色の車体が印象的。便数も多く、料金もとてもリーズナブルで空港からウブドまで移動できる。バスの前面と背面に、路線番号(K1～K6)と行き先が電光掲示パネルで表示されている。支払いはプリペイドカードとスマホ決済のみなので、事前に忘れずに準備しておこう。

バス利用の注意点

キャリーケースなど旅行者用の大型荷物は乗せられないが、手荷物であれば気軽に乗車可能。空港や遠距離バスのターミナルにも乗り入れているが、プリペイドカードの購入や停車場所が多いことから、時間に余裕のある旅行者向け。

どこから乗る?

青色の標識が立つ専用のバス停がある。専用アプリ「Mitra Darat」をダウンロードすれば、バスの現在位置と最寄りの停留所を教えてくれるので安心。ただし、インドネシア国内専用アプリなので、ダウンロードはバリ島に着いてからとなる。

料金はどのくらい?

料金は乗車時間によって異なり、90分までRp.4400。支払いにはプリペイドカードもしくはスマホ決済アプリを利用。プリペイドカードは銀行窓口で購入できる。

トランス・メトロ・デワタの路線

路線名	区間	運行時間
Koridor1 (K1)	セントラル・パーキング・クタ → ペシアパン・ターミナル	毎日4：30～22：00まで運行 10～15分間隔
Koridor2 (K2)	ウブン・ターミナル → ングラ・ライ国際空港	
Koridor3 (K3)	ウブン・ターミナル → アイコン・バリ・モール・サヌール	
Koridor4 (K4)	ウブン・ターミナル → モンキー・フォレスト・ウブド	
Koridor5 (K5)	セントラル・パーキング・クタ → ポリテクニック・ヌガリ・バリ	
Koridor6 (K6)	セントラル・パーキング・クタ → ングラ・ライ国際空港 → ヌサ・ドゥア	

海沿いや田舎道をのんびり走行

レンタサイクル Rental Cycle

サヌールやウブドでは、自転車を借りて観光するのもいい。近距離の移動に便利で、行動範囲が広がる。

どこから乗る?

街なかに点在するレンタサイクルショップで簡単に借りられる。ホテルで貸し出しているところも多い。

料金はどのくらい?

1日のレンタル料金はRp.2万～5万程度。最新のマウンテンバイクなどはやや高めとなる。ホテルによっては無料サービスの場合もある。

シェアサイクルの乗り方

① 自転車のチェック

借りる前に必ず試乗し、ブレーキの効き具合やサドルの高さ、タイヤの空気圧などを確認。カギが壊れていないかどうかも忘れずにチェック。

② レンタルする

慣れないうちはスピードを控えめにして、交通量の多い道は避けよう。サヌールの海沿いやウブドの田園地帯などをゆったり走るのがおすすめ。

旅のインドネシア語
INDONESIAN CONVERSATION

インドネシア語はアルファベット表記でほぼローマ字読み。文法も単純なので、よく使う単語やフレーズは覚えておこう。

基本単語

何?
apa
アパ?

いつ?
kapan
カパン

どこ?
mana
マナ

いくつ(数をたずねる)?
berapa
ブラパ

〜から
dari 〜
ダリ

〜へ
ke 〜
ク

〜で(場所)
di 〜
ディ

これ
ini
イニ

あれ
itu
イトゥ

〜したい
〜mau
マウ

行く
pergi
プルギ

食べる
makan
マカン

飲む
minum
ミヌム

寝る
tidur
ティドール

買う
belanja
ブランジャ

0
nol
ノル

1
satu
サトゥ

2
dua
ドゥア

3
tiga
ティガ

4
empat
ウンパッ

5
lima
リマ

6
enam
ウナム

7
tujuh
トゥジュ

8
delapan
ドゥラパン

9
sembilan
スンビラン

10
sepuluh
スプル

100
seratus
スラトゥス

1000
seribu
スリブ

10,000
sepuluh ribu
スプルリブ

100,000
seratus ribu
スラトゥス リブ

基本フレーズ

おはよう。
Selamat pagi.
スラマッ パギ

こんにちは(15:00まで)。
Selamat siang.
スラマッ シアン

こんにちは(15:00〜日没)。
Selamat sore.
スラマッ ソレ

ありがとう。
Terima kasih.
トゥリマ カシ

どういたしまして。
Sama-sama.
サマサマ

はい/いいえ。
Ya./Tidak.
ヤー/ティダッ

大丈夫です。
Tidak apa-apa.
ティダッ アパアパ

すみません(謝るとき)。
Minta maaf.
ミンタ マアフ

すみません(呼びかけ)。
Permisi.
プルミシ

どこへ行くの?
Mau ke mana?
マウ ク マナ

散歩する。
Jalan-Jalan.
ジャラン ジャラン

ようこそ。
Selamat datang.
スラマッ ダタン

さようなら(自分が出発)。
Selamat tinggal.
スラマッ ティンガル

さようなら(自分が見送る)。
Selamat jalan.
スラマッ ジャラン

何時?
Jam berapa?
ジャム ブラパ

3時です。
Jam tiga.
ジャム ティガ

何時間かかりますか?
Berapa jam?
ブラパ ジャム

6時間かかります。
Enam jam.
ウナム ジャム

トラブル

痛い
sakit
サキッ

頭痛
sakit kepala
サキッ クパラ

腹痛(食あたり)
keracunan
クラチュナン

デング熱
deman berdarah
ドゥマム ブルダラー

寒い/暑い
dingin panas
ディンギン/パナス

警察
polosi
ポリシ

たすけて!
Tolong!
トロン

病院
rumah sakit
ルマ サキッ

薬
obat
オバット

けが
luka
ルカ

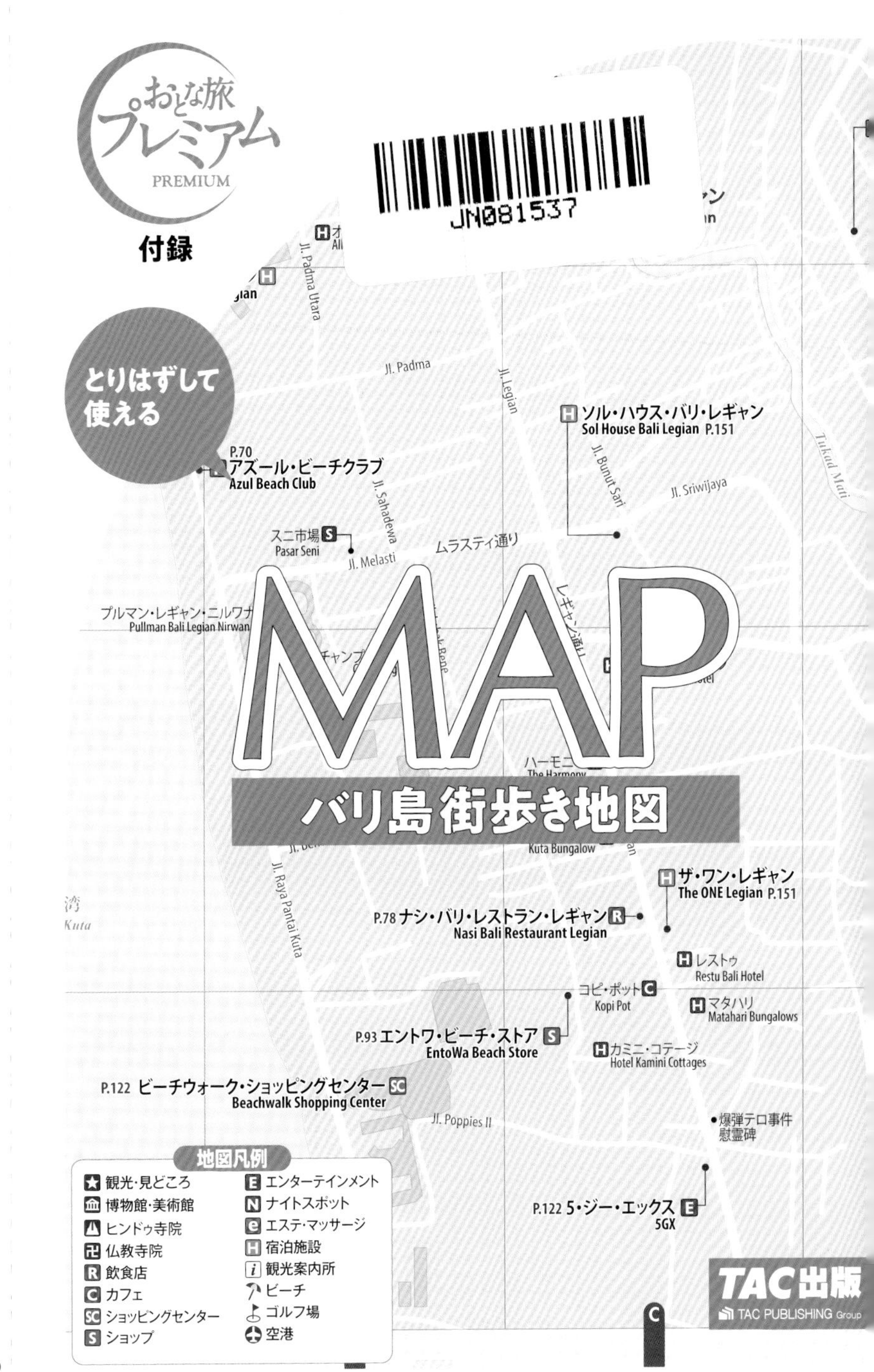

おとな旅プレミアム
PREMIUM
付録
とりはずして使える
MAP
バリ島街歩き地図
P.70 アズール・ビーチクラブ
Azul Beach Club
ソル・ハウス・バリ・レギャン
Sol House Bali Legian P.151
スニ市場
Pasar Seni
ムラスティ通り
プルマン・レギャン・ニルワナ
Pullman Bali Legian Nirwana
ハーモニ
Kuta Bungalow
ザ・ワン・レギャン
The ONE Legian P.151
P.78 ナシ・バリ・レストラン・レギャン
Nasi Bali Restaurant Legian
レストゥ
Restu Bali Hotel
コピ・ポット
Kopi Pot
マタハリ
Matahari Bungalows
P.93 エントワ・ビーチ・ストア
EntoWa Beach Store
カミニ・コテージ
Hotel Kamini Cottages
P.122 ビーチウォーク・ショッピングセンター
Beachwalk Shopping Center
爆弾テロ事件慰霊碑
P.122 5・ジー・エックス
5GX
Jl. Padma Utara
Jl. Padma
Jl. Legian
Jl. Bunut Sari
Jl. Sriwijaya
Jl. Sahadewa
Jl. Melasti
Jl. Raya Pantai Kuta
Jl. Poppies II
Tukad Mati
Kuta
地図凡例
観光・見どころ
博物館・美術館
ヒンドゥ寺院
仏教寺院
飲食店
カフェ
ショッピングセンター
ショップ
エンターテインメント
ナイトスポット
エステ・マッサージ
宿泊施設
観光案内所
ビーチ
ゴルフ場
空港
TAC出版
TAC PUBLISHING Group
JN081537

切り取り線

付録

バリ島 MAP 街歩き地図

街の交通ガイド付き

日本からの✈フライト時間
約7~8時間

バリの空港
ングラ・ライ国際空港
MAP 付録P.4 C-3
クタ&レギャンまで車で約10~20分
ウブドまで車で約1~2時間

ビザ
空港到着時に到着ビザ（VOA）の取得が必須▶P.10

時差

日本	0	1	2	3	4	5	6	7	8	9	10	11	12	13	14	15	16	17	18	19	20	21	22	23
バリ島	23	0	1	2	3	4	5	6	7	8	9	10	11	12	13	14	15	16	17	18	19	20	21	22

日本時間の前日

通貨と換算レート
ルピア（Rp.）

Rp.1000=10円（2024年8月現在）

チップ
観光地では普及しつつある。サービス料が料金に含まれる場合不要▶P.11 ▶P.171

言語
インドネシア語、バリ語、英語

バリ島

CONTENTS

バリ島でぜったいしたい7のコト … 21

BEST 7 THINGS TO DO IN BALI

GOURMET&CAFE … 63

グルメ & カフェ

SHOPPING … 89

ショッピング

AREA WALKING … 109
歩いて楽しむ

HOTEL … 145
ホテル

ONE DAY TRIP … 152
バリ島からのワンデー・トリップ

本書の使い方

●本書に掲載の情報は2024年6～10月の取材・調査によるものです。料金、営業時間、休業日、メニューや商品の内容などが、本書発売後に変更される場合がありますので、事前にご確認ください。
●本書に紹介したショップ、レストランなどとの個人的なトラブルに関しましては、当社では一切の責任を負いかねますので、あらかじめご了承ください。
●料金・価格は基本的に現地通貨の「Rp.」で表記していますが、一部施設などでは「US$」でも表示しています。また表示している金額とは別に、税やサービス料がかかる場合があります。
●電話番号は、市外局番から表示しています。日本から電話をする場合には→P.165を参照ください。
●営業時間、開館時間は実際に利用できる時間を示しています。ラストオーダー(LO)や最終入館の時間が決められている場合は別途表示してあります。
●休業日に関しては、基本的に年末年始、祝祭日などを除く定休日のみを記載しています。

本文マーク凡例

- ☎ 電話番号
- 交 空港、ランドマークからのアクセス
- 所 所在地
- 休 定休日
- 料 料金
- HP 公式ホームページ
- 開 開館／開園／開門時間
- 営 営業時間
- J 日本語が話せるスタッフがいる
- J 日本語のメニューがある
- E 英語が話せるスタッフがいる
- E 英語のメニューがある
- 予約が必要、または望ましい
- クレジットカードが利用できる

地図凡例

- 観光・見どころ
- 博物館・美術館
- ヒンドゥ寺院
- 仏教寺院
- エンターテインメント
- 飲食店
- カフェ
- ショッピングセンター
- ショップ
- ナイトスポット
- エステ&スパ
- 観光案内所
- 宿泊施設
- ビーチ
- 空港

あなたのエネルギッシュな好奇心に寄り添って、
この本はバリ島滞在のいちばんの友だちです！

誰よりもいい旅を！ あなただけの思い出づくり

バリ島へ出発！

アジアンリゾートのなかでも最も魅力があるバリ島。
目を見張るような高級ホテルやレストランが次々に誕生し、
その勢いはとどまるところを知らない。
アクティビティもまた、想像もしていなかったような
大胆な発想で驚かせ、たちまち大人気スポットになる。
バリはますますおもしろい島になった。

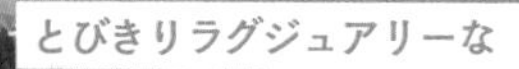

とびきりラグジュアリーな
リゾートで過ごしてみちゃう？

音楽を聴きながら食事を楽しむフィンズ・ビーチクラブ（→P.70）

安くておいしい、 魅力的なローカル料理が豊富（→P.76）

IMMIGRATION
出国
DEPARTED
10. SEP 2026
IMMIGRATION

MARINE ACTIVITY

サーフィンをはじめ、さまざまなマリンアクティビティが楽しめる（→P.38）

ATTRACTION

猛スピードでバリの上空へ飛び出す5・ジー・エックス（→P.122）

シ・エッジ（P.146）

変化し続ける
バリ文化の魅力は外せない
バリ舞踊(P.22)
ブサキ寺院(P.52)
LANDSCAPE
ライステラスの広がる風
景は世界遺産に登録さ
れている(→P.54)
神聖で厳かな空気が
今も息づいています

ウブドにはバリ絵画を収蔵している美術館が多く集まっている(→P.28)

伝統と異文化が融合して
バリ・ビューティはさらに優秀に

ザ・セイクリッド・リバー・スパ(P.35)

HEALTHY

ヘルシーな上においしい料理の数々(→P.80)

ボロブドゥール寺院遺跡群(P.154)

最高に自然派な
体験をしてみませんか？

出発前に知っておきたい

どこに何がある？
どこで何する？

街はこうなっています！
バリ島のエリアと主要スポット

賑やかな繁華街や素朴な漁村、山あいのリゾート地など、エリアごとに表情が異なり、多彩な魅力を持つバリ島。それぞれの街の特徴を知り、自分好みの過ごし方を。

サーファーの街に最新スポットが急増中

A チャングー ▶P.110

● Canggu

欧米人サーファーに人気の穴場的なビーチエリアが、ここ数年でおしゃれに変貌。新たなカフェやショップが続々とオープンし、最も熱い地区として脚光を浴びている。

洗練されたショップが集まる上品な街

B クロボカン&スミニャック ▶P.114

● Kerobokan & Seminyak

賑やかなクタやレギャンとは対照的に、落ち着いた雰囲気を漂わせる大人の街。外国人オーナーが手がけるハイセンスな店舗が多く、メインストリートを中心に個性的なブティックが軒を連ねる。クロボカンには家具やインテリア雑貨を扱うショップが充実。世界各国の料理を提供するレストランや大型のビーチクラブもあり、最先端のトレンドを発信している。

あらゆる店舗が密集する繁華街

C クタ&レギャン ▶P.120

● Kuta & Legian

1960年代から発展してきたバリ島で最も賑やかなビーチタウン。南北に延びるレギャン通り沿いには、レストランやショップ、ホテル、バーやクラブなどがひしめき、夜遅くまで人通りが絶えない。大きなショッピングモールも充実しており、ショッピングや食事にも便利。サーファーの聖地として知られるクタ・ビーチは、美しいサンセットの絶景スポットでもある。

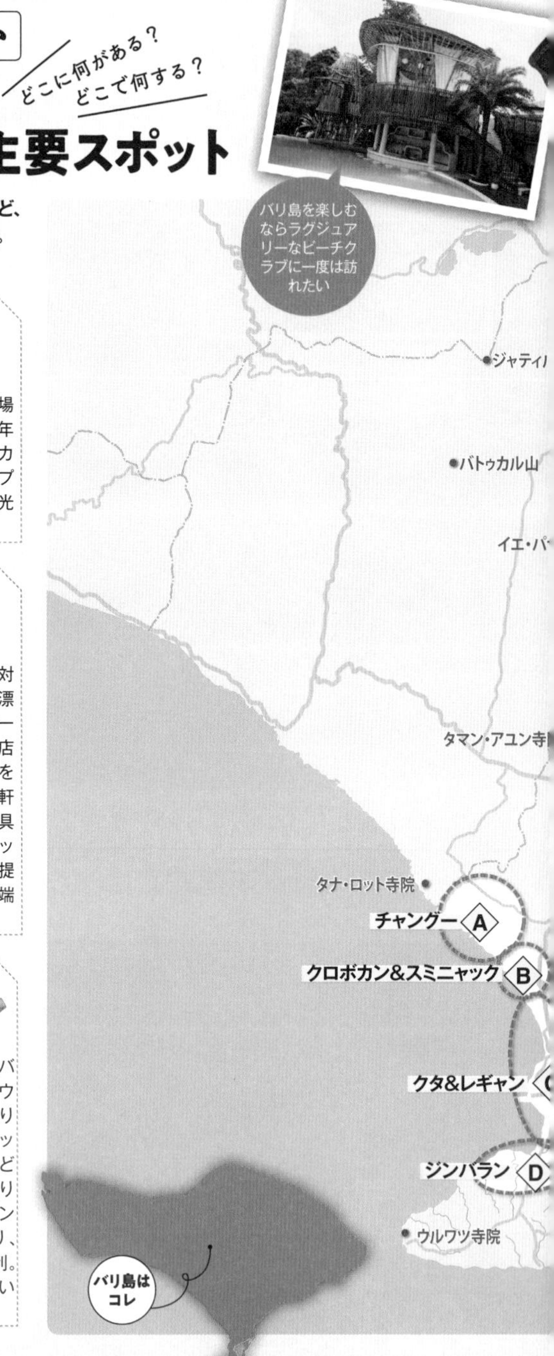

バリってこんな島

世界屈指のリゾート地でありながら、独自の文化と暮らしを守り続ける神秘的な島。主なリゾートエリアは南部に集中しており、それぞれに異なる特色を持つ。近年はローカルな街にもおしゃれなショップやレストランが増え、庶民的な店舗と洗練された最新スポットが共存。美しいビーチ、山や渓谷など豊かな自然も残る。

高級リゾートと漁村の風景が共存

D ジンバラン ▶P.124

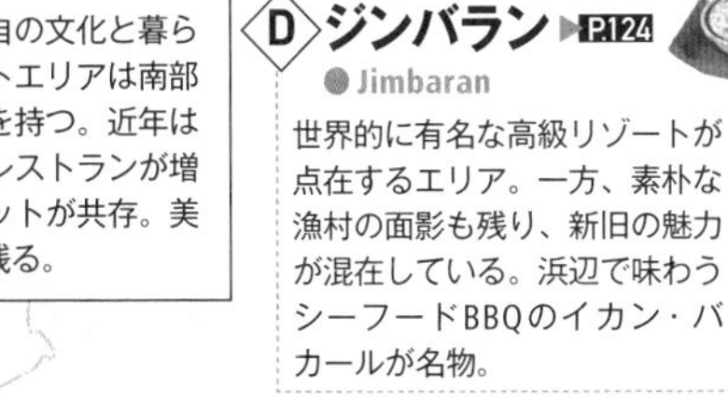

● Jimbaran

世界的に有名な高級リゾートが点在するエリア。一方、素朴な漁村の面影も残り、新旧の魅力が混在している。浜辺で味わうシーフードBBQのイカン・バカールが名物。

庶民の日常が垣間見えるバリ州の州都

E デンパサール ▶P.126

● Denpasar

バリ州の州都で政治や経済の中心地。観光客向けの施設は少ないが、活気あるパサール(市場)や問屋街があり、人々の生活感が伝わってくる。寺院や博物館などの見どころも点在。

欧米人に支持される静かなリゾート地

F サヌール ▶P.128

● Sanur

オランダ統治時代からの歴史を持つリゾートタウン。静かで落ち着いた雰囲気が漂い、欧米人を中心に人気が高い。最近はおしゃれな店舗が増え、新たに注目を集めている。

大型ホテルが並ぶ高級リゾートエリア

G ヌサ・ドゥア&ブノア ▶P.130

● Nusa Dua & Benoa

政府が高級リゾート地として開発したヌサ・ドゥア。外界と区切られているため治安が良く、白砂ビーチ沿いに大型ホテルが集まる。隣接するブノアはマリンスポーツが盛ん。

緑豊かな自然に抱かれた芸術の村

H ウブド ▶P.132

● Ubud

森と渓谷に囲まれた山あいのリゾート地で、郊外に高級ヴィラが点在。芸術の拠点でもあり、舞踊や絵画を鑑賞できる。街の中心部にはかわいいカフェやショップが集中。

まずはこれをチェック！
滞在のキホン

出発前に押さえておきたい基本的な情報はこちら。バリ島独特のイベントや気候も考慮して旅のプランを。

インドネシアの基本

地域名(国名)
インドネシア共和国
Republic of Indonesia

首都
ジャカルタ

人口
約2億7900万人
(2023年推計)
バリの人口は約390万人

面積
約190万4569㎢

言語
インドネシア語

宗教
イスラム教、キリスト教、ヒンドゥ教など

政体
大統領制、共和制

元首
プラボウォ・スビアント大統領
(2024年10月～)

日本からの飛行時間

直行便は成田、大阪から7～8時間

日本からバリ島までの所要時間は、直行便で約7～8時間。成田空港と関西国際空港からガルーダ・インドネシア航空が就航している。このほか、ジャカルタをはじめ、ほかのアジアの都市を経由する便が多数ある。
ングラ・ライ国際空港▶P168

為替レート&両替

Rp.1000(ルピア)=10円。両替は現地で

インドネシアの通貨単位はルピアで、Rp.と表記するのが一般的。両替は日本でもできるが、レートが悪いので現地で行うほうがよい。空港や銀行、ホテルのほか、街なかにも多くの両替所がある。なかには悪質なところもあるので、政府公認の両替所を利用しよう。

パスポート&ビザ

パスポートの有効期限に注意

インドネシアに入国する場合、空港到着時に到着ビザ(VOA)の取得が必須(電子ビザ(e-VOA)の申請も可能)。加えて、入国時のパスポートの残存有効期間が6カ月以上で、ビザ欄空白ページが十分あることが条件。また、インドネシア出国用の航空券も必要となる。

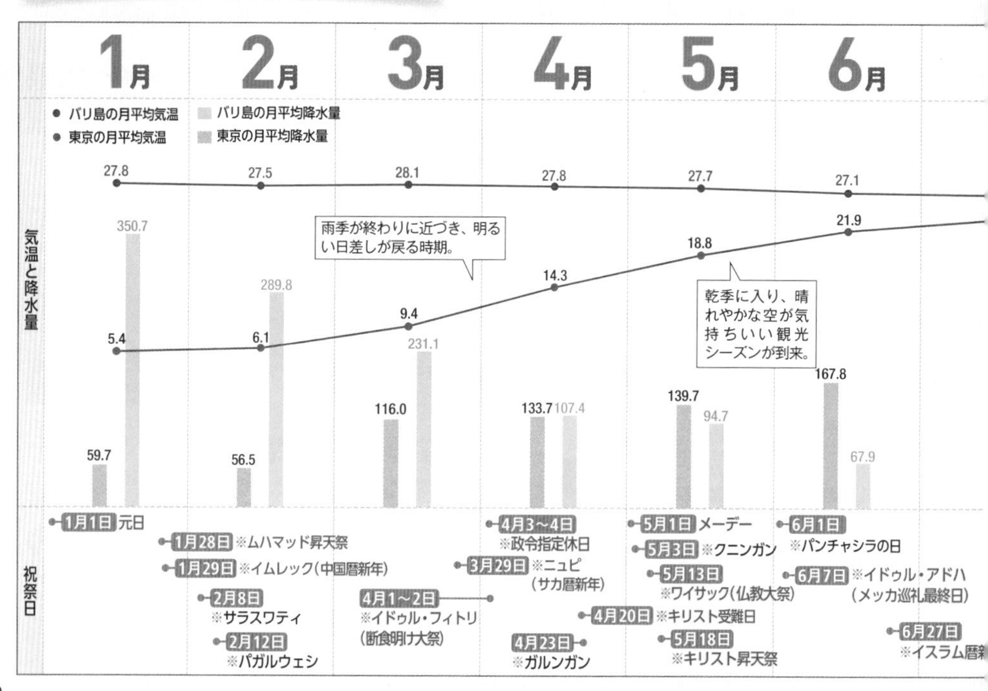

日本との時差

日本との時差は－1時間。日本が正午のとき、バリ島は午前11時となる

東京	0	1	2	3	4	5	6	7	8	9	10	11	12	13	14	15	16	17	18	19	20	21	22	23
バリ島	23	0	1	2	3	4	5	6	7	8	9	10	11	12	13	14	15	16	17	18	19	20	21	22
ジャワ島	22	23	0	1	2	3	4	5	6	7	8	9	10	11	12	13	14	15	16	17	18	19	20	21

言語

公用語はインドネシア語

多彩な言語が飛び交う多民族国家のインドネシアでは、インドネシア語を公用語としている。バリ島の人々もインドネシア語を話すが、バリ人同士の会話ではバリ語が使われる。ホテルやレストランなどでは英語はもちろん、日本語が通じることも多い。

交通事情

ビーチ沿いは渋滞が多発

バリ島では移動手段が車だけで、年々車両数が増えているため、交通渋滞が激化。特に空港周辺やクタなどの繁華街、ビーチ沿い、ウブドなどは要注意だ。なかでも朝夕の時間帯が混み合い、イベントがある日はなおさら。移動の際は余裕をもって。

物価＆チップ ▶P.171

場所によりさまざま。チップは必要なことも

日本に比べてバリ島の物価は割安。ただし、高級店では日本と変わらない場合も。チップ文化はもともとなかったが、観光地では普及しつつある。ホテルやレストランなどでは気持ち程度渡すのがよい。料金にサービス料が含まれている場合は不要。

祝祭日

外出禁止の祝日に注意

バリ島の正月にあたるニュピの日は、一切の外出や労働、食事、火や電気の使用などが禁止される。観光客も例外ではなく、ホテルの敷地から出ないのが原則。空港も閉鎖され、航空機の離発着も禁じられる。日にちは毎年変わり、だいたい3～4月頃。

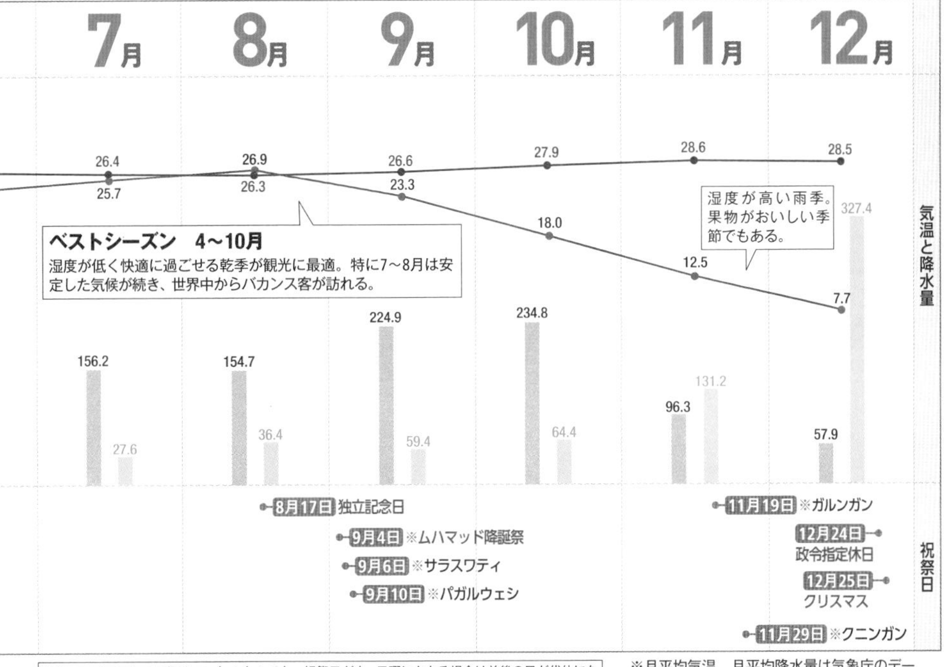

祝祭日、イベントの日程は2025年のものです。祝祭日が土・日曜にかかる場合は前後の日が代休になることもあります。※は年によって日にちが変動する祝祭日

※月平均気温、月平均降水量は気象庁のデータベースによる

BALI 2021-2024

NEWS & TOPICS

ハズせない
街のトレンド！

バリ島のいま！ 最新情報

世界各国から観光客が訪れる、最先端のリゾート地バリ島をアップデートしよう！

2022年3月オープン

バリを感じる癒やしのビーチクラブ
マリ・ビーチクラブ

バリ島をモチーフにしたデザインが特徴のビーチクラブ。山や棚田をイメージした席配置や竹を使用した建築、伝統傘のパユンを使用したパラソルが魅力。バリ伝統舞踊のショーも楽しめ、穏やかなひとときを過ごしたい人におすすめ。

●Mari Beach Club クロボカン MAP付録P.12 B-2
▶P71

⇧青空の下、パームツリーに囲まれたビーチクラブでリラックスした時間を過ごせる

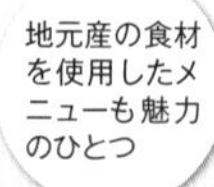

地元産の食材を使用したメニューも魅力のひとつ

2023年11月オープン

客室に併設されたインフィニティプールが魅力的

東南アジアに初進出
ウマナ・バリ LXRホテルズ＆リゾーツ

ヒルトンのラグジュアリーブランドが東南アジア初となるバリで開業。バリ屈指のオーシャンビューが特徴で、バリ島の自然と文化を楽しめる洗練されたホテル。

●Umana Bali, LXR Hotels & Resorts
ウンガサン MAP付録P.4 C-4
☎0361-3007000 交ウルワツ寺院から車で30分 所Jl. Melasti Banjar Kelod, Ungasan 料ⓈⓉRp.1391万5000～ 室数72 HP www.umanabali.com E

⇨海を望む開放的なレストラン

バリ島最大級の豪華ナイトスポット
アフターロックを満喫

2024年6月オープン

バリ島最大の統合型リゾートであるアヤナバリが運営する高級ナイトスポット。325名収容可能な会場で毎晩エンターテインメントを提供。VIPルームも完備し、プライベートイベントにも最適。

●After Rock
ジンバラン MAP付録P.4 B-3
☎0361-702222 交空港から車で20分 所Jl. Karang Mas Sejahtera, Jimbaran 営19:00～翌2:00（金・土曜は～翌3:00）休無休 J E

ルーフトップエリアでは星空を眺めながら食事を楽しめる

⇩メインステージのライブエンターテインメントを楽しむことができる中2階のフロア

バリの芸術や伝統文化を サカ美術館 で体験

2024年9月オープン

アヤナ・リゾート内に位置し、バリの文化や伝統を深く探求できる美術館。展示品にはバリの芸術、占星術、伝統的な彫刻などが含まれ、訪問者はバリ島の歴史と現代の融合を体験できる。また、独自のオゴオゴや映画上映もあり、バリ文化の奥深さを感じることができる。

●SAKA Museum
ジンバラン MAP付録P.4 B-3
☎0361-702222(リゾート代表) 交 空港から車で30分
所 Jl. Karang Mas Sejahtera, Jimbaran 開 10:00~18:00 休 無休 E

↓美しいバリの彫刻や工芸品が展示されたミュージアムの一角

ガルーダに乗る神々しいバリの神像が展示されている

←近未来的なデザインが特徴の施設で、緑豊かな景色を背景にした建物が印象的

トロピック・クラブで極上のひととき トゥジュ・トロピック・クラブ・ウブド

ウブドに位置する高級トロピック・クラブ&ラウンジ。アジアと地中海の風味を取り入れた料理を楽しめるほか、インフィニティプールやジャングルビューのラウンジでリラックスできる。プライベートイベントにも対応し、豪華でリラックスしたひとときを提供してくれる。

●Tuju Tropic Club Ubud
ウブド MAP付録P.6 C-3
☎0361-6201777 交 ウブド王宮から車で5分 所 Jl. Suweta, Ubud, Kecamatan Ubud 営 レストラン11:00~23:00、ラウンジ17:00~翌1:00 休 無休 E 💳

2023年6月リニューアル

竹で造られた建物が特徴的なプールサイドバー

←落ち着いた照明とインテリアが特徴のラウンジエリア

2024年6月オープン

サヌールに新しい文化の拠点 アイコン・バリ が誕生

サヌールに初上陸した「アイコン・バリ」は、東南アジア最大の屋内水上マーケットやバリ舞踊が楽しめる劇場、ビーチ沿いのギャラリーなど、さまざまな文化体験を提供。新しいランドマークとして注目を集める。

●ICON BALI
サヌール MAP付録P.21 C-2
☎0813-3835-2021(チャットのみ) 交 ハイアット・リージェンシーから車で7分 所 Jl. Danau Tamblingan No.27, Sanur 営 10:00~22:00 休 無休 E 💳

↑モダンな建築デザインが際立つ外観

「観光税」開始!

バリ島を訪れる外国人観光客に対して、観光税の導入が開始。

Love Bali(ラブ・バリ)

2024年2月~開始

バリ州政府は、2024年2月よりバリ島を訪問する外国人観光客に対し、1人あたりRp.15万を支払う観光税の導入を始めた。この税金は、バリ島の環境保全や文化遺産の保護、インフラ整備に活用され、観光地としての魅力を長く保つために役立てられる。支払いは現地の空港やオンライン(https://lovebali.baliprov.go.id/)で簡単に行うことができ、旅行者一人一人がバリの未来を支える一助となる。

▶P.166

→観光税はバリ島の棚田風景などをはじめとした環境保全などに使われる

TRAVEL PLAN BALI

至福のバリ島 モデルプラン

とびっきりの
4泊6日

明るく陽気な南部のリゾートエリア、緑に包まれたウブド。
バリ島を満喫するための王道プランをご提案。

旅行には何日必要？

バリ島を満喫するなら
4泊6日以上

日本からのバリ島旅行は、初日は日本からバリ島への移動に費やされ、最終日は機中泊。なので、4泊6日でもバリ島滞在を楽しめるのは、実質4日間程度と考えてプランを考えよう。

プランの組み立て方

❖ 滞在エリアを決める
リゾートホテルは南部リゾートエリア(クタ、クロボカン、サヌール、ヌサ・ドゥア、ジンバランなど)とウブドに分けられる。途中でホテルを変えて両エリアで過ごしたいが、移動で時間を費やすことになるので、どちらかひとつに絞ったほうが時間は節約できる。悩みどころだ。

❖ 移動手段はどうする?
旅行者が利用しやすい公共交通機関が発達していないため、移動はタクシーかチャーターが中心。

❖ ツアーを積極的に利用する
アクティビティや観光などは、ツアーで参加したほうが、移動のロスが少なく効率的だ。ホテルのツアーデスクなど現地で申し込んでもよいが、日本を出発前に現地旅行会社などにネット経由で予約を入れることも可能。

❖ 最終日の過ごし方
バリ島最終日、日本への飛行機は深夜発だ。ホテルをチェックアウトしたあとの過ごし方を事前に決めておこう。

【移動】日本➡バリ島

DAY 1

日本(成田)からバリ島へは、約7時間45分。午前中出発、夕方バリ着のパターンが多い。時差は1時間。

⬆ングラ・ライ国際空港。出迎えの人で賑わう

17:00 バリ島到着

空港に到着しロビーに出たら、出迎えのスタッフを探そう。

車で約1時間～2時間

19:30 ウブド内のホテルにチェックイン ▶P.148

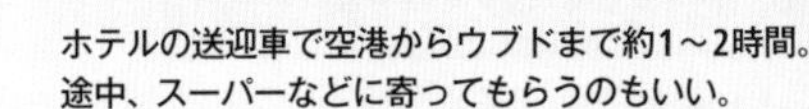

ホテルの送迎車で空港からウブドまで約1～2時間。途中、スーパーなどに寄ってもらうのもいい。

徒歩や車を利用

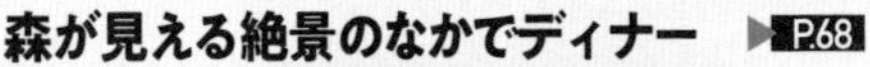

20:30 森が見える絶景のなかでディナー ▶P.68

リゾート感あふれる個性的なレストランが多い。初日はホテルのレストランを利用するのもいい。

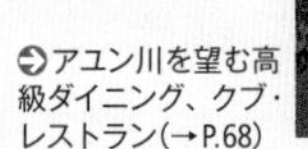

➡アユン川を望む高級ダイニング、クブ・レストラン(→P.68)

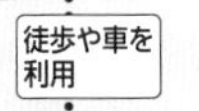

徒歩や車を利用

21:30 ウブド内のリゾートホテルに宿泊

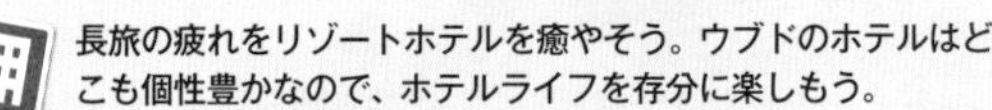

長旅の疲れをリゾートホテルを癒やそう。ウブドのホテルはどこも個性豊かなので、ホテルライフを存分に楽しもう。

アディワナ・ディジワ・ウブド。田園風景を一望する

【移動】ウブド

ウブド中心部や近郊を観光してバリ島の魅力にふれる。リゾートホテル内でゆっくり過ごすのもいい。

Local tour

ウブド市街の南にあるモンキーフォレストはお手軽な観光スポット

バリ・ヒンドゥ教の総本山、ウブドからブサキ寺院へは車で約1時間30分

9:00 ウブド郊外の観光名所を巡る ▶P.50、138

車をチャーターかツアー参加で

ウブド周辺には有名なヒンドゥ寺院、ライステラスなど見どころが多い。ツアーや車をチャーターするのが便利だ。

13:00 ウブドの中心部をおさんぽ ▶P.132

徒歩や車を利用

かわいいショップやカフェなどが数多く集まり人気のウブド。パサール(市場)や美術館、モンキーフォレストなどの見どころも点在。

ウブド市場を訪れれば、バリの暮らしにふれることができる

街の中心にあるウブド王宮(サレン・アグン宮殿)

フォレストビューのレストランで絶景ランチ

バリ島ならではの運が向くおみやげ探し!

17:00 ファインダイニングでディナー ▶P.136

徒歩や車を利用

ウブドのファインダイニングで早めのディナー。ローカルから多国籍まで幅広いレストランが揃う。

➲モダンなフレンチがいただけるモザイク(→P.137)

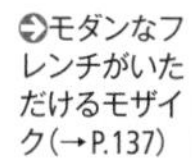

19:00 華やかなバリ舞踊を鑑賞! ▶P.22

ウブドでは毎晩複数の会場でバリ舞踊の公演がある。チケットは会場で入手可能だが、開始30分ほど前には会場に着いて、見やすい席を確保しよう。

舞踊団、グヌン・サリのバリ舞踊公演

さまざまな舞踊団が、決められた会場・曜日ごとに公演

島内で2番目の規模を誇り、世界遺産に認定されたタマン・アユン寺院

林立するメルは、アグン山やバトゥール山を象徴している

【移動】ウブド➡チャングー

DAY3

ウブドから南部の人気ビーチリゾート、チャングーへ移動。途中観光スポットに立ち寄って。

8:00 ウブドのホテルをチェックアウト

9:00

世界遺産のタマン・アユン寺院へ ▶P.54

車で移動

門を入ると、周囲を堀で囲まれた美しい庭園が広がる。創建は1634年、1937年の改修で現在の姿になった。

アドバイス メル(塔)が並ぶエリアには入れないので注意。

12:45

絶景で神秘的なタナ・ロット寺院を参拝 ▶P.138

車で移動

海に突き出した大きな岩の上に建てられた寺院。祭礼時以外は境内には入ることはできないが、美しい景色を見ておきたい。

夕日の名所としても名高いタナ・ロット寺院

時間があったら寄りたい

ウブド周辺の観光スポット

SNS映えするスポットとしても人気のバリ・スウィング、バリ絵画を展示しているミュージアムなど、ウブド近郊には見どころが多いので、好きな場所を巡ってみたい。

⬆最も注目のアクティビティのひとつ、バリ・スウィング

バリ絵画の変遷を伝えるネカ美術館(→P.28)

テガラランのライステラスはウブドから車で約20分

15:15

徒歩や車を利用

トレンドなチャングーでおいしい自然派グルメ ▶P.82、112

比較的新しいリゾートエリアなので、リゾート感にあふれ洗練された人気レストランも多い。

➡オーガニック専門店やヴィーガン専門店も数多く点在

ヘルシー感度高めな外国人に人気！

17:00

徒歩や車を利用

ビーチクラブでまったりラグジュアリーにくつろぐ ▶P.70

ビーチ沿いにあり、ランチやディナーを楽しみながらおしゃれなひとときが過ごせる。優雅な気分でリゾート感UP。

DJブースが用意されているところも多い

話題のフィンズ・ビーチクラブ(→P.70)

Beach Club

多種多様な料理やお酒が楽しめる！

リゾート感満載のビーチクラブ。思い思いの時間を過ごそう

20:00

チャングーの海沿いリゾートに宿泊 ▶P.56

開発が進むバリ島南部の海沿いでは、新しいリゾートホテルもますます増えている。料金も手ごろから高級まで幅広い。

シービューが自慢のリゾートがたくさん

⬆エコ・ビーチ前に立つコモ・ウマ・チャングー(→P.56)

【移動】チャングー➡ペニダ島➡チャングー

DAY 4

ツアー参加でペニダ島へ。SNS映え間違いなしの絶景スポットや美しい海を満喫。

⬆まさに秘境絶景。クリンキン・ビーチを見下ろす

9:00 ペニダ島で絶景＆アクティビティツアー！ ▶P.36

ツアー参加のち車で移動

バリ島の南東部に浮かぶリゾートアイランドへツアーで参加。絶景巡り、シュノーケリングなど、終日楽しもう。

⬆体験ダイビングをはじめ、シュノーケリングなどを楽しみたい

⬆天然プールのようになったエンジェルズ・ビラボン

➡野趣あふれるペニダ島。昔は流刑地だったとか！

アドバイス
マリンアクティビティを楽しむなら、ヌサ・ドゥアやサヌールで遊ぶのもおすすめだ

18:00 サンセットディナーでロマンティックな時間を過ごす ▶P.42

徒歩や車を利用

クタ周辺まで戻り、サンセットダイニングを。バリの日没は18時～18時45分頃。ジンバランのイカン・バカールもおすすめ。

Dinner

夕日を望みながらディナー。ムーディな雰囲気間違いなし

アドバイス
眺めの良い席を確保したい場合は、あらかじめ予約しておこう

21:00 夜のバリ島は大人なバーで一杯！

クタ～クロボカンにかけて夜遅くまで遊べる、洗練されたナイトスポットも多い。

⬅ノンアルコールの「モクテル」を提供するお店も

ナイトスポットの多さは観光客の多い場所ならでは

【移動】クタ＆レギャン

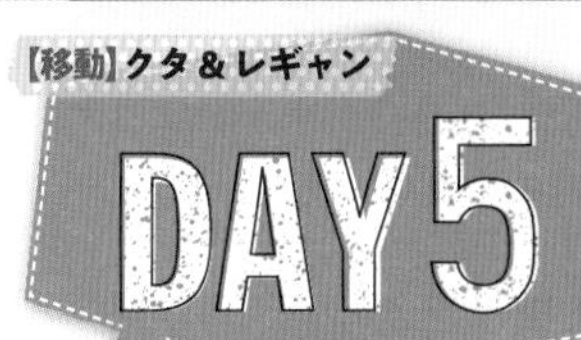

最終日は空港に近いクタ＆レギャンエリアを中心に過ごす。最後は空港送迎付きのエステへ。

民芸品をアレンジしたお店もある

個性的なセレクトショップやスタイリッシュなレストランなどが集まる

バリ島を代表する海岸、クタ・ビーチ

11:00 徒歩や車を利用

クタ＆レギャンでショッピング ▶P.120

バリ島きっての繁華街。メインストリートや路地裏にまでショップやレストランが連なる。大型のショッピングモールも賑わっている。

14:00 車や送迎サービスを利用

おしゃれなインドネシア料理店でとっておきランチ ▶P.72

最後のランチは現地ならではのインドネシア料理で。観光客の多いお店なら注文のハードルも比較的低く、クオリティも安心できる。

エスニックながら日本人の口に合う料理も多い

バリ島の伝統食もカジュアルに食べられる

17:00 車や送迎サービスを利用

帰国便の時間までスパで最後のやすらぎを ▶P.30

評判のよい高級スパで贅沢な時間を過ごそう。バリ島ならではのロケーションを生かしたスパがおすすめ。

アドバイス スパは日本出発前に予約を入れておこう

開放的な空間で心からリラックス！

バリ島定番のトリートメントはぜひ試したい

Spa

22:00

ングラ・ライ国際空港から帰国の途へ ▶P.168

早めに空港に着いたら、免税店などでショッピングをしたり、食事をすることもできる。

夜便 ングラ・ライ国際空港から日本へ

【移動】バリ島→日本

DAY6

たくさんのおみやげと思い出をかかえて、バリ島の旅から帰国。復路のフライト時間は7時間程度。

好みのままに。アレンジプラン

自分の興味に合わせて、モデルプランを自由にアレンジ。
バリ島から足を延ばして、世界遺産のあるジャワ島などにも出かけよう。

ジャワ島中部の世界遺産、ボロブドゥール寺院遺跡群

飛行機なら手軽にアクセスできます

バリ島外の島へ プチトリップ ▶P.152

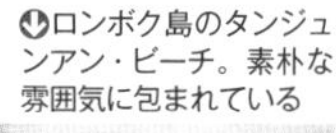

➡ロンボク島のタンジュンアン・ビーチ。素朴な雰囲気に包まれている

バリ島の東に浮かぶロンボク島、大トカゲ(コモドドラゴン)で知られるコモド島、世界遺産を擁するジャワ島中部など、見どころは多い。滞在期間に余裕があれば、ぜひ足を運びたい。

開放的な島だからこその精神統一

ヨガ体験で 心も体も健康を目指す ▶P.46

大自然のなかでのヨガはリフレッシュ効果抜群！

スピリチュアルな雰囲気に満ちるバリ島は、ヨガ目的で訪れる観光客も少なくない。初心者向けから上級者向けまでさまざまなコースが充実しているので、気軽にレッスンに挑戦しよう！

日本人にもどことなくなじむ味

地元の人も通う名店の ローカルフードを食べる ▶P.76

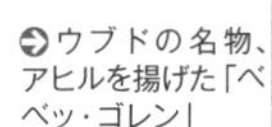

街なかには「ワルン」と呼ばれるローカル食堂があちこちに点在。地元お墨付きの味を一度は味わっておきたい。

➡ウブドの名物、アヒルを揚げた「ベベッ・ゴレン」

最新南国リゾート事情

リゾート地の最先端 トレンドをチェック！

今のバリ島はめまぐるしい変化が止まらない！SNS映えやナチュラルコスメなど、リゾート地としてのバリ島のトレンドを追ってみよう。

⬆使用する素材にこだわったナチュラル系コスメが世界中に大人気！

今どきの水着やアクセサリーはマストチェック

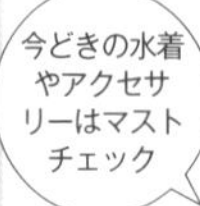

⬆若者に人気のフォトジェニックでかわいいスイーツもいっぱい

絶景のなかでのブランコが最新トレンド!?

BEST 7 THINGS TO DO IN BALI

バリ島で ぜったいしたい 7のコト

Contents

BEST 7 THINGS TO DO IN BALI

華やかなバリ舞踊・緻密な絵画、日々の暮らしと伝統行事…

01 バリ・ヒンドゥの芸術世界

バリの真髄がここにある

「神々の島」とも称されるバリ島。人々の心の拠りどころとするバリ・ヒンドゥ教は、インドから伝わったそれと、もともとの精霊信仰と融合し、独特の世界観をつくり上げ、多くの外国人を魅了している。

Balinese Culture

↓寺院の創立記念日にはオダランと呼ばれるお祭りが開催される

↑レゴンと並ぶ、バリ舞踊の代表「バロン」。勇ましい男性の踊り

➔バリの生活を題材にした作品をはじめ、さまざまな様式の画風があり、若手作家の活躍も期待されている

「舞踊」「絵画」から見るバリ・ヒンドゥの奥深き世界

街を歩けばいたるところで目にするヒンドゥ教寺院、チャナンと呼ばれる華やかなお供え物など、日々の暮らしは宗教と密接に関わっており、旅行者はその世界観に引きつけられてきた。外国人が接しやすいのは「舞踊」と「絵画」、そして「寺院(→P.50)」だろう。

もともと宗教儀礼のひとつとして生み出された舞踊は、ヨーロッパ人が多く来島するようになる1930年代以降、観光用にアレンジされてきた。とはいえ、バリ文化の世界観を象徴するものに違いない。

ヒンドゥ教の神話などを題材とした「カマサン・スタイル」や緻密な画風が特徴の「バトゥアン・スタイル」など特徴的な作風のバリ絵画もウブドに多くある美術館で鑑賞することができる。

バリ島滞在中タイミングがあえば、伝統的な儀式を見学するのもよい。

繊細で優美、ときに大迫力のエンターテインメント
バリ舞踊を鑑賞する

毎晩各ステージで繰り広げられる バリ舞踊は、観光のハイライト!

華やかに着飾ったダンサーたちの衣装にも注目

高鳴るガムランの音と華麗なる舞に、見る者は一気に魅了されてゆく

旅行者が鑑賞するバリ舞踊は、観光用にアレンジされた内容であるといわれるが、踊り手たちの華やかな舞や力強い眼差しは、祭礼のときと異なるものではない。さまざまな舞踊団が日々研鑽を積んでおり、質の高い舞踊を見ることができる。同じ演目でも舞踊団によって内容が違うのもおもしろい。

↑会場には多くの観客が集まる

ペンデット
Pendet
鮮やかな衣装をまとった女性たちが、観客のほうに花びらを撒きながら舞う。もともとは寺院の祭礼で降臨した神に捧げる踊りだったが、現在は観客を歓迎する意味合いが強い。

長い年月を経て進化を遂げる
舞踊の種類を知る

女性の優美な動き、男性のダイナミックな演技など、舞踊には多くの種類がある。

『ラーマーヤナ』を題材に再構成された伝統舞踊

↓ウルワツ寺院で夕方から開催されるケチャッ

ケチャッ
Kecak
たくさんの半裸の男性が円陣を組んで座り、両手を震わせながらリズミカルに声を上げる合唱舞踊。かつては、宗教儀礼で踊り手をトランス状態へと導くために歌われていた。

↑ファイヤーダンスでクライマックスに

STORY

マハーバーラタ
『ラーマーヤナ』と同じく、古代インドの長編叙事詩。その一部が、ワヤン・クリッやバロン・ダンスの題材に。パンダワー族の5人兄弟が繰り広げる挿話は数多くあるが、なかでも世界征服をたくらむ2人の兄弟が、女神にその夢を打ち砕かれる姿を描いた『スンダ・ウパスンダ』が広く知られている。最近は創作演目も多い。

ラーマーヤナ
ヒンドゥ教とともにバリ島に伝えられた古代インドの叙事詩で、多くの舞踊劇の題材となっている。ラーマ王子が持つ王位継承権をめぐり、第2王妃によって、王子が妻シータや弟ラクシュマナと一緒に国を追われるところから物語が始まる。手に汗握る展開が続くなか、特に王子が妻を連れ去った魔王ラワナと戦うシーンが大迫力だ。

繊細な指先、妖艶な腰の動き
女性たちの華やかな舞

いつ、どこで開催されている？
事前に情報をチェック！

どこで見学できるの？

毎晩、複数の舞踊場(おもにウブド周辺)で、さまざまな舞踊団が交代で開催している。開催スケジュールは定期的に変更になるので、滞在先ホテルや現地旅行会社に確認をとるのがよい。ウブドの案内所「**Ubud Center**」のホームページで確認することができる。

HP www.ubudcenter.com

各会場とも上演は、19時頃から1時間～1時間30分程度、入場料はRp.10万～15万程度だ。チケットは各会場や観光案内所で購入可。人気舞踊団の公演の場合、混み合うので開始30分ほど前には到着しておこう。

↑目の前で繰り広げられるバリ舞踊

バリス

Baris

戦いに挑む勇敢な戦士を舞で表現。寺院の祭礼で成人男性によって奉納され、バリの代表的舞踊としても有名だ。バリエーションは20を超え、太鼓の伴奏クンダンが勇壮。

大きく見開いた目、力強い下半身の動きにも注目

豪奢な衣装に身を包んだ
気高い戦士の舞

男性ダンサーの
踊りと演奏に圧倒される

クビャール・トロンポン

Kebyar Terompong

トロンポンと呼ばれる打楽器で用いる2本のバチを握った男性の踊り手が、稲妻(クビャール)のように激しく、そして優雅に踊る。1920年代に創作されたといわれる舞踊。

↑女性とは異なる妖艶なダンス

バロン
Barong

陽の象徴バロンが登場する、獅子舞のような舞踊劇。劇中では、陰の象徴である魔女ランダとのせめぎ合いが描かれており、そこにバリ島独自の世界感が感じられるといわれている。

バロン

もともとは災いを鎮めるための宗教儀式だったが、1930年代に『マハーバーラタ』の一部が融合し、現在のバロン・ダンスに昇華。善を具現化した聖獣バロンと、悪の化身、魔女ランダの戦いの物語だ。世界には善と悪が共存し、互いにバランスを保つことでこの世の均衡が生まれるという、バリ特有の世界観を凝縮している。

↑バリ舞踊のなかでも知名度がある。聖獣バロン(写真右)の存在が圧倒的

レゴン
Legong

天女の舞いを思わせる宮廷舞踊。華麗できめ細かな動きや表情は、バリ舞踊の傑作のひとつといわれる。古典と宗教的儀式の要素を組み合わせたスタイルのほか、新作も創作されている。

←レゴン・ラッサム、レゴン・クラトンなど、さまざまな種類がある

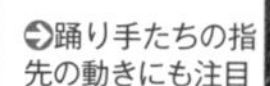

→踊り手たちの指先の動きにも注目

タルナ・ジャヤ
Teruna Jaya

男に扮した若い女性が踊る、バリ島北部のシガラジャが発祥の舞踊。戦いの勝利を称える舞いで、スピード感のある振り付けが目を奪う。激しくリズムを刻むガムランからも躍動感が伝わる。

→1940年代に創作された舞踊で、男装した女性が踊るのが特徴

バリ島を代表する舞踊団

注目の舞踊団

ベテランから若手まで、さまざまな舞踊団があり、海外公演を実施する団体もある。

ジャヤ・スワラ
Jaya Suwara

芸術系の大学や高校を卒業した若きパフォーマーたちが所属するグループ。基礎や表現法をしっかり学んだ実力者による創作舞踊をはじめ、ほかにはないユニークな演目が多い。

グヌン・サリ
Gunung Sari

バリ芸術史に大きく貢献したマンダラ翁が、1926年に創立。世界にバリ舞踊を知らしめた歌舞団として名高い。優れたガムラン演奏や、プリアタン様式の舞踊などを堪能できる。

ティルタ・サリ
Tirta Sari

晩年のマンダラ翁が従事した舞踏団。プリアタン村に伝わるレゴン・ダンスや、古典的なガムランの音色はバリ屈指と評判。レベルの高い舞や演奏は、海外でも絶賛されている。

サダ・ブダヤ
Sadha Budaya

ウブド王宮が所有する歌舞団で、ウブドで初めて観光者向けに公演を行った。幼少期から舞踊や演奏を学んだ実力派が多く所属し、海外公演の経験も豊富。公演の質には定評がある。

ガムランとワヤン・クリッを知る

数多くの伝統楽器での演奏「ガムラン」と、インドの一大叙事詩を題材とした影絵芝居「ワヤン・クリッ」。ともにバリ島だけではなく、隣りのジャワ島でも人気がある伝統芸能だ。

ガムラン Gambelan

叩くを意味する「ガラム」が語源で、打楽器を中心とした楽器や演奏を指す。演奏の際には、スリン(笛)やルバブ(弦楽器)も含まれ、多層的でダイナミックな音楽が生まれる。

↑青銅製のトロンポン

ワヤン・クリッ Wayang Kulit

『マハーバーラタ』や『ラーマーヤナ』を題材にした影絵芝居。1人のダラン(人形遣い)が複数の登場人物を使い分けて演じる伝統芸能。人形は水牛の皮で作られている。

訪れておきたいミュージアム

バリ絵画を鑑賞する

ヨーロッパの影響を受け、大きく発展した絵画。ウブドには多くの美術館が集まっている。

宗教や神話に基づく作品から バリ島民の暮らしを描く作品まで

バリ島の絵画の歴史は9世紀頃にまで遡るといわれるが、現在のような多様な作風が誕生するきっかけは1920年代のヨーロッパ人作家の来島。ドイツ人のウォルター・シュピースとオランダ人のルドルフ・ボネの功績が大きい。

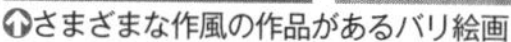

↑さまざまな作風の作品があるバリ絵画

ネカ美術館

Museum Neka

ウブド MAP 付録P.6 C-2

年代、分野ともに幅広く収蔵 バリの絵画文化にふれられる

複数の建物で構成され、チャンプアン川を見下ろす立地が美しい。近代から現代までのバリ絵画をわかりやすく展示しているだけでなく、バリ島の文化に影響を受けた、外国人芸術家による作品も豊富だ。

☎081-2338-424036(WA) 交ウブド王宮から車で10分 所Jl. Raya Campuhan, Kedewatan, Ubud 開9:00〜17:00 休無休 料Rp.15万5000 HP Museum Neka

プリ・ルキサン美術館

Museum Puri Lukisan

ウブド MAP 付録P.8 C-1

池を囲む展示棟4棟からなる 宮殿風の麗しい美術館

宮殿のような建物を設計した画家ルドルフ・ボネの寄贈作品を中心に、バリの近代絵画、現代伝統絵画、古典絵画などを展示。戦前・戦後と年代を分けているため、バリ芸術史の流れや特徴をつかみやすい。

☎0361-971159 交ウブド王宮から徒歩5分 所Jl. Raya Ubud 開9:00〜18:00 休無休 料Rp.9万5000 HP museumpurilukisan.com

アルマ美術館

ARMA(Agung Rai Museum of Art)

ウブド MAP 付録P.6 C-3

芸術と建築、伝統舞踊の融合 敷地全体でアートを表現する

広大な土地に8年もの年月をかけて築いた巨大アートコンプレックス。絵画や影像を鑑賞するのはもちろん、バリとギリシャの建築様式を用いた展示棟も必見。伝統舞踊が行われる野外ステージなどもある。

☎0361-976659 交ウブド王宮から車で13分 所Pengosekan, Ubud 開9:00〜18:00 休無休 料Rp.15万 HP www.armabali.com/museum/

ブランコ・ルネサンス美術館

Blanco Renaissance Museum

ウブド MAP 付録P.8 A-1

バリ島を愛した外国人画家の こだわりをちりばめた空間

「バリ島のダリ」と呼ばれた奇才、故アントニオ・ブランコの作品を展示。ブランコがデザインした建物から、絵画のレイアウト、インテリアにいたるまで、美術館自体が作品のように感じられる。

☎0361-975502 交ウブド王宮から車で5分 所Jl. Raya Campuhan, Ubud 開9:00〜17:00 休無休 料Rp.10万 HP blancomuseum.com/

ルダナ美術館

Museum Rudana

ウブド MAP 付録P.6 C-3

池で揺れる蓮も美しい 牧歌的風景に溶け込むアート

ウブド中心部から離れた広大な田園のなかに、1995年にオープンした3階建ての大型ミュージアム。絵画に限らず彫刻なども収蔵している。現代アート作品が多いのが特徴で、開放的な吹き抜けの2・3階には、古典から現代絵画までを展示している。入場券にオリジナルスレンダン(バリの民族衣装の腰巻)が付いている。

☎0361-975779 交ウブド王宮から車で15分 所Jl. Peliatan, Ubud 開9:00〜17:00 休無休 料Rp.5万 HP www.museumrudana.org

ル・メイヨール美術館

Museum Le Mayeur

サヌール MAP 付録P.21 C-1

夫婦が暮らした住居を美術館に 妻を描いた温かな作品の数々

バリ島に移住し、絵のモデルだったニ・ポロックと結婚したベルギー人画家ル・メイヨール。結婚後も、印象派の影響を受けた画風で妻を描き続けた。彼の死後、夫婦が住んだ家が美術館としてオープン。

☎なし 交ハイアット・リージェンシーから車で13分 所Jl. Hang Tuah, Sanur 開8:00〜15:30(金曜は8:30〜12時30分) 休日曜 料Rp.2万5000

神々と暮らすバリ島民の日々の暮らしとバリ文化を知る

伝統的な2つの暦に基づいて生活が営まれ、毎日のように儀礼や祭事が行われているバリ島。その根底には、バリ・ヒンドゥの神々を崇める信仰心と、地域社会の密接なコミュニティがある。

人々の日常や儀礼に関わる複雑なウク暦とサカ暦

バリ島の暦を理解するのは難しい。西暦のほかに、ウク暦とサカ暦という独特の暦が併用されているからだ。

ウク暦は、16世紀以降に広まったジャワ・ヒンドゥ文化に基づく暦で、1年は210日。周期の異なる10種類の週が同時進行するため非常に複雑で、その組み合わせにより吉凶が割り出され、儀礼や祭事の日をはじめ、用水路を引く日、引っ越しに適した日など、日々の決まりごとが細かく定められている。サカ暦は古くからバリ島に伝わる暦で、月の満ち欠けを基準とした太陰太陽暦。新月から次の新月の前日までを1カ月とし、12カ月で1年となる。太陽暦とは誤差が生じるため、数年に一度のうるう月で調節される。

このほか、官公庁や会社、学校などでは、世界標準のグレゴリオ暦が定着しており、バリの人々は3つの暦を場所や目的によって使い分けている。

ニュピやガルンガンなどバリ島独特の大切な年中行事

年間を通して多数の行事が催されるバリ島。インドネシア全体の祝祭日のほか、この島ならではの祭日もある。最も重要なのが、サカ暦の正月にあたる**ニュピ**。瞑想しながら静かに過ごす静寂の日とされ、一切の外出や労働、煮炊き、電気の使用などが禁じられる。観光客もホテルから出られず、国際空港も閉鎖。ニュピの前夜には盛大な祭りが開催され、オゴオゴと呼ばれる巨大なはりぼてが村を練り歩く。

一方、ウク暦の**ガルンガン**と**クニンガン**は、日本の迎え盆と送り盆のようなもの。祖先の霊を迎えるため、家々の前にはペンジョールという竹飾りが掲げられ、ごちそうが用意される。ほかにも、読み書きを休止して学問の女神に感謝する**サラスワティ**、この世の調和を願って祈る**パゲルワシ**など、独特の宗教観を反映した祭日があり、いずれも日程は年ごとに変動する。

華やかな葬儀の光景にバリ人たちの死生観を見る

バリ人の生活に、儀式は欠かせない。特に冠婚葬祭には莫大な費用をかけ、盛大に執り行う。バリ島では結婚して初めて一人前とみなされるため、**結婚式**は非常に重要。親族や村人総出で準備にあたり、式は数日間続くこともある。さらに華やかに営まれるのが、人生の最後を飾る**葬儀**である。死者は派手な御輿に乗せられ、列をなして火葬場へ運ばれる。参列者の表情は晴れやかで、悲壮な空気は一切ない。葬儀は、よりよく生まれ変わるための門出の祝いと考えられており、そこには、輪廻転生を信じる死生観がある。

また、寺院の**創立祭(オダラン)**も、身近な祭りのひとつ。ウク暦に沿って210日ごとに催されることが多く、大勢の参拝者が訪れ、夜は舞踊が奉納される。バリ島では日々どこかで祭りが行われており、ヒンドゥ教に根ざした人々の暮らしがうかがえる。

空間も技も一流! 天にも昇る夢心地

02 リラクゼーション天国で極楽・スパ体験

非日常空間で美しくなろう

ホテルや街なかにサロンがたくさんある、スパ天国のバリ。質の高いトリートメントとサービス、そして日本に比べて良心的な料金にも大満足すること間違いなし!

Luxury Spa

とっておきの時間を独り占め

究極の超ラグジュアリースパ

居心地のよい個室、最高級のメニューとホスピタリティ。夢のような時間が流れる、高級リゾート内の超一流スパ。

5ツ星リゾートにある極上スポット

アヤナ・スパ(アヤナ・バリ内)

AYANA Spa at AYANA Bali

ジンバラン MAP 付録P.4 B-3

タラソセラピーの発祥地、フランスのテルムマラン社と技術提携したスパ。多彩なメニューを用意しているほか、海水を使用したアクアトニックプールでの水中マッサージも魅力。

☎0361-702222 交 空港から車で20分 所 Jl. Karang Mas Sejahtera, Jimbaran 営 スパトリートメント10:00〜20:00、タラソセラピープール10:00〜19:00、スパ・オン・ザ・ロック10:00〜18:00 休 無休 J J E E

主なMENU

✲オーシャンドリーム／2名…Rp.1419万(3時間)

✲アヤナ・プラナ…Rp.2775万(1時間30分)

1.2.4.クリフトップに広大な施設がある 3.海水を利用したタラソセラピープール 5.限定2部屋の貴重なヴィラルームもある

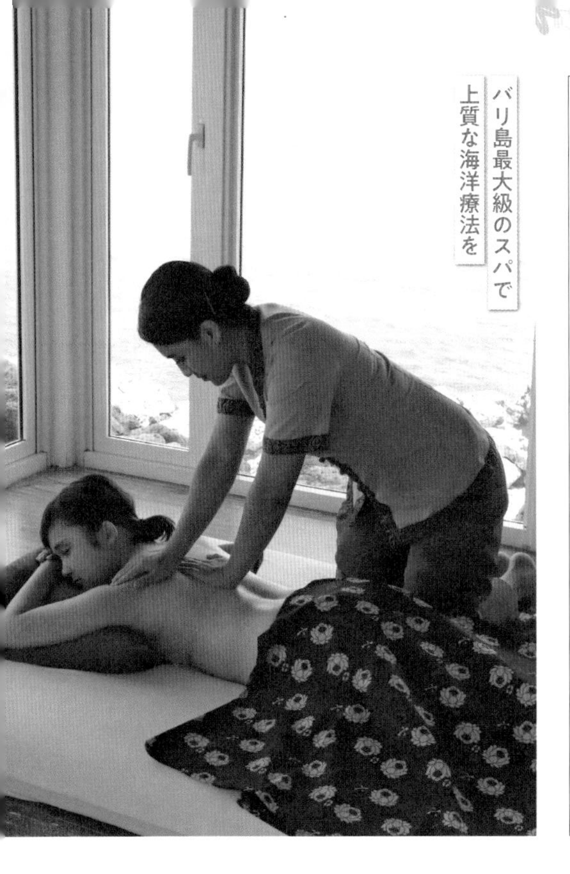

バリ島最大級のスパで上質な海洋療法を

バリ島定番のプログラム

人気のオイルマッサージをはじめ、スパメニューは多彩。それぞれの基本を押さえておこう。

オイルマッサージ
アロマオイルを使ったマッサージ。血行やリンパの流れを促進。
効能:血行促進、老廃物排出など

ルルール
ジャワ王家伝来のボディスクラブ。米粉やターメリックを使用。
効能:美肌効果、角質除去など

ボレ
バリ島に伝わるボディマスク。ハーブやスパイスなどを体に塗る。
効能:冷え性や筋肉痛の緩和など

フラワーバス
南国の花を浮かべた風呂でリラックス。やさしい香りに癒やされる。
効能:保湿、リラックス効果など

ホット・ストーン
温めた石を使って筋肉のコリをほぐし、血行を促すマッサージ。
効能:血行促進、冷え性緩和など

アーユルヴェーダ
インドの医学療法。温かいオイルを額に垂らすシロダーラが有名。
効能:精神の安定など

マッサージの受け方

●予約する
人気店の多くは予約制。日本出発前にインターネットなどで予約するのがおすすめ。

●着替えをして施術を受ける
服や下着を脱ぎ、専用ガウンに着替える。使い捨ての紙ショーツを貸してくれる店も。

●カウンセリングを受ける
その日の体調や希望をスタッフに伝えて、相談しながら自分に合うプログラムを選ぶ。

●施術後は必要ならチップを
料金に税金とサービス料が含まれている場合は不要だが、気持ち程度を渡してもよい。

自然素材を用いたトリートメント

ザ・スパ・アット・ジ・エッジ

The Spa at The Edge

ウルワツ MAP 付録P.4 B-4

高さ約150mの断崖上に位置し、壮大な海を望む空間で伝統的なバリニーズマッサージが受けられる。トリートメントに用いるプロダクトは、バリ島で採れた自然素材から作ったもの。

☎0361-8470700 交ウルワツ寺院から車で15分 所Jl.Pura Goa Lempeh Banjar Dinas Kangin 営9:00～20:00 休無休

感動的なビューと癒やしのマッサージ

主なMENU

✲シグネチャー・トリートメント
…Rp.210万(2時間)
マッサージ、スクラブなど。海藻、花など4コースあり

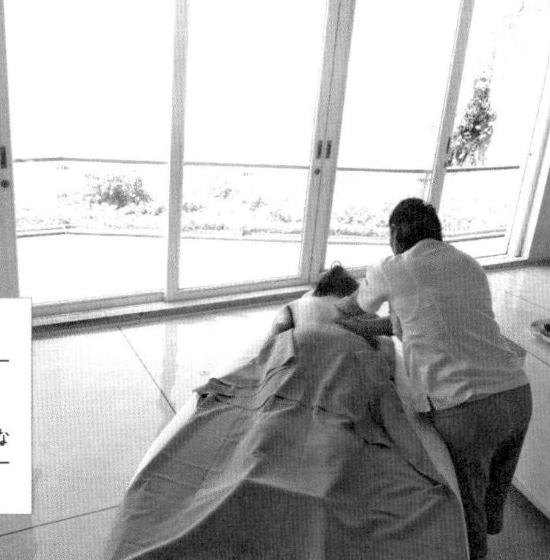

1.白と青を基調とした、モダンなインテリア 2.施術は広々としたトリートメントルームで

喧騒を離れた楽園気分に浸るなら

最高の空間! スーパービュースパ

木々が生い茂るジャングルやどこまでも続く紺碧の大海原。
圧倒的な眺めを誇るスパで、バリの魅力を再確認。

Super View

熟練テラピストによる至高のマッサージ

大自然のエネルギーを全身で体感

マンゴーツリー・スパ・バイ・ロクシタン

Mango Tree Spa by L'Occitane

ウブド MAP 付録P.6 C-2

アユン川渓谷とウブドの森を眺める癒やしのスパ。マッサージには、ロクシタンにバリ島産のフレッシュマンゴーを配合したここだけのプロダクトを使用。フェイシャルなどさまざまなメニューを用意。

☎0361-3701033／0361-975478 交ウブド王宮から車で15分 所Jl. Kedewatan, Ubud 営9:00～19:00 休無休 J E E

1.マンゴーのツリートップに建つ部屋も 2.ロクシタンショップがあり商品を購入可能 3.デザインの異なる計5つの部屋とスチームルームを完備

主なMENU

✲マンゴー・タンゴ…**Rp.137万7000（1時間）**
オリジナルのマンゴーオイルを使用した全身マッサージ

自然に囲まれたコテージのような施設

木々や滝を眺める癒やしの空間

サントゥー・スパ

Sanctoo Spa

ウブド MAP 付録P.3 D-3

肌にやさしいオリジナルプロダクトと、世界で愛用されるスパブランド、ペボニアを使用したバリニーズマッサージ中心のトリートメントが受けられる。施設から眺める自然も魅力。

☎0361-4711222 交空港から車で55分 所Jl. Raya Singapdu, Sukawati, Ubud 営9:00～21:00 休無休 E E

主なMENU

✲ピュア・ハーモニー…**Rp.84万7000（2時間）**
ボディマッサージ、ミルクバスorフラワーバスなど

1.周辺の自然はヒーリング効果も期待大 2.木々に囲まれた木造のコテージのようなスパ施設 3.露天ジャクジーやキッズスペースもあり

ラグジュアリー空間でトップクラスの施術を

ハイブランド「ブルガリ」が展開

ザ・ブルガリ・スパ

The Bvlgari Spa

ウルワツ MAP 付録P.4 B-4

バリ伝統のマッサージとヨーロピアンスタイルを織り交ぜた、至福のトリートメントが堪能できる。フェイシャルには、世界のセレブが愛用するスキンケアブランド品を使用。

☎0361-8471000 交ウルワツ寺院から車で10分 所Jl. Goa Lempeh, Banjar Dinas Kangin, Uluwatu 営9:00〜21:00 休無休

主なMENU

✲ブルガリ・ロイヤル・ルルール／2名…Rp.2000万(3時間)
ジャワの宮殿で行われていた伝統的なトリートメント

1.2.モダンデザインを取り入れた優雅な雰囲気 3.4.インド洋を望む岸壁150mの上にある

インド洋を見晴らす非日常空間

主なMENU

✲バリニーズ・マッサージ・ワーム・ハーバル・コンプレス…Rp.111万5000(1時間15分)
体を温めながら全身の血行を促進させる

眺望抜群のクリフトップ・スパ

カルマ・スパ

Karma Spa

ウンガサン MAP 付録P.4 C-4

解剖学のトレーニングを受けたスパチームが、体への栄養補給、癒やし、施術の3点に重点を置いた上質なトリートメントを提供。マッサージとランチが付いたパッケージも人気。

☎0361-8482202 交ウルワツ寺院から車で20分 所Jl. Villa Kandara, Banjar Wijaya Kusuma, Ungasan 営9:00〜20:00 休無休

1.島の最南端に位置し、大海原が眺められる 2.3.青い海に映える白壁の伝統建築が目を引く

ほかにはない魅惑の時間を過ごしたい!

印象抜群! 個性派スパ

Unique Spa

内装やエステプログラムに、店ごとに異なる個性がキラリ。
ここでしか受けられない体験ができるのが旅の醍醐味!

古代インド発祥の本格アーユルヴェーダ

魅惑的な異国情緒に酔いしれて

プラナ・スパ

Prana Spa

スミニャック MAP 付録P.15 E-2

1996年創業、バリ島高級スパの草分け。インドのアーユルヴェーダをいち早く取り入れたことで知られ、バリの伝統的なトリートメントと並んでシロダーラが人気を集める。城のような豪華な建物も特徴的。

☎0361-730840 交バリ・デリから徒歩1分 所Jl.Kunti I No.118 x, Seminyak 営9:00～21:00 休無休 J E E

1.インドとモロッコの宮殿をイメージした内装 2.深いリラクゼーションをもたらす人気のシロダーラ 3.エキゾチックな建物は街のランドマーク

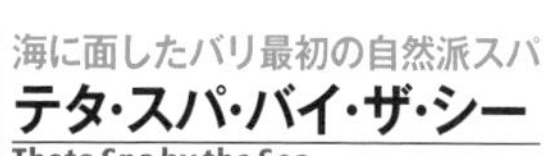

主なMENU

✲アーユルヴェーディック・リジュベネーション…Rp.197万3000(3時間)
✲シロダーラ…Rp.113万8000(1時間)

自然の秩序にかなった心地よいマッサージ

海に面したバリ最初の自然派スパ

テタ・スパ・バイ・ザ・シー

Theta Spa by the Sea

クタ MAP 付録P.18 B-3

中国、インド、インドネシアの古代施術から生まれたシグネチャー・マッサージ。「テタ」とは古代ギリシャ語で「聖なる精神」の意。心と体の両面を癒やし、五感をリラックス。

☎0361-755726 交ングラ・ライ国際空港から車で10分 所On the beach at Bintang Bali Resort, Jl. Kartika Plaza, Kuta 営10:00～23:00 休無休 E

主なMENU

✲ヘアスパ…Rp.35万(1時間)
✲ボディマッサージ…Rp.40万～(1時間)
✲フットスパ…Rp.30万(1時間)

1.自然素材とピュアエッセンシャルオイル使用 2.青い海と空を眺めながらゆったり横たわる 3.同ビンタン・リゾートホテル内の屋外プール

フレッシュな花や葉を巧みに調合

ダラ・スパ

Dala Spa

ウブド MAP 付録P.9 D-4

店名のダラにはサンスクリット語でリーフの意味があり、ゲストの目の前で調合するプロダクトには100%地元産の新鮮な天然素材を使用。カップル向けのパッケージがお得でおすすめ。

☎0361-972200 交ウブド王宮から車で8分 所Jl. Hanoman, Ubud 営9:00～23:00 休無休 J E E

カップルで受けたい伝統的なマッサージ

主なMENU

✲マニス・クレポン／2名…**Rp.231万7000（2時間）**

バリニーズマッサージ、ボディマスク、フラワーバスなど

1.天然素材を目の前で調合 2.3.アラヤ・リゾート内にある 4.バリと西洋が融合したエキゾチックな内装

個々に合う効果的なトリートメント

緑豊かなラグジュアリースポット

イリディウム・スパ

Iridium Spa

ヌサ・ドゥア MAP 付録P.22 C-4

バリ島の伝統療法を取り入れた多彩なメニューを揃える。熟練セラピストが、ゲストのコンディションに合ったトリートメントをカスタマイズすることも可能。施設は月と蝶をテーマにした豪華な内装が印象的。

☎0361-8478111 交バリ・コレクションから車で10分 所Kawasan Pariwisata, Nusa Dua 営8:00～23:00 休無休 J E E

主なMENU

✲セントレジス・スパ・バリ・シグネチャー・マッサージ…**Rp.265万（1時間）**

ゲスト一人一人に合わせたトリートメント

1.海塩を使用した屋外プールやジャクジーも 2.セントレジス・バリリゾート内、大きな池の中心に建つ 3.広々とした施設に8つのルームを備える

心と体を整える環境とサービス

ザ・セイクリッド・リバー・スパ

The Sacred River Spa

ウブド MAP 付録P.6 B-3

体内にある7つのチャクラそれぞれにフォーカスした7種類のトリートメントを用意。ローズベースのプロダクトを使用したハートチャクラのアナハタが代表的で、感情の安定や積極性を求める人に最適。

☎0361-977577 交ウブド王宮から車で18分 所Jl. Raya Sayan, Sayan, Ubud 営9:00～21:00 休無休 J J E E

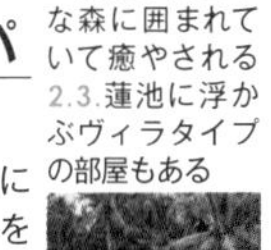

1.施設は緑豊かな森に囲まれていて癒やされる 2.3.蓮池に浮かぶヴィラタイプの部屋もある

主なMENU

✲スパチャクラ・セレモニース・アナハタ…**Rp.380万～740万（2時間30分）**

ローズバス、ローズオイル・ボディマッサージなど

バリの哲学に基づいて精神にまで働きかける

きょうもあしたもあさってもアクティブにグイグイいきます!

03 海遊び・山遊びで バリ島の感動実現!

エキサイティングな
アクティビティが充実!

美しい海に囲まれたバリ島はマリンアクティビティの宝庫。
日本ではなかなか体験できないものや、
大自然の恩恵をたっぷり受けた海遊びが満載だ。

Marine & Land Activity

ペニダ島
きっての絶景
スポット、
クリンキン・
ビーチ

とっておき! 野趣あふれるビーチで遊ぶ
本島から秘密の島々へ

バリ島南東部に浮かぶペニダ島とレンボンガン島は
ビーチアクティビティのメッカ。
本島とは異なる絶景が広がる海で遊ぼう。

ウブド
バドゥン
海峡
サヌール
ペニダ島
ヌサドゥア
レンボンガン島

SNS映えするスポットも多い
ペニダ島
Nusa Penida

バリ島南東部 MAP 付録P.3 F-4

バリ島からスピードボートで40分ほどの距離にあり、手つかずの自然に包まれた島。シュノーケリングやカヤック体験をはじめ、SNS映えするスポットなどを巡ることができる。

波に浸食されて穴が空いたブロークン・ビーチ

美しいサンゴや熱帯魚などが見られる

ほとんどの道が未舗装。アドベンチャー気分いっぱい

How to Enjoy

ツアー参加方法
日本から現地旅行会社にネットで申し込むか、ホテルのツアーデスクで申し込む。サヌールやヌサ・ドゥア、ブノアで催行されているアクティビティは現地で申し込むことができる。安全面を考えると、日本人常駐の現地旅行会社に申し込むのが安心。

ツアーなど参加時の持ち物
日焼け止め対策は必須。熱中症防止のドリンク、サングラス、帽子などもあったほうがよい。アクティビティの内容によっては着替えも忘れずに。

注意事項
体調が思わしくない場合には無理をしないことが大切。

ツアー情報
バリ・ツアーズ.com(→P.144)の場合、レンボンガン島ツアーUS$133～、ペニダ島ツアーは要問い合わせ。そのほか多くの現地ツアー会社が催行しているので、自分のプランに合ったものを選ぼう。
HP www.bali-tours.com

穏やかな海でSUPを楽しむこともできる

島には格安の宿も多く、長期滞在するダイバーも

マングローブの森を巡るツアーではガイドが案内

ペニダ島の沖に浮かぶ小島
レンボンガン島
Nusa Lembongan
バリ島南東部 MAP 付録P.3 E-4
サンゴ礁に囲まれた小島で、島の北側にはマングローブ林が生い茂る。海ではダイビング、シュノーケリングやSUP、またマングローブツアーなどが楽しめる。島には手ごろなリゾートホテルもある。

ビーチクラブでのんびり過ごすのもOK

フライフィッシュ
Flyfish
比較的新しいマリンアクティビティのひとつで大人気。スピードボートで引っ張られ、海面から宙に舞うスリルは圧巻。

バリ島で楽しめる人気マリンスポーツ

マリンアクティビティ・カタログ

ヌサドゥアやブノアの海辺を中心に、マリンスポーツが盛ん。ダイナミックに、南国の海を遊び尽くそう。

ドーナツ・チューブ
Donut Tube
スピードボートに引っ張られる点でバナナボートに似ているが、激しく左右に振られる分、よりスリルがある。

フライ・ボード
Fly Board
ジェットスキーの水圧を利用して空中に飛び上がる新感覚のスポーツ。少し練習してコツをつかめば、楽しくてやみつきに！

How to Enjoy

アクティビティ参加方法
日本から現地旅行会社にネットで申し込むか、ホテルのツアーデスクで申し込む。サヌールやヌサ・ドゥア、ブノアで催行されているアクティビティは現地で申し込むこともできる。たいてい、ホテル、催行場所の間は送迎サービス（有料）を利用できる。日本人常駐の現地旅行会社に申し込むのが安心だ。

気をつけたいこと
初めて体験するアクティビティの場合は特に、最初の説明をよく聞き、油断しないように。不安があれば無理をしないのが鉄則。

バナナボート
Banana boat
マリンアクティビティの定番。バナナ型のゴムボートに乗って、海上を駆け巡る。単純なようで、迫力は抜群。

人用、2人用など
タイプがあるので
申込時に確認を

バリ島の海を空から一望
気分爽快なひととき

パラセーリング
Parasailing

特別なテクニックは不要。モーターボートに引っ張られて、空高く舞い上がる。浮き上がる瞬間の感覚が感動的とも。

スキューバ・ダイビング
Scuba Diving

日本人常駐のダイブショップが多く、初心者も体験ダイビングから始められる。バリ島には多様なダイビングスポットがあり、初心者～上級者まで楽しめる。

見事なサンゴが群生
コバルトブルーの海へ

サップ
SUP

日本でも人気上昇中のSUP。初心者は陸上でパドルの使い方など基本を学んでから海へ。ボードは幅が広いので安心。

サーフィン
Surfing

海外からのサーファーも多く訪れるバリ島。クタにはサーフスクールがあるので、初心者でも体験することができる。

PICK UP!

バリの魅力を存分に楽しむクルーズツアーに参加したい

双胴船に乗って、ビーチアクティビティやサンセットクルーズを優雅に楽しむ

さまざまなクルーズツアーを実施

バリ・ハイ・クルーズ
Bali Hai Cruise

ヌサ・ドゥア MAP 付録P.5 D-3(乗船場)

レンボンガン島を訪れたり、海上人工リーフでアクティビティを楽しんだりできるなど、さまざまなツアーを用意。なかでも、ロマンティックな雰囲気に包まれたサンセット・ディナークルーズが人気。

↑ディナークルーズではショーも楽しめる

☎0361-720331 交 空港から車で15分 所 Jl. Wahana Tirta No.1, Benoa(オフィス) 開休 ツアー内容により異なる HP www.balihaicruises.com/ja

↑美しい夕景を眺めながらディナーを楽しむサンセットクルーズ

渓流で遊び、熱帯の森を駆け巡る
ランドアクティビティ・カタログ

どこまでも広がる棚田、生い茂るヤシの木々、豊富な水量の渓谷。赤道直下・熱帯のバリ島を体感する厳選アクティビティ。

今、イチオシ！
バリ島ならではの超絶景体験

ウブドの森に飛び込むかのような迫力と感動を体験

バリ・スウィング
Bali Swing

アユン川沿いにある巨大ブランコ施設。5mから78mまでのブランコが用意され、絶景と爽快感を楽しめる。SNS映えスポットとしても人気。

ラフティング
Rafting

アユン川など、ウブド近郊の渓流でラフティングが盛ん。変化に富んだダイナミックな流れを下っていく。

難所を攻略していくうちに、参加者同士に連帯感が！

熱帯の渓谷を遊ぶ
迫力ある川下り

サイクリング
Cycling

観光地の賑わいから離れた郊外をサイクリング。専属のガイドも同行するので、迷わずに安心して楽しめる。

素朴な農村部を走り
バリ島の日常にふれる

途中の田んぼでアヒルの群れに出会うことも？

キャニオン・チューブ
Canyon Tube
約1時間30分かけて4kmの距離を1人乗りのチューブ（ゴムボート）に乗って川下りを体験する。

ここで体験！

バリ・スウィング
Bali Swing
ウブド MAP 付録P.6 B-2
大人気の巨大ブランコ施設で、最も人気のあるアクティビティのひとつ。
☎0878-8828-8832 所Jl. Dewi Saraswati, Bongkosa Pertiw 営8:00~17:00 休無休 料US$45（ウブドから無料送迎あり） HP baliswing.com

ツアー会社

バリ・クアッド・ディスカバリー・ツアーズ
Bali Quad Discovery Tours
バリ・クアッドATVやキャニオン・チューブなどのツアーを開催。
☎0361 -720766 料バリ・クアッドATV US$169（運転者）、US$99（同乗者）キャニオン・チューブUS$89ほか HP baliquad.com

ソベック
Sobek Bali Utama
ウブド郊外・アユン川でのラフティング、バトゥール山サイクリングなど催行。
☎081-9998-25765(WA) 料アユン川ラフティングRp.120万、バトゥール山サイクリングRp.120万ほか HP balisobek.com

バリ・クアッドATV
Bali Quad ATV
ATV（全地形対応型ビークル）でバリのアウトドアを走る。アドベンチャー感にあふれ、バリ島の自然風景を満喫できる。

PICK UP!

熱帯に暮らす動物たちに出会う 動物園へ行こう！

動物たちと直接ふれあえるスポットが人気。なかでもエレファント・ライドが人気。

動物の自然な姿と迫力に感動

バリ・サファリ&マリン・パーク
Bali Safari & Marine Park
バリ島東部 MAP 付録P.3 E-3
約50haもの敷地にはスマトラタイガーやスマトラゾウなど、約60種の動物が。動物たちのショーも人気。

☎0361-950000 交ウブド王宮から車で45分 所Jl. Profesor Ida Bagus Mantra km 19.8 開9:00~17:30、18:00~21:00までナイトサファリ開催 休無休 料Rp.65万（パッケージ） HP balisafarimarinepark.com

バリ島で最も歴史のある動物園

バリ動物園
Bali Zoo
ウブド MAP 付録P.3 D-3
ふれあいがテーマで、象に乗りながら園内散歩や、エサやり体験などが可能。450種以上の動物が見られる。

☎0361-294357 交ウブド王宮から車で30分 所Jl. Raya Singapadu Skawati, Gyanyar 開9:00~16:00 休無休 料Rp.39万5000 HP www.bali-zoo.com

水平線に沈む夕日が究極にロマンティックです

04 ディナーは夕景が素敵な、とっておきダイニングで

おいしい食事と贅沢なひとときを

美しいサンセットが見られる西海岸のダイニングで映画のワンシーンのような、ロマンティックなディナーを楽しんで。

ビーチを望むバリ最大級のルーフトップ・バー

1 ダブルシックス・ルーフトップ・サンセット・バー

Double-Six Rooftop Sunset Bar

スミニャック MAP 付録P.14 C-3

ダブルシックス・ビーチを見渡す5ツ星リゾートの屋上にあり、オープンスペースでカクテル片手にDJライブが楽しめる。高級感のある雰囲気を大切にしており、バリ島のバーでは珍しくドレスコードがあるので要注意。

☎0361-730466 交 バリ・デリから車で15分、ダブルシックス・ビーチから徒歩1分 所 The Rooftop of DOUBLE-SIX Luxury Hotel, No. 66, Double Six Beach, Seminyak 営 17:00～23:00 休 無休

↑タラゴンとトマトのソースで煮たプラオン・アラ・アメリカン Rp.11万

↑ニンジンとクリームチーズのキャロットケーキ Rp.8万5000

サンセットの人気店は西側の海岸に面したシービューの店

6 ジ・レストラン
8 カフェ・デル・マール
5 ラ・ルッチオーラ
1 ダブルシックス・ルーフトップ・サンセット・バー
2 ジンバラン・ビーチ沿いのイカン・バカール
3 スンダラ
4 ラ・ジョヤ
7 ウル・クリフハウス
N
0 5km

夕景ディナーのコツ

サンセット時間は季節で変動

バリ島は赤道に近いため、日本に比べると年間を通して日没時刻の変動が少ない。それでも、季節によって若干の違いがある。5～10月(乾季)は18時5分～18時20分、11～4月(雨季)は18時15分～18時50分の間が目安。日本と逆で、6月に最も日の入りが早くなり、1～2月が最も遅くなる。日没の30分前頃からがサンセット観賞のベストタイム。

眺めの良い席は予約が確実

夕暮れどきは混雑するので、事前予約を。ホテル内のバーやレストラン、大型のビーチクラブなどはネット予約できるところも多い。ただし、席によって予約不可の場合や、予約を受け付けない店もあるので注意しよう。

デイベッド席は別料金が必要

テーブル席やソファ席など、席のタイプはさまざま。横になってくつろげるデイベッド席は人気が高く、別料金やミニマムチャージが必要な場合もある。チップは→P.171

Nice View
サンセットの景観を眺めながらカクテル片手にDJライブが楽しめる

Nice View
夕日を眺める夕暮れどきは、ローカル客や観光客で大賑わい

バリに来たら一度は訪れたい
南部のビーチリゾート

2 ジンバラン・ビーチ沿いのイカン・バカール

Ikan Bakar at Jimbaran Beach

ジンバラン MAP 付録P.20 B-3

漁業が盛んなジンバラン湾のビーチ沿いに店が並ぶ。メニューは新鮮な魚介をココナッツの炭火で焼いたもの。キャンドルが灯る夜は、ストリートミュージシャンの奏でる音色が聞こえいっそう素敵な空間に。

☎店によって異なる 交空港から車で15分 所Jl. Bukit Permai,Muaya Beach, Jimbaran 営11:00～23:00(店によって異なる) 休無休 E E

名物のイカン・バカール(現地語で魚介バーベキューの意)。値段は店によって異なるが1人Rp.30万から十分楽しめる

静かなジンバラン湾を望む
屈指のファインダイニング

3 スンダラ
Sundara

ジンバラン MAP 付録P.20 A-4

サンスクリット語で美を意味する店名どおり、サービス、デザイン、料理どれをとっても美しさはハイクラス。サンセットを眺める絶景とともにアジアンキュイジーヌを堪能したい。

☎0361-708333 交 空港から車で20分 所 Four Seasons Resort Bali at Jimbaran Bay, Jimbaran, Kuta Selatan 営 11:30〜23:30(カクテルタイムは〜24:00) 休 無休

Nice View
丘の中腹に位置し、湾の広大な曲線美が見渡せる

←生カレーやグリルマヨネーズなどオリジナルソースを添えた洋風テイストの和牛タタキ Rp.28万

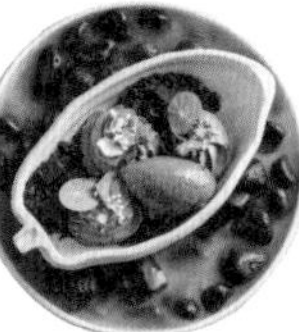

→チョコムースとココアシャーベットを堪能するチョコレートのテクスチャー Rp.18万

←湾の曲線美が一望できる丘の特等席で食事をしよう

Nice View
シンプルでナチュラルなインテリアが、庭の緑と海の青に映える

スカイラインを見渡す
オープンダイニング

4 ラ・ジョヤ
La Joya

ジンバラン MAP 付録P.4 B-3

「ラ・ジョヤ・バランガン・リゾート」のメインダイニングで、眺めの良いプールバーとしても利用できる。幅広い料理やカクテル、モクテルを取り揃えている。

↑ミックスベジタブルとライスがセットのリバー・プローン Rp.27万

☎0811-3990-048/0815-5726-117 交 空港から車で40分 所 Jl. Pantai Balangan, Lingk Cengiling, Jimbaran 営 7:00〜23:00 休 無休

サンセットの名所に建つ
モダン・イタリアンの老舗

5 ラ・ルッチオーラ
La Lucciola

クロボカン MAP 付録P.12 C-4

1993年の開業以来、世界中のグルメ通に愛され続ける名店。プティトゥンガット・ビーチに建ち、夕日が沈む美しいビーチの景観とイタリア料理が楽しめる。

☎0361-730838 交 バリ・デリから車で18分 所 Pantai Petitenget, Jl. Kayu Aya, Kerobokan 営 9:00〜24:00 休 無休

↑茅葺き屋根アランアランと、複雑な木組みの典型的なバリ建築

Nice View
潮風を体感できる、オン・ザ・ビーチの絶好ロケーション

海に面したカウンターで
繊細なフュージョン料理を

6 ジ・レストラン
Ji Restaurant

チャングー MAP 付録P.10 B-3

オリエンタルムードあふれる、エキゾチックなジャパニーズフュージョン料理店。2・3階の「ジ・テラス・バイ・ザ・シー」は、目の前に広がるオーシャンビューが見事。

☎0361-4731701 交バリ・デリから車で36分 所Jl. Pantai Batu Bolong, Canggu Beach 営12:00～23:00 休無休

↑エビ天ぷらのスシロールに、アボカドとトビコをのせたドラゴン・オブ・ジRp.11万5000

Nice View
海に面したロングカウンターで、景色とカクテルを同時に楽しめる

Nice View
オーシャンデッキが崖下の海に張り出すように建てられている

壮大なパノラマが広がる
クリフトップ・レストラン

7 ウル・クリフハウス
Ulu Cliffhouse

ウルワツ MAP 付録P.4 B-4

ビーチに直接アクセスできる崖の上に位置し、洗練された施設デザインと青く輝くプール、目の前に広がる海と空の一体感を満喫できる。バリテイストを加えた西洋料理や石窯で焼く特製ピザも自慢。

☎081-1394-17899 交ウルワツ寺院から車で6分 所Jl. Labuan Sait No. 315, Padang-Padang, Uluwatu 営8:00～12:00、17:00～22:00 休無休

↑ビーフ・レンダン・ブンRp.12万5000は牛肉の煮込みをパンで挟んだもの

地中海風の雰囲気の
話題の最先端ビーチクラブ

8 カフェ・デル・マール
Café del Mar

クロボカン MAP 付録P.12 B-2

英国人シェフが手がけるイビザ風の洗練されたキュイジーヌや、種類豊富なカクテルやモクテルは、繊細な味付けで日本人の口にも合う。ダイナミックな空間デザインも見事。

☎081-1381-18181 交バリ・デリから車で20分 所Jl. Subak Sari Tibubeneng, Badung 営11:00～22:00 休ニュピ前日

Nice View
スタイリッシュでゆったりとした空間から、広大な海を見渡す

←パルマハムとバジルのピザRp.18万

→ツナやサーモンをサラダ風にしたミックス・サシミRp.22万

音の良さとDJのラインナップが自慢のDJブースもありますよ

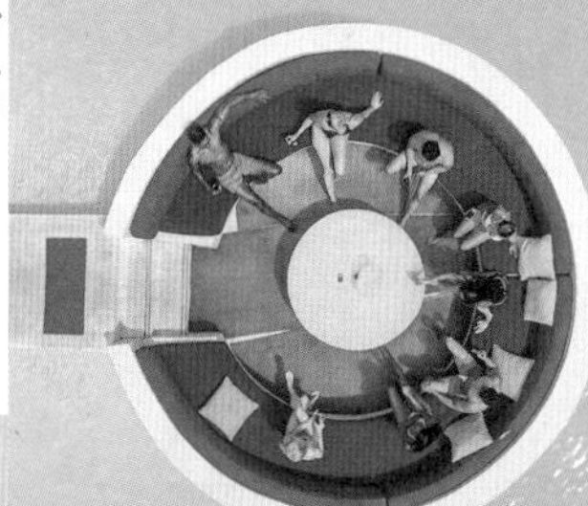

→インフィニティ・メインプールに浮かぶプライベートVIPカバナ。一度は体験してみたい!

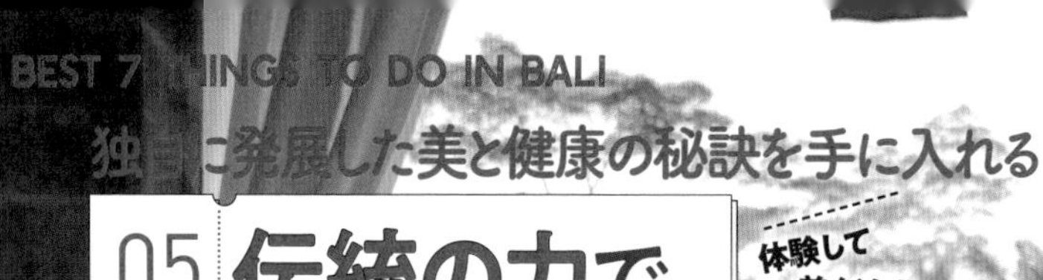

独自に発展した美と健康の秘訣を手に入れる

05 伝統の力でキレイになる!

体験して美を追求

訪れる人々の心を安らかにしてくれる、神が宿る島バリ島。古くから伝わるヨガや伝統薬・ジャムウでリトリートを目指したい。

島全体がパワースポット

伝統的な寺院が数多く点在し、自然のパワースポットも豊富なバリ島は、島全体がスピリチュアルなムードに満ち、神の島ともいわれている。またインドから伝わったヨガをはじめ、自然素材を使った独自の民間医療も発達。世界中から観光客が訪れ心身の美を追求するバリ島で、エネルギーをチャージしよう。

体験メモ
クンダリーニ・タントラ・ヨガ、サウンド・ヒーリング・メディテーション各Rp.16万

Yoga

神の島でパワーチャージ!

自然に囲まれながら開放的なヨガ体験

神聖な大自然のなかで体験するヨガレッスン。世界中からヨギーニが集まるヨガの聖地で、心と体を整えてデトックスを。

初心者OKのビクラム・ヨガ

ウブド・ヨガ・センター

Ubud Yoga Center

ウブド MAP 付録P.6 C-4

ビクラム・ヨガにインスピレーションを受けた愛好家がオープン。ビクラム・ヨガのほか、クンダリーニやアシュタンガ、ハタヨガのレッスンも開催。

☎081-1380-3266 交ウブド王宮から車で15分 所Singakerta Raya No. 108, Nyuh Kuning, Ubud 営7:30～17:00 休無休 E

↑有名建築家ポポ・ダネス氏設計のモダンな建物

↓ショップやキッズセンター、カフェもある

毎日7クラスのさまざまなコースを用意!

著名なカリスマヒーラー考案のヨガ

オム・ハム・リトリート

Om Ham Retreat

ウブド MAP 付録P.6 C-1

有名ヒーラー兼講師のアルサナ氏がコンサルティングをする、リトリートに特化したリゾート。クンダリーニ・タントラ・ヨガは、氏が独自に開発したもの。

☎0361-9000352 交ウブド王宮から車で15分 所Jl. Tirta Tawar, Banjar Junjungan, Tegallalang, Ubud 営7:30(日曜9:00)～20:15 休無休 E

体験メモ
ビクラム・ヨガ・エクスプレス60分、初心者向けアシュタンガヨガ60分など。1回Rp.15万

自然環境に配慮したモダン空間

テラスビューの開放的なヨガスタジオ

ヨガ体験を受ける

持ち物

ヨガマットは用意されていることが多い。タオルのほか、オープンなスタジオでは虫除けを持参したほうがよい。

覚えておきたい！ヨガに役立つ単語

基本的な動作は英語で説明されることが多いので、単語を覚えて出かけよう。

●吸う	●吐く	●伸ばす
inhale	exhale	extend
インヘイル	エクスヘイル	エクステンド
●曲げる	●下げる	●(息を)止める
bend	lower	hold
ベンド	ロウアー	ホールド

参加者が多い人気スタジオ

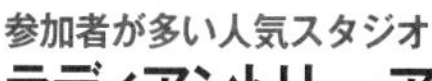

ラディアントリー・アライブ・ヨガ

Radiantly Alive Yoga

ウブド MAP 付録P.9 E-2

短期間用のコースもあり

国内外30人以上の、レベルの高い講師によるクラスを開催。種類はハタヨガやアシュタンガなど30以上。スタジオ内には居心地のよいカフェも併設している。

☎0361-978055 交ウブド王宮から徒歩7分 所Jl. Jembawan 3 Padang Tegal Kaja, Ubud 営7:00～20:00 休無休 E

ヒーリングテクニックを取り入れたヨガを体験

↑ウブドの田園に囲まれたリトリート・センター

毎日朝から夜まで10以上のクラスを開催

・体験メモ

ハタヨガ、アシュタンガ・ヨガ、クンダリーニ、キルタンなど。1クラスRp.16万5000。プライベートレッスンもあり

南国らしいオープンエアのスタジオ

・体験メモ

初級のビギナーズ・ハタ、中級のムーン・ハタ、上級のファイアー・ハタ、サン・ハタなど。1回Rp.15万

ハタヨガを中心としたレッスン

ザ・プラクティス

The Practice

チャングー MAP 付録P.10 B-3

初心者でも安心して参加できるステージ1から、難易度の高いファイナルステージまで用意。身体の休息を促すヨガ・ニドラのクラスもある。

☎081-236702160 交バリ・デリから車で36分 所Jl. Batu Bolong No.94A, Canggu 営8:00～、11:00～、16:00～18:00 休無休 E

↑ラウンジにはジンジャーティーを用意

↑チャングーにあり、観光客が大半を占める

リゾート施設でヨガ体験

バグース・ジャティ

Bagus Jati

ウブド MAP 付録P.3 E-2

バリ島初のヘルス＆ウェルビーイングをコンセプトにしたリゾート。身体・呼吸・心を整える、ポーズ、呼吸法、瞑想法にクローズアップ。

☎0361-901888 交空港から車で1時間50分 所Banjar Jati Desa Sebatu Kecamatan Tegallalang Ubud Gianyar 営7:30～、16:00～ 休無休 J E

↑ウブドから30分ほど離れた高地にある

・体験メモ

モーニング・ヨガ、アフタヌーン・ヨガ&メディテーションなど。Rp.35万、宿泊客は無料

ヨガスタジオや瞑想パビリオンを完備

Yoga Wear

リゾートっぽく、動きやすく

機能性もおしゃれも◎な ヨガウェアはこちらです

スタジオも併設するヨガウェア専門の店をご紹介。機能性に富んだウェアを身につけて、いざ体験にトライ!

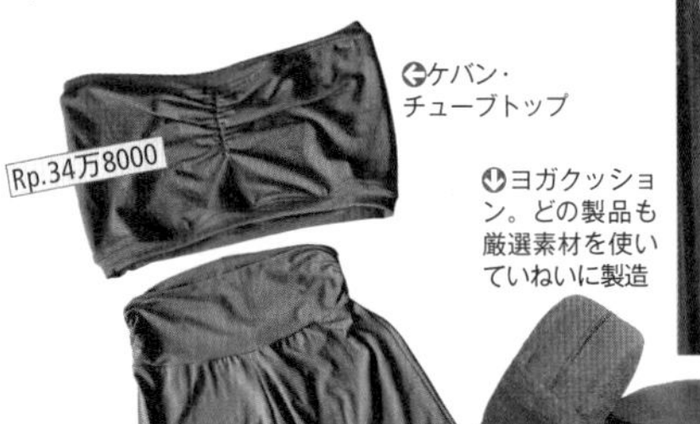

Rp.34万8000

←ケバン・チューブトップ

↓ヨガクッション。どの製品も厳選素材を使いていねいに製造

Rp.42万5000

Rp.76万8000

→サリ・クロップ・パンツ。普段の生活でも着用できるデザイン

実用的なウェアのほか日用品なども

→トレンドよりも長く使えることを優先

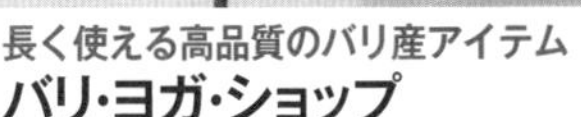

長く使える高品質のバリ産アイテム

バリ・ヨガ・ショップ

Bali Yoga Shop

ウブド MAP 付録P.9 D-3

バリ島最大のヨガ施設ヨガ・バーンに併設。コットン100%、着心地抜群のヨガウェアをはじめ、環境にやさしい日用品やスピリチュアル本なども並ぶ。

☎089-70965454 交ウブド王宮から徒歩10分 所Jl. Pengosekan, inside the yoga barn 営8:00～20:00 休無休 E 💳

アイピローやストラップなども取り扱う

→タンクトップ・バイロンベイ・デザイン

Rp.49万9000

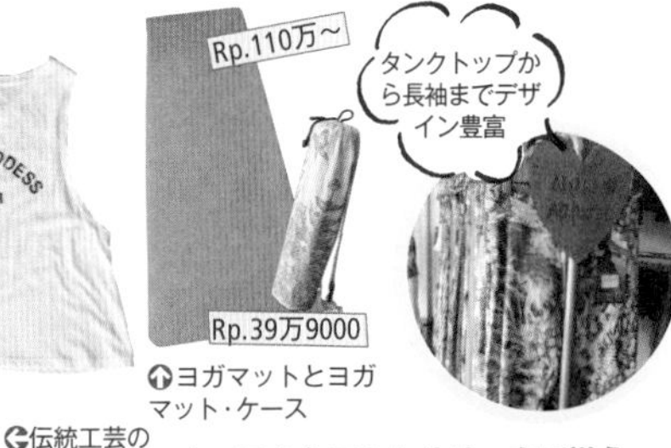

Rp.110万～

Rp.39万9000

タンクトップから長袖までデザイン豊富

↑ヨガマットとヨガマット・ケース

←伝統工芸のバティックを施したヨガレギンス

Rp.39万9000

ウェアからアクセサリーまで揃う

デヴァイン・ガッデス

Divine Goddess

チャングー MAP 付録P.10 B-2

アシュタンガ・ヨガを学んでいるスージー氏の店。現在バリ島内に3つの店舗を展開。スミニャック店では2階のスタジオでレッスンも開催している。

☎0877-6149-9345 交バリ・デリから車で30分 所Jl. Batu Mejan, Canggu 営9:00～21:00 休無休 E 💳

⬇ワークショップは2時間

⬆ランチ、コーヒー&ティーも付く

ランチ付きのワークショップで学ぶ

ジャムウ・トラディショナル・スパ

Jamu Traditional Spa

ヌサ・ドゥア MAP 付録P.22 B-3

ハーブ学を専門とするヒーラーであり伝統的な薬草師でもあるジーニー氏が創立。ワークショップでは4種類のジャムウ・ドリンクのレシピを学ぶことができ、証明書ももらえる。

☎081-1389-9930(WA) 交 バリ・コレクションから車で6分 所 Jl. Raya Siligita No.1, Benoa, Nusa Dua 営 10:00～19:00 休 無休 E

天然素材で体の内側からキレイになりたい!

注目度アップ中の伝統薬 ジャムウ作りを体験

Jamu

古くからインドネシアに伝わるジャムウ。健康と美を支えるレシピを教えてもらおう。

ジャムウって?

アーユルヴェーダをもとに作られる、インドネシアの民間伝承薬。使用するのはハーブなどの天然素材。効能はさまざまで、飲用、塗布など使い方もそれぞれだ。

オーガニック商品専門店

ナディス・ハーバル

Nadis Herbal

ウブド MAP 付録P.9 D-1

100%オーガニックプロダクトを製造販売。日本語対応のワークショップでは、伝統のボディ・スクラムやオイル、マスク作りが体験できる。

☎085-7379-42436 交 ウブド王宮から徒歩5分 所 Jl. Suweta No. 15, Ubud 営 9:00～18:00 休 無休 J E

➡ジャムウ・クラスはRp.30万

神秘的!ヒーラーのパワー

バリ島では、心や体のバランスを取り戻してくれたり、マイナスのエネルギーを浄化してくれたりする「バリアン」と呼ばれるヒーラーが人々に崇められている。マッサージやヨガ、シンキングボウルなどヒーリングの手法はヒーラーによってさまざま。

!?

クトゥ・アルサナさん

世界的に有名な伝説のカリスマヒーラー。ヨガの講師としても活躍している。ウブドにヨガを導入した第一人者でもある。

リンゲンさん

20歳で才能を見いだされた、アルサナ氏の愛弟子。世界のセレブを顧客に持つ。ホリスティックなヒーリングヨガも人気だ。

歴史ある寺院群、世界遺産に認定されたライステラス

06 現地ツアー参加で バリ島文化を知る

ツアー参加や
車をチャーターして巡る

バリ・ヒンドゥ文化の真髄ともいえる、
バリ寺院群の総本山・ブサキ寺院、
世界遺産にも認定されたライステラス（棚田）は、
リゾートエリアから離れた郊外にあり、アクセスが良くない。
日本語ガイド付きのツアーは多いので、
これらを利用して、ぜひ訪れてほしい。

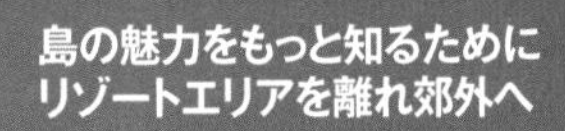

島の魅力をもっと知るために
リゾートエリアを離れ郊外へ

リゾートとして賑わうクタ周辺やウブド中心部から離れた地域には、バリ島の文化・歴史を伝える見どころが数多くある。外国人が利用しやすい公共交通機関が発達していないため、旅行者は現地のオプショナルツアーや車をチャーターしてまわることになるが、日本語堪能なガイドやドライバーも多く、充実した内容のツアーが多い。

郊外のスポットで見ておきたいのは、ブサキ寺院とライステラスだ。ブサキ寺院は霊峰アグン山の中腹、標高900mほどの場所に位置し、約30もの寺院からなるバリ・ヒンドゥ教の総本山だ。

ライステラスは島内各所で見ることができるが、世界遺産に認定されたジャティルイの絶景を見ておきたい。バリ島の厳しくも雄大な自然とともに生きる人々の知恵を知ることができるはずだ。

ブサキ寺院の背後にそびえるのはアグン山。活発な火山でもある

バリ・ヒンドゥ教総本山と王宮文化の遺跡
ブサキ寺院と島東部を訪れる

島東部の歴史は古く、ブサキ寺院の起源も8世紀頃にまで遡るという。カランガッセムには、かつて王国として栄えた時代の遺構が残る。

⬇チャンディ・ブンタルと呼ばれる割り門がそびえる(ブサキ寺院)

東部地域の古都を巡り バリ島の歴史・文化を知る

ブサキ寺院はウブドから車で1時間30分ほど。今も圧倒的な信仰を集め、大勢の参拝者が訪れている。そこから20kmほど南東に位置するカランガッセムは18〜20世紀初頭まで王朝の都があった街だ。華やかな装飾が施された王宮建築や、王の別荘地として建てられた建築物が見学できる。車をチャーターして巡るなら、天井の地獄絵で有名なスマラプラ王宮やパワースポットとして知られるルンプヤン寺院もおすすめ。

⬅日本語ガイドのいるツアーで巡るのがおすすめ

1 バリ島屈指の絶景スポット ブキッ・ジャンブル

Bukit Jambul

バリ島東部 MAP 付録P.3 E-3

バリの牧歌的風景・ライステラスは、映えスポットとして世界的にも有名。高台にあり、ライステラスの先にはバリ市街地、さらにその先には海も一望できる。

交 ウブド中心部から車で1時間
所 Bukit Jambul, Semarapura

⬆ブサキ寺院へ向かう途中に広がるライステラス

2 神聖な空気に満ちた島最大の寺院 ブサキ寺院

Pura Besakih

バリ島東部 MAP 付録P.3 E-2

霊峰アグン山の南西に集まる、大小30ほどの寺院の総称。標高900mに位置するバリ・ヒンドゥ教の総本山で、創造神ブラフマを祀るキドゥラン・クレテッ寺院、破壊神シヴァを祀るプナタラン・アグン寺院、繁栄神ヴィシュヌを祀るバトゥ・マデ寺院など、ヒンドゥ三大神を柱に多様な神々を祀る寺が点在。常に参拝客で賑わう。

交 ウブド中心部から車で1時間30分

⬆ヒンドゥ教の三大神が降臨するパドマサナの前で祈りを捧げる人々

バトゥ・マデ寺院
ヴィシュヌ神を祭神とする寺院で、5つのメルが立ち並んでいる。

プナタラン・アグン寺院
30ある寺院のうちで、最も中心的な位置にある寺院。祭神はシヴァ。

グラップ寺院
ブサキ寺院のなかでいちばん奥にひかえる寺院。イスワラ神を祀る。

キドゥラン・クレテッ寺院
ほかの寺院とは少し離れた場所にある。火を司るブラフマ神を祀る。

バスキアン寺院
8世紀に建てられたといわれ、寺院群のなかで最も手前にある。

旅行プランを立てたら早めの申し込みを

ツアーの基本

現地旅行会社やホテルのツアーデスクで希望のツアーを申し込む。日本からネットでの申込も便利だ。日本語ガイド帯同のツアーも多い。一般的に、ツアーの場合は滞在ホテルまで送迎がある。

ツアーの流れ

バリ・ツアーズ.comの「バリ島歴史まるわかり！遺跡＋寺院ツアー」の場合、各ホテルからブキッ・ジャンブル、ブサキ寺院を経てランチ。その後、カランガッセム、タマン・ティル・タタンガなどを訪れディナーをとってホテルへ。滞在ホテルにもよるが、8時30分頃～20時30分頃まで終日必要となる。参加費用はUS$122～（1名の場合）。

寺院での注意

露出の多い服装は控える。境内に入る場合は、サロン（腰巻き）などを貸し出しているので利用しよう。また生理中の女性や身内が42日以内に他界した人、出産後105日以内の女性は体に穢れがあるとされ、境内に入ることができない。

3 諸外国の雰囲気も漂う建造物

カランガッセム王宮

Puri Agung Karangasem

バリ島東部 MAP 付録P.3 F-3

19世紀末オランダ領だった頃にカランガッセムの王が建築。欧州や中国からの影響を大いに受けた建築様式に目を奪われる。

交 ウブド中心部から車で1時間30分

所 Jl. Gajah Mada, Subagan Karangasem

➡建物のいくつかは池に浮かぶかのように配されている

4 廃墟から復活したかつての宮殿

タマン・ウジュン宮殿

Puri Taman Ujung

バリ島東部 MAP 付録P.3 F-3

1921年、カランガッセム王国が小さな漁村の高台に建てた宮殿。1963年と1979年のアグン山噴火の被害で一時廃墟に。現在は修復され、昔の姿を取り戻している。

交 ウブド中心部から車で1時間30分

所 Tumbu, Karangasem

⬆ヨーロッパ風の建造物が残り、当時の繁栄ぶりがうかがえる

5 清らかな水があふれる遺跡公園

タマン・ティルタ・ガンガ

Taman Tirta Gangga

バリ島東部 MAP 付録P.3 F-2

1947年、カランガッセム王国最後の王が離宮として築いたとされる宮殿。その名は「聖なるガンジス川」という意味で、敷地内には大小のプールなど、水を使った施設が充実している。

交 ウブド中心部から車で2時間

所 Amlapura, Karangasem

⬇多彩な石像を配した池。池の石像はそれぞれ表情が異なる

世界遺産に認定されたライステラスを望む

ジャティルイのライステラス

ライステラス（棚田）が広がるバリ島の美しい自然風景。2012年にこの風景を含むバリ島中央部が世界遺産に認定された。

ヤシの木々が点在する棚田風景 水辺の景色が美しいバトゥール湖

ライステラスはバリ島各所で見ることができるが、ここジャティルイのそれは広大で、世界遺産に認定されて以降、一気に注目されるようになった。バリ島の世界遺産は構成要素が複雑なので、途中でスバック博物館に立ち寄り、概要を理解するとよいだろう。世界遺産を構成する、タマン・アユン寺院、バトゥール湖、ウルン・ダヌ・バトゥール寺院をはじめ、時間に余裕があれば周辺の寺院も訪れておきたい。

Column

バリの世界遺産とは

2012年「バリ州の文化的景観：トリ・ヒタ・カラナ哲学に基づくスバック灌漑システム」（日本語名）で、バリ島中央部の広範囲、5つの地域や寺院が世界遺産に認定された。

トリ・ヒタ・カラナとは、自然と神、人間の調和を重視する考え方。スバックとは、水利組合のことで、ライステラスを含むバリの自然景観を維持するうえで欠かせない地域組織。この2つによって、美しいバリの自然景観が保持されているといえよう。

1 芝生が敷き詰められた庭園寺院 タマン・アユン寺院

Pura Taman Ayun

バリ島中部 MAP 付録P.3 D-3

規模は島内2番目。しかし雄大な自然と相まった美しさは島随一だと名高い。10基のメルが並ぶ奥の境内は、周囲から見学を。

交 ウブド中心部から車で30分
所 Mengwi, Badung

黒い10基のメルが立ち並ぶさまは壮観。寺院は1634年に建立されたと伝わる

2 人々に深く関わるスバックを知る スバック博物館

Museum Subak

バリ島中部 MAP 付録P.3 D-3

スバックとは、ヒンドゥ教の教えが反映された、バリ島独特の伝統的水利システム。館内には農耕道具などが展示されている。

☎なし 交 ウブド中心部から車で55分 所 Jl. Gatot Subroto, Tabanan 開 8:00～15:30（金曜は～12:30） 休 日曜、祝日

バリ島の農村部の暮らしぶりがわかる

3 守りたい歴史的・文化的景観 ジャティルイ

Jatiluwih

バリ島中部 MAP 付録P.3 D-2

スバックを利用し、広大な棚田（ライステラス）を作った丘陵地帯。島の中部バトゥ・カウ山の麓に広がるこの集落は、2012年にユネスコ世界文化遺産に選ばれた。

交 ウブド中心部から車で1時間30分
所 Jatiluwih, Tabanan

ライステラスを望むレストランに立ち寄るツアーも

ガイドさんの案内で「スバック」を理解。一帯には散策路もある

訪問シーズンの棚田の様子を事前に確認しておこう

ツアーの流れ

バリ・ツアーズ.comの「世界遺産ジャティルイ＋タマン・アユン寺院＋ウブド散策付きツアー」の場合、各ホテルからタマン・アユン寺院、スバック博物館を訪れ、ジャティルイのライステラスへ。その後ウブドを訪れランチ＆自由行動でホテルへ戻る。7時頃～17時30分頃。参加費用はUS$96～(1名の場合)。現地旅行会社でも、テガラランを含むさまざまなツアーがあるので、検討しておきたい。

ツアーのランチも楽しみのひとつ

周辺スポット 併せて立ち寄りたいバリ島中部の見どころ

せっかく郊外まで足を延ばしたのなら、ぜひ立ち寄っておきたい周辺のスポット

周囲を山で囲まれた青く美しい湖
バトゥール湖
Danau Batur
MAP 付録P.3 E-2

バトゥール山の噴火でできた、三日月形のカルデラ湖。田園の水源として活用されている。

交 ウブド中心部から車で1時間20分

ローカルな雰囲気を残す寺院
ティルタ・エンプル・オブ・スパトゥ
Tirta Empul of Sepatu
MAP 付録P.3 E-2

聖水が湧く泉と、その水を引いた沐浴場がある。タンパクシリンの名刹ティルタ・エンプルに比べ、観光化が進んでおらず静かだ。グヌン・カウィ・スパトゥ寺院とも呼ばれる。

交 ウブド中心部から車で30分

"非"日常感を存分に味わって!

フォトジェニックな
ホテルたち

07 贅を尽くした リゾートホテルでくつろぐ

Resort Hotel

洗練された客室やダイニング、そして最高の眺めと
ホスピタリティを誇るラグジュアリーリゾートの数々。
世界各国のトラベラーに愛されるバリ島の、
進化し続けるスポットをチェック!

サーフィンやヘルシー料理
体も心も喜ぶバケーション

ホテルステイのアドバイス

ハイシーズンとオフシーズン
乾季で気候が安定している7〜9月、クリスマスから年末年始がハイシーズンで宿泊料金は高め。それ以外はオフシーズンとなる。

高級ホテルのバトラーとは?
日本語で執事のこと。高級リゾートでは各部屋に専属バトラーが付くことも多く、ゲストの要望に応じて世話をしてくれる。

ウェルネスに特化したブランド

コモ・ウマ・チャングー

COMO Uma Canggu

チャングー MAP 付録P.10 A-3

チャングーのエコ・ビーチ前にオープン。客室インテリアは白を基調にシンプルで洗練された装い。プールが付いたペントハウスタイプが人気だ。メインダイニングのビーチクラブでは、COMOブランドのコンセプトであるヘルシー料理が味わえる。

↑常に海を眺めながら過ごせる

☎0361-6202228 交空港から車で40分 所Jl. Pantai Batu Mejan, Echo Beach, Canggu 料Ⓢ①Rp.440万8570〜 室数148 HP www.comohotels.com/en/umacanggu Ⓔ💳

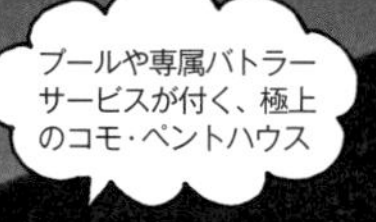

客室 ROOMS

➡シンプルな家具が備わる、清潔感あふれるリゾート

レセプション RECEPTION

⬆アメニティも充実しており、わが家にいるかのようにくつろげる

ダイニング DINING

⬅コモ・ビーチクラブでいただける、ブランドオリジナルの料理

コモ・ウマ・チャングーをもっと楽しむ

コモ・ビーチ・クラブ

COMO Beach Club ビーチクラブ

ほかのビーチクラブとは趣の異なるゆったりした空間。併設のサーフショップでレッスンを受けることも可能

グロウ・ジュース・バー

Glow Juice Bar ジュースバー

食事のあとやサーフィン前などに、フレッシュジュースやスムージー、スナック、サラダなどがいただける

コモ・シャンバラ

COMO Shambhala ジム

エリア最大のジムで、フィットネス機器が豊富。ピラティスやヨガのスタジオもある

バリ島リゾートエリア唯一の日系ホテルでのんびりと

穏やかなビーチ沿いに立地

ホテル・ニッコー・バリ・ベノアビーチ

Hotel Nikko Bali Benoa Beach

ヌサ・ドゥア MAP 付録P.22 B-2

旧グランド・アストン・リゾート＆スパを改装したリゾートホテル。バルコニーまたはテラス付きの快適な客室ほか、日本食レストランを含むダイニング、スパ、キッズクラブと設備が充実している。広さ700㎡のラグーンプールで南国気分も存分に楽しんで。

☎0361-773577 交 空港から車で20分 所 Jl. Pratama 68X, Tanjung Benoa, Nusa Dua 料ⓈⓉ Rp.165万～ 室数 188 HP hotelnikkobali-benoabeach.com

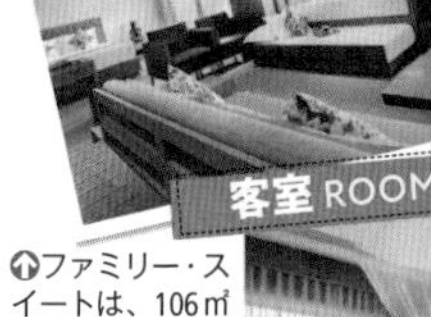

↑ファミリー・スイートは、106㎡もあり広々としている

→ビーチを望む、オーシャン・フロント・ルーフトップ・スイート

ジョルジオ・イタリアン・リストランテ・ピッツェリア

Giorgio Italian Ristorante Pizzeria レストラン

タンジュン・ブノア地区を代表するおしゃれなイタリアンレストラン。新鮮な食材をふんだんに使った料理が自慢

グランド・ベノア・レスト

Grand Benoa Resto レストラン

インドネシアの郷土料理が味わえる。バリ風のアヤム・ベツツ、スマトラのビーフレンデンなどメニュー豊富

ザ・スパ・ホテル・ニッコー・バリ・ベノアビーチ

The Spa at Hotel Nikko Bali Benoa Beach スパ

バリ風インテリアが目を引くスパも完備。多彩なトリートメントメニューで日頃の疲れを癒やしたい

バリ・ルナ・レストラン

Bali Luna Restaurant レストラン

プールのすぐ横にある開放的なレストランでは、各国料理やインドネシア料理を提供している

アロハ・プールバー

Aloha Poolbar プールバー

バカンス気分を満喫したいなら、ジュースやカクテルを用意しているプール中央のバーへ

バイ・ザ・シー

By the C ビーチバー

ビーチのすぐそばにあり、青い海を眺めながらバーのドリンクを楽しむことができる

質の高いおもてなしを体感

ハイアット・リージェンシー

Hyatt Regency

サヌール MAP 付録P.21 C-3

サヌールの老舗旧バリ・ハイアットが待望の再オープンを果たした。日本人デザイナーが手がけたシックな客室からは、自然とアートが調和した美しい熱帯庭園を望むことができる。開放的なロビーにあるピアノ・ラウンジも居心地がいい。

☎0361-281234 交空港から車で30分 所Jl. Danau Tamblingan 89, Sanur 料ⓈⓉUS$180～ 室数373
HP www.hyattregencybali.com

↓ロビーからの眺め。美しい庭は旧バリ・ハイアット時代のまま

客室 ROOMS

➡エレガントなバリ伝統様式の、エグゼクティブ・スイート・キング

リージェンシー・スイート。プライベートバルコニーも広々

ハイアット・リージェンシーをもっと楽しむ

オマン・オマン

Omang-omang　レストラン

朝食は各国料理が楽しめるビュッフェスタイル。メインダイニングのオマン・オマンでいただくことが可能

ピッツェリア

Pizzaria　レストラン

ビーチフロントのレストラン・バー。焼きたてのピザ、パスタなど本格的なイタリア料理を揃えている

シャンカ・スパ

Shankha-Spa　スパ

スパにはプールも併設。ウッドデッキにはチェアも備わり、喧騒を離れてリラックスできる

緑豊かなガーデンや海を眺める優雅な客室

手入れの行き届いた、広さ9haのトロピカルガーデン

客室 ROOMS

➡モダンななかにインドネシアの趣を感じる客室インテリア

高台から見晴らす庭園と
広大な海の眺めは圧巻

伝統文化にモダンを融合

ジ・アプルヴァ・ケンピンスキー

The Apurva Kempinski

ヌサ・ドゥア MAP 付録P.5 D-4

インドネシアの宗教建築チャンディのオブジェが飾られた客室や、地元アーティストによる緻密な彫刻の数々など、随所に歴史と伝統を反映している。6つのダイニング、ヨガスタジオやチャペルも備え、さまざまなニーズに対応。

☎0361-2092288 交 空港から車で30分 所 Jl. Raya Nusa Dua Selatan, Sawangan, Nusa Dua 料 Ⓢ Ⓣ Rp.495万5500～ 室数 475 HP www.kempinski.com/en/bali/the-apurva-kempinski-bali Ⓙ 💳

➡数百人もの地元芸術家が手がけたロビーの彫刻も見事

⬆プールに直接アクセスできる、グランドデラックスラグーンルーム

⬅海を見下ろすフィットネスも備えている

ジ・アプルヴァ・ケンピンスキーをもっと楽しむ

パラ・レストラン&ルーフトップ・バー
Pala Restaurant & Rooftop Bar カジュアルダイニング

リゾートの中心に位置するメインダイニング。朝食ビュッフェを提供している

リーフ・ビーチクラブ
Reef Beach Club ビーチクラブ

ビーチ沿いのクラブでは、毎週日曜12～15時までサンデー・ブランチを開催(1名Rp.75万)

ジ・アプルヴァ・スパ
The Apurva Spa スパ

スパ内も優雅なインテリア。ジャワ島の伝統療法を取り入れたトリートメントメニューが人気

コーラル・レストラン
Koral Restaurant レストラン

新鮮なシーフード料理が楽しめる、2019年にオープンしたバリ島初のアクアリウム・レストラン

スラサール・デリ
Selasar Deli 屋台

インドネシアの伝統屋台アンクリンガンを体験。リゾートにいながら地元文化にふれられる

居酒屋ByOKU(奥)
Izakaya By Oku レストラン

日本食レストラン。オープンキッチンがあり、カウンター席ではシェフとの会話も楽しむことができる

エコフレンドリーがテーマ
シックス・センシズ・ウルワツ
Six Senses Uluwatu

ウルワツ MAP 付録P.4 B-4

環境やウェルネスへの配慮で知られるシックス・センシズによるリゾート。全室オーシャンビューの客室で過ごす安らぎの時間、そしてヨガやスパトリートメント、地元の食材を用いた料理の数々が、健康的な生活を提案してくれる。

☎0361-2090300 交空港から車で50分 所Jl.Goa Lempeh Uluwatu 料ⓈⓉ US$575～ 室数103 HP www.sixsenses.com/resorts/uluwatu-bali/destination

←美しいインド洋を見晴らす、カップルにもおすすめのリゾート

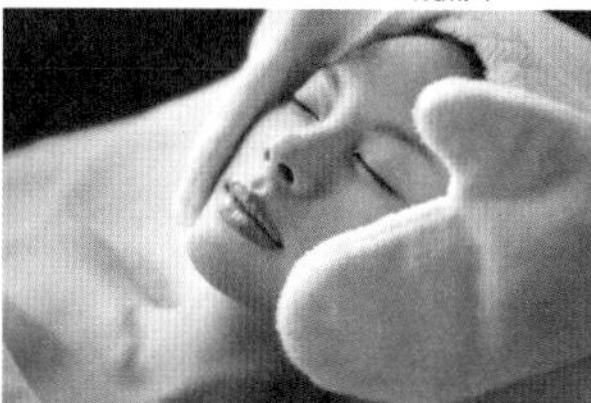

↓熟練セレピストによる極上のトリートメントは旅の醍醐味

シックス・センシズ・ウルワツをもっと楽しむ

ロッカ
Rocka レストラン

メインダイニングのロッカにはテラス席もあり。各国の料理からインスパイアされた季節のメニューを提供

ワトゥ・ステーキハウス
Watu Steakhouse レストラン

日本料理をアレンジしたフュージョン料理のレストラン。握りや巻き寿司、ラーメンなどもある

ザ・クリフ・バー
The Cliff Bar バー

インド洋のパノラマビューを独り占め。スパイスを効かせたピザやパスタに舌鼓

客室 ROOMS

→優雅なバリニーズテイストのクリフ・プール・ヴィラ

↓各プールも、土地の高低差を生かして造られている

ウルワツ最南端の崖の上で第六感を研ぎ澄ます

断崖の上に、連なるようにスイートやヴィラが立ち並ぶ

Resort Hotel

はるかに続く青空との一体感が楽しめる、屋外プール

眼下の断崖と輝くビーチ
壮大な夕日に癒やされて

風光明媚な丘の上のホテル

ルネッサンス・バリ・ウルワツ・リゾート&スパ

Renaissance Bali Uluwatu Resort & Spa

ウンガサン MAP 付録P.4 C-4

高級ブランド、ルネッサンスがウンガサンのヒルトップにインドネシア初のホテルを開業。美しい海岸線を見晴らす客室やプールでくつろいだあとは、無料シャトルでアクセスできるビーチクラブでグルメや生演奏、アクティビティを楽しみたい。

☎0361-2003588 交空港から車で40分 所Jl. Pantai Balangan 1 No.1, Ungasan 料ⓈⓉRp.250万7500～ 室数208 HP www.renaissancebali.com

客室 ROOMS

⇧チャペルもあり、ウエディングやハネムーナーにもおすすめ

⇧プライベートバルコニーも付いた、エグゼクティブ・スイート

⇨クレイ・クラフトには陶芸教室も併設されている

ルネッサンス・バリ・ウルワツ・リゾート&スパをもっと楽しむ

クレイ・クラフト
Clay Craft　レストラン

アート＆クラフトをコンセプトにした多国籍料理レストラン。クレイ・スタジオで作られた陶器も使用

Rバー
R Bar　バー

ロビーの正面にある開放的なバー。大きな窓からは、ホテルの自慢でもある壮大な景観を望む

ダブル・イカット
Double Ikat　レストラン

バリとインドネシア全土の伝統的な料理が味わえる。モダン・バリニーズのインテリアがシック

ロースターフィッシュ
Roosterfish　ビーチクラブ

無料のシャトルバスで出かけられる、パンダワビーチのビーチクラブ。さまざまな料理も提供している

⇧スパ、プール、豪華な客室と、充実した設備のリゾートホテル

YOUR UNFORGETTABLE LUNCH AND DINNER

グルメ＆カフェ

絶景も映えもご当地めしも

Contents

バリ島の食事で気をつけよう 食べたいものを食べる!

旅先での食事は楽しみのひとつ。世界各国の料理が味わえるバリ島はグルメの宝庫だ。飲食店を利用する際に注意したいポイントもあるので、事前に知識を備えておこう。

出かける前に

どんな店を選ぶ?

有名シェフが腕をふるう高級レストランから、おしゃれなカフェ、ローカルな食堂まで、さまざまな飲食店がひしめくバリ島。海を望む絶景のバーやプール付きのビーチクラブなど、リゾートならではの店があるのも特徴。目的に合わせて使い分け、料理はもちろん、雰囲気や眺望も堪能したい。

レストラン ……… Restaurant

雰囲気がよく料理のレベルも高め。海や田園を見渡す眺望抜群のレストランも。

P.66

ワルン ……… Warung

地元客向けの庶民的な食堂。地元のローカルフードを手ごろな値段で味わえる。

P.76

カフェ ……… Cafe

おしゃれで個性的なカフェが増えており、休憩だけでなく食事にも利用できる。

P.84

バー ……… Bar

繁華街にあるバーのほか、断崖に建つ絶景バーやルーフトップ・バーが話題に。

ビーチクラブ ……… Beach Club

レストランやバー、プールなどが一体となったビーチサイドのリゾート施設。

P.70

イカン・バカール ……… Ikan Bakar

シーフードBBQのこと。ジンバランの名物料理で、ビーチ沿いに屋台が並ぶ。

P.43

予約は必要?

カジュアルなレストランではあまり必要ないが、高級店や有名シェフの人気店などは予約が必要。また、大人数で利用する場合や希望の席を確保したいときなども予約が望ましい。希望日の時間と人数を伝えればOKだが、言葉に不安があるなら、ホテルのコンシェルジュにお願いしても。ローカル食堂はマップアプリやSNSで調べてから出かけよう。

19時に2名で予約したいのですが。
Saya ingin membuat reservasi untuk 2 orang pada jam 7 malam.
サヤ インギン ムンブアット レセルバシ ウントゥック ドゥア オラン パダ ジャム トゥジュ マラム

ドレスコードは?

リゾート地なのでドレスコードは厳しくないが、高級レストランに短パンやビーチサンダルで行くのは避けたい。ビーチクラブなどプール付きのダイニングではカジュアルな服装でもOK。

バリの飲酒事情

インドネシアではお酒に高い関税がかけられているため、輸入酒はかなり割高。国産のビールやワイン、アラックと呼ばれる地酒などは比較的安い。ただし、人前で泥酔することはよくないとされているので飲みすぎには注意。

バリにもハッピーアワーがある?

お酒を提供するレストランやバーでは、夕方にハッピーアワーを設けているところが多い。時間帯や条件などは店によって内容は異なるので要チェック。お酒をお得に楽しみたい人は早めに出かけるといい。

メニュー表の数字「K」とは?

レストランなどのメニュー表で値段の後ろに「K」と記されている場合、それは「000」のこと。たとえば、Rp.30Kは、Rp.3万を意味している。

サービス料に注意

メニュー表に「++」と書かれていたら、別途サービス料と税金が必要という意味。サービス料は店によって異なるが、通常のレストランでは10%程度。さらに税金10%が加算され、最大21%が元の金額に上乗せされる。

入店から会計まで

入店して席に着く

カジュアルな店では自由に席を選べる。高級レストランではスタッフが案内してくれるので、希望の席があればその際に伝えよう。

料理を注文する

通常はメニュー表を見ながら注文。写真付きのメニューだとわかりやすい。ワルンでは、ショーケースに並ぶ料理から選んで注文することも。

会計する

レストランではテーブル会計が基本。食事を終えたら席を立たず、その場でスタッフを呼んで支払いを済ませる。細かいおつりはチップとして置いておくとスマート。

会計をお願いします。
Minta Bon.
ミンタ ボン

お店に行ってから

水と氷

日本のように水が無料で提供されることはないので、水を飲みたい場合はミネラルウォーターを注文すること。安いワルンや屋台などでは、氷に水道水を使っている場合があるので注意しよう。

チップは必要?

もともとバリ島にチップの習慣はなかったが、現在はチップ文化が定着。レストランでは総額の5～10%程度を渡すのが目安で、おつりの小銭を残してきてもよい。料金にサービス料が含まれている場合は不要。ローカルなワルンなどでは基本的にチップの必要はない。

メニューの読み方

インドネシアの料理名は「食材＋調理法」が基本。主な単語を覚えれば、どんな料理かがわかる。

組み合わせ方の例

ご飯　＋　炒める　＝炒飯
nasi + goreng　＝nasigoreng
ナシ　＋　ゴレン　＝ナシゴレン

食材から読み解く

nasi(ナシ)…ご飯
mi(ミー)…麺
daging(ダギン)…肉
ayam(アヤム)…鶏
babi(バビ)…豚
bebek(ベベッ)…アヒル
ikan(イカン)…魚
udang(ウダン)…エビ
cumi-cumi(チュミチュミ)…イカ
telur(トゥロール)…卵

調理方法から読み解く

goreng(ゴレン)…炒める
bakar(バカール)…焼く
rebus(ルブス)…蒸す
campur(チャンプル)…混ぜる

知っておきたいテーブルマナー

堅苦しい食事のマナーなどは少ないものの、日本とは異なる習慣やヒンドゥ教特有のルールがあるので、事前に把握しておくと安心。通常はスプーンやフォークを使うが、パダン料理(スマトラ島西部)などは手で食べることもある。

料理を持ち帰りたいときは?

食べきれずに残してしまった料理は、「ブンクス」と言えば紙に包んでくれる。インドネシアではテイクアウト文化が根付いており、高級レストランでない限り、多くの店で持ち帰りはOKだ。

宗教上のマナー

ヒンドゥ教やイスラム教では、左手は不浄の手とされている。そのため、手づかみで食事をする場合などは、右手のみを使うのが鉄則。

たばこは吸っていい?

インドネシアは喫煙大国で、日本に比べて喫煙には寛容。しかし最近はたばこの害に対する意識が高まりつつあり、屋内は禁煙、テラス席は喫煙可能とするレストランが増えている。

フルーツの旬を知る

一年を通してさまざまなフルーツが味わえるバリ島。南国の強い日差しを浴びて育った果物は味も香りも個性的。日本ではあまり見かけない珍しいものも多い。

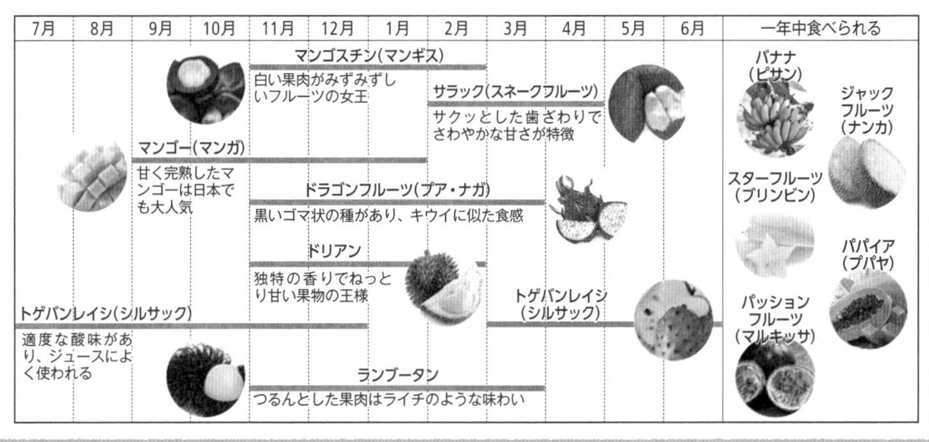

夕日を眺められるロケーション
サンズ・レストラン
Sands Restaurant
クタ MAP 付録P.18 B-3
クタのサンセットを望むバリ随一の穴場スポット。潮風を感じる心地よい店内の雰囲気と、バリのセンスを取り入れたモダンな地中海＆カリフォルニア料理が魅力。自家製デザートも好評。
☎0361-2090477 交空港から車で10分
所The Anvaya Beach Resort, Jl. Kartika Plaza, Tuban, Kuta 営6:00～24:00 休無休

クアトロ・シーフード・パエリア Rp.25万5000
インドネシア料理とインターナショナル料理を組み合わせた新メニュー

➡エクレアやタルトなどデザートも充実

⬅ガラスのドアが開け放たれ、明るくさわやか

ドラマチックな景色のなかでいただく、極上の料理
最新絶景レストラン9店

素晴らしい景色を望みながら、おいしいランチやディナーを食べれば、食事の時間そのものが、忘れられない特別な旅の思い出に。

水平線まで眺める
Seaside
海
ビーチサイドから絶壁まで、広い海を見渡せる開放的なレストラン。

夕日が見える地中海料理専門店
ボードウォーク
Boardwalk
クタ MAP 付録P.18 B-2
クタの白砂のビーチ沿いに建つホテルのレストラン。専門はカジュアルな地中海料理。太陽が海に傾く頃は、タパスをつまみながらカクテルグラスを傾ける客で賑わう。
☎0823-40015646 交ビーチウォークから車で16分 所Bali Garden Beach Resort, Jl. Kartika Plaza, Tuban, Kuta 営10:00～22:30 休無休

⬇ここでは結婚式も行える

グリルポーク・リブ Rp.19万9000
甘じょっぱいタレで味付けした骨付き肉はやわらかくてジューシー。まるごとコーン付き
ビーフバーガー Rp.9万9000
100%ビーフパティ、チーズ、新鮮な野菜を使ったボリューム満点のバリ風ハンバーガー

⬆ヤシの木とビーチパラソルが似合うオープンエアのテーブル席

高級ビーチフロントレストラン

スターフィッシュ・ブルー

Starfish Bloo

スミニャック MAP 付録P.12 C-3

5ツ星ホテル「Wバリ・スミニャック」内の最高級レストラン。地元産の新鮮な魚介類、庭で育てた野菜を使ったオーガニックメニューが美味。

☎0361-4738106 交バリ・デリから車で20分 所W Bali Seminyak, Jl. Petitenget, Seminyak 営7:00~23:00 休無休 E E 💳

↑海風に吹かれ、波音が響くビーチ沿いの開放的なブースで、ゆったり贅沢な気分に浸る

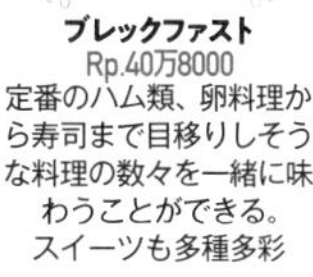

ブレックファスト
Rp.40万8000
定番のハム類、卵料理から寿司まで目移りしそうな料理の数々を一緒に味わうことができる。スイーツも多種多彩

←鶏肉をよく煮込んだスパイシーなインドネシアの定番スープ。ソトアヤム Rp.17万

崖の上のプールにも注目

ワンエイティー

Oneeighty

ウルワツ MAP 付録P.4 B-4

地上約160mの断崖絶壁の上にあるラグジュアリーリゾート、ザ・エッジ内のデイクラブ。プールやレストランからは、遮るもののないインド洋の絶景が眺められる。岸壁からせり出すメインプールはスリル満点。

☎0361-8470700 交ウルワツ寺院から車で15分 所Jl. Pura Goa Lempeh, Banjar Dinas Kangin, Pecatu, Uluwatu 営10:00~21:00 休無休 E E 📞 💳

コリアン・フライド・チキン Rp.14万
チキンウイングをにんにくが効いた韓国風ソースで味付け
インドネシアン・ツナ・セビーチェ Rp.13万
レトロなツナ缶がかわいい。あっさりした味わい
ローカル・ロブスター Rp.59万5000
ハーブの効いたバターで調理

↓ラウンジスタイルのデイクラブ。エントリーには入場料が必要

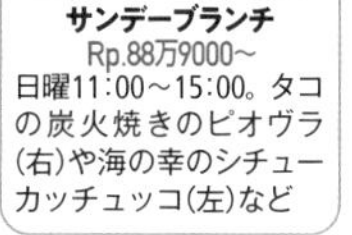

サンデーブランチ
Rp.88万9000~
日曜11:00~15:00。タコの炭火焼きのピオヴラ(右)や海の幸のシチューカッチュッコ(左)など

優雅なファインダイニング

ソレイユ

Soleil

ヌサ・ドゥア MAP 付録P.22 B-4

ヌサ・ドゥア・ビーチを眺める、エレガントなレストラン。最高級の素材を使ったアラカルトダイニングのほか、バリ最高峰の質と味を誇るサンデーブランチが有名。

☎0361-8467777 交バリ・コレクションから車で15分 所Jl.Raya Nusa Dua Selatan, Kawasan Sawangan, Nusa Dua 営11:00~23:00 休無休 E 📞 💳

ウブド内でもトップクラスのファインダイニングとして人気がある

川のせせらぎを感じる大人空間

クブ・レストラン

Kubu Restaurant

ウブド MAP 付録P.6 B-2

アユン川を眺めながら、上品な地中海料理とヨーロピアン・ワインが楽しめる。レストラン利用だけの場合はコース料理のみ。地中海モダンが堪能できるので、人気が高い。宿泊者にはアラカルトメニューも用意されている。

☎0361-4792777 交ウブド王宮から車で13分 所Mandapa, Ritz-Carlton Reserve, Jl. Kedewatan, Banjar Kedewatan, Ubud 営18:00～23:30 休無休

ジンバラン・ロブスター
Rp.33万
ロブスターとカリフラワーにソースをかけていただく

ザ・クブ・エクスペリエンス
Rp.120万
前菜からデザートまで美しいコース

バーでは、本格的なカクテルが提供される

美しい渓谷を眺めながら食事

カスケーズ・レストラン

CasCades Restaurant

ウブド MAP 付録P.7 D-2

ヴァイスロイ・バリ・リゾート内にあり、自家菜園で収穫した野菜や輸入ものの高級食材、地元の新鮮な食材を使用した多彩な料理を提供。800種以上あるワインコレクションも自慢のひとつ。

☎0361-972111 交ウブド王宮から車で10分 所Viseroy Bali, Jl. Lanyahan, Banjar Nagi, Ubud 営11:00～16:00、17:00～21:00 休無休

レストラン内はバーとカジュアルダイニングに分かれている

サテ・シェア
Rp.26万
3種類の焼鳥をバリ島の生サンバルでいただく。ライス付き

グリルド・オクトパス
Rp.21万
西京味噌とトマトソースで焼いたタコにハーブサラダを添えて

ライステラスを一望する立地

ワナ・ジャングル・プール&バー

Wanna Jungle Pool & Bar

ウブド MAP 付録P.3 D-2

アジアンフュージョン料理を中心に、カクテルに合うフィンガーフードが揃う。3段のインフィニティー・プールで自然と一体になるのもおすすめ。15歳未満は入場不可。

☎0361-978098 交ウブド王宮から車で30分 所Banjar Bresela, Desa Bresela, Ubud 営11:00〜23:00 休無休

↑ザ・カヨン・ジャングル・リゾート内にあり、宿泊客は入場無料

↑渓谷の風景に溶け込む3段のインフィニティ・プール

ザ・カヨン・ビーフバーガー
Rp.16万
分厚いパティを挟んだバーガーは、ボリュームたっぷりで食べ応え十分

タパス2
Rp.11万
お酒に合うフードがずらりと並ぶ。多彩な味を少しずつ楽しめる

5ツ星リゾートのイタリアン

ウマ・クッチーナ

Uma Cucina

ウブド MAP 付録P.6 C-2

開放的なバリ建築様式にクラシックでモダンな家具が調和。おしゃれな店内でいただくのは、ハンドメイドのパスタや窯焼きピザ、ジェラートなどのイタリア料理。栄養バランスを考慮したヘルシージュースもあり。

☎0361-972448 交ウブド王宮から車で10分 所Jl. Raya Sanggingan, Kedewatan, Ubud 営12:00〜17:30、18:00〜23:00 休無休

フンギー・ピザ Rp.17万
マッシュルームのヘルシーピザ
(写真はイメージ)

←↑地元の新鮮な食材をふんだんに使ったイタリアンを提供。室内席とテラス席が選べる

サーフィンとサンセットの景観で有名なビーチにある

ブラワ・ビーチの巨大クラブ
フィンズ・ビーチクラブ
Finns Beach Club

チャングー MAP付録P.12 A-1

4つのプール、5つのレストランなどバリ島最大級の規模を誇る。食事メニューは幅広く、なかでもフランス人シェフによるボリュームたっぷりの地中海料理が人気だ。

☎0361-844-6327／0361-844-6328 交バリ・デリから車で25分 所Jl.Pantai Berawa, Canggu 営10:00～24:00 休無休 E E

←シシ・タオク Rp.28万5000(左)、フィッシュ・タコ Rp.13万5000(右)

→デイベッドやブースの利用はミニマムチャージあり

ワガママが叶うリゾート空間!

大人リゾートなビーチクラブ6店

ビーチクラブのメッカともいわれるバリ島。絶景にプールに、充実しすぎて一日中楽しめちゃう!

ビーチクラブって?

プールやレストラン、DJブースなどが融合したビーチ沿いの大型施設。おしゃれで開放的な雰囲気が魅力。

500年前の漁師町を再現し、ヴィンテージ感が漂う

美しいビーチとこだわりの料理が自慢
アズール・ビーチクラブ
Azul Beach Club

レギャン MAP付録P.16 A-2

バリ島初のティキ・バーがあるビーチクラブ。フレンチを極めたシェフが作る、インターナショナル料理が楽しめる。2階席からはビーチが一望できる。

☎0361-765759 交ビーチウォークから徒歩25分 所Bali Mandira Beach Resort, Jl. Padma No.2, Legian 営7:00～23:00 休無休 E E

↓キャンディーランド・シェイク Rp.11万5000

海風とともに料理とライブを楽しんで
ラ・ブリサ
La Brisa

チャングー MAP付録P.10 A-3

地元産の新鮮な魚介類を使った料理や、日本食のフュージョン料理を提供。店内は古い漁師町をイメージしたインテリアで、ミュージックイベントも頻繁に開催。

☎0811-3946-666 交バリ・デリから車で37分 所Jl. Pantai Batu Mejan, Canggu 営10:00～23:00 休無休 E E

↑ペルーの伝統料理のマリネ。セビチェ・ニッケイ Rp.13万

ティキ・バーと18歳以上利用可のプールを完備

インディゴ・ブルーが彩る豪華なクラブ

マナライ・ビーチクラブ

Manarai Beach Club

ヌサ・ドゥア MAP 付録P.22 C-3

5ツ星リゾート内のビーチクラブ。地元アーティストが手がけたインテリアは、インディゴ・ブルーのファブリックやタイルを使ったモダンなデザインだ。

☎081-1139-2727 交バリ・コレクションから車で5分 所Sofitel Bali Nusa Dua, Jl. Nusa Dua Lot NS ITDC, Nusa Dua 営10:00～22:00 休無休 E 日

↓すし飯を使ったヘルシーなポーク・ボールRp.16万5000

↑エビの天ぷらを使ったドラゴン・ロールRp.18万

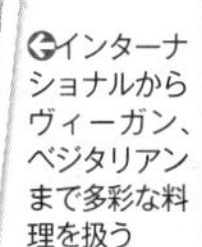

←インターナショナルからヴィーガン、ベジタリアンまで多彩な料理を扱う

↓地元産のチキンウイング・イカやエビフライが味わえるシェアリングプレートRp.29万5000

海岸線に面したリトル・バリ

マリ・ビーチクラブ

Mari Beach Club

クロボカン MAP 付録P.12 B-2

山、川、棚田など島の自然を模した施設は天然の木材、竹、籐を使って建築。海を見ながら、一日太陽が楽しめるこのビーチクラブは豊かなバリ島文化の縮図。

☎0819-59166645 交バリ・デリから車で23分 所Jl. Batu Belig No.66, Kerobokan 営12:00～22:00(土・日曜は～23:00) 休無休 E 日

プライベートビーチを満喫

サンデイ・ビーチクラブ

Sundays Beach Club

ウンガサン MAP 付録P.4 C-4

カップルから家族連れまで幅広い世代が楽しめる。眼下に広がるプライベートビーチにはゴンドラでアクセス。週末にはDJイベントも開催している。

☎0811-9421-110 交ウルワツ寺院から車で20分 所Jl. Pantai Selatan Gau, Banjar Wijaya Kusuma, Ungasan 営9:00～21:00 休無休 E 日

↓新鮮な鯛をまるごとグリル。ジンバラン・コート・スナッパーRp.22万

多様性に富んだ、これぞエスニック料理

華やかなインドネシア料理10店

"Amnaya Resort"の看板がある小路を入った突き当たり。レストランはレセプションの裏手

多民族国家インドネシアでは、島や民族ごとの多種多様な料理が魅力。さまざまに影響を受けながら洗練された、伝統の味を楽しもう。

Rp.9万

チキン・カリー
ウコンやコリアンダーなど香辛料満載のヘルシーなカレー。ココナッツライス付き

Rp.4万

春巻
インドネシアではルンピアと呼ばれる定番フード。ピーナッツ・ソースでいただく

Rp.11万5000

グリル・フィッシュ
現地では料理に欠かせないサンバル・マタというピリ辛ソースがアクセントを添える

伝統の味にアートな盛り付け

スクン

Sukun Restaurant

クタ MAP付録P.18 C-3

リゾートホテル内のレストランでは、オープンスペースでくつろげる。国内の新鮮な食材を使ったお祝いの膳など、インドネシア諸島に昔から伝わるグルメが楽しめる。バーガー、ステーキ、パスタなどインターナショナル料理も充実。

☎0361-755380 交バリ・コレクションから車で12分 所Amnaya Resort, Jl. Kartika Plaza Gg. Puspa Ayu No.99, Kuta 営7:00～23:30LO 休無休 E E カード

健康と美容に嬉しいバナナ・ジュース

ヤシやバナナの木など熱帯植物が生い茂る内庭は森林浴気分が楽しめる

暗くなると店内にろうそくが灯りロマンティックなムードに

おしゃれなご当地メニュー

バンブー・レストラン

Bambu Restauant

クロボカン MAP付録P.13 D-4

ジャワの王宮をイメージした高級レストラン。ジョグロと呼ばれる伝統建築の店内は、彫刻やバティック染めのファブリックなどモダンなインテリアがあちこちに。洗練されたインドネシア料理も評判。

☎0361-8469797 交バリ・デリから車で15分 所Jl. Petitenget No.198, Kerobokan 営18:00～24:00 休無休 E E 予 カード

Rp.13万

ウダン・ガラー・サンバル・クマンギ
プリプリのロブスターをハーブが効いたサンバルでいただく

棚田の景観が有名なテガララン通りに立地

人気のアヒル料理を食べたい

テバサリ・レスト、バー&ラウンジ

Tebasari Resto, Bar & Lounge

ウブド MAP 付録P.3 D-3

熱帯雨林に包まれた場所に、2019年オープン。バリ料理を中心に幅広いメニューを揃えており、BBQポーク・リブとアヒル料理はローカル客にも人気。

☎0361-9082268 交ウブド王宮から車で20分 所Jl. Raya Tegalllang, Tegallalang 営10:00〜22:00 休無休 E E 📞 💳

➡眺めの良い席は人気なので予約がベター

地元の味が楽しめるレストラン

ミスターワヤン・コーヒー&イータリィ

Mr. Wayang Coffee & Eatery

ウブド MAP 付録P.6 C-2

素朴な田園風景を眺めながら、地元の食材を使用した本格的な料理が味わえる。メニューにはオーガニックの自家農園で育てた野菜やハーブも取り入れている。

☎0361-973178 交ウブド王宮から車で10分 所Jl. Suweta, Br.Bentuyung, Ubud 営7:00〜23:30 休無休 E E 📞 💳

⬆セミオープンの店内。眺めが良く、開放的な雰囲気

品格のある落ち着いた店内

ブンブ・バリ 2

Bumbu Bali 2

ヌサ・ドゥア MAP 付録P.22 B-2

本格バリ料理レストランとして歴史と数々の受賞歴を誇る。地元の高品質な食材を使用した料理は観光客にも食べやすい味付けで、フォトジェニックな美しい盛り付けや器も注目の的。日曜20時からはバリ舞踊もある。

⬆バリ島のアンティークや芸術品が飾られた、品格あるインテリア

☎0361-774502/0361-772299 交バリ・コレクションから車で12分 所Jl. Pratama, Tanjung Benoa, Nusa Dua 営11:00〜16:00、17:30〜22:00 休無休 J E E 📞 💳

⬅スタッフがバリの伝統的な調理法で料理

ムギブン・バリ・アガ
ムギブンとは儀式などでみんなが集まり食べる、バリ伝統の食文化

Rp.56万(2人前)

家庭料理のファインダイニング

クニット・レストラン

Kunyit Restaurant

クタ MAP 付録P.18 B-3

伝統レシピに基づく家庭料理にフォーカスした、ファインダイニング。毎日15～17時にはアフタヌーンティーのサービスもある。また18時からはバリニーズビュッフェ withバリニーズ・パフォーマンスも開催。

☎0361-751267／0361-2090477 交空港から車で8分 所Jl. Kartika Plaza, Tuban, Kuta 営6:00～23:00 休無休 E 英 予 カード

全352席の広々としたモダンな店内。バーカウンターや個室もあり

一流リゾートのバリ料理を堪能

ザ・ワルン

The Warung

ウルワツ MAP 付録P.4 B-4

壮大なオーシャンビューを見渡すリゾート、アリラ・ヴィラス・ウルワツ内のバリ・インドネシア料理店。バリ島産の質の高いスパイスと食材を知りつくしたバリ人シェフが、伝統文化を反映させた、洗練された料理を提供する。

☎0361-8482166 交ウルワツ寺院から車で20分 所Alila Villas Uluwatu, Jl. Belimbing Sari, Uluwatu 営11:00～23:00 休無休 E 英 予 カード

白い天然石と木材を多用したインテリアが眼下に広がる海の青に映える

ムギブン (2人前のスペシャルセット)
参列者がシェアしながら食べるバリの伝統的な習わしの料理を豪華に洗練されたスタイルで再現

Rp.150万

12種類ものサンバルと薬味、クルプック(エビせんべい)、ムリンジョ(木の実のクラッカー)の盛り合わせが料理とともにサービスされる

さわやかな酸味にバニラが香るパッションフルーツ・マティーニ

セットにはダルマンという植物を使ったバリ伝統のデザート、エス・ダルマンが付く

ジョグロスタイルの伝統美

カユマニス・レスト・ジンバラン

Kayumanis Resto Jimbaran

ジンバラン MAP 付録P.20 B-3

インドネシア人シェフのオカ氏が、2006年のオープン以来変わらない味わい深い料理を提供。料理のアクセントに欠かせない各種サンバルが評判。店内のインテリアは、上品でエレガントなデザイン。

☎0361-705777 交空港から車で13分 所Jl. Yoga Perkanthi, Jimbaran 営7:00～23:00 休無休 E E ✆ 💳

↑カユマニス・プライベート・ヴィラ&スパ内に併設。シェフ自慢のサンバル作りを学べるクッキングクラスも体験可能

ベベッ・パンガン・ムクドゥス Rp.32万5000

バリ伝統のスパイスでマリネしたアヒル肉の香ばしいグリル

ナシ・チャンプル・スペシャル Rp.8万5000

フィッシュ・サテやバジルツナ、チキンなど12種類のおかずが満載

ナシ・ゴレン・スペシャル Rp.8万

サテ・アヤム付きエビ入りナシ・ゴレン。特製の生サンバルを添えて

バリ舞踊を鑑賞しながら夕食を

マデス・ワルン

Made's Warung

スミニャック MAP 付録P.15 E-2

1969年に小さなワルンとしてクタにオープン。スミニャックにある2号店も20年超の歴史があり、インドネシア料理をはじめ、日本食やタイフード、パスタなど豊富なメニューが揃う。夜はバリ舞踊(木曜は音楽ライブ)も楽しめる。

☎0361-732130 交バリ・デリから徒歩10分 所Jl.Raya Seminyak, Seminyak 営10:00～24:00 休無休 E E ✆ 💳

↓伝統的な木造建築のレストラン。最大500名収容可能で、バー、ブティック、ジェラートショップ、ピザショップなども併設

田舎の雰囲気をのんびり楽しむ

バレ・ウダン・マン・エンキン・ウブド

Bale Udang Mang Engking Ubud

ウブド MAP 付録P.7 D-3

店内中央にある巨大な池を囲むように14棟のバレがあり、バリの素朴な田舎の雰囲気と、エビ料理をはじめとする多彩なインドネシア料理が味わえる。メニューはすべて写真付きなので、観光客でも注文しやすい。

☎081-1399-9898 交ウブド王宮から車で20分 所Jl. Raya Goa Gajah, Ubud 営11:00～22:00 休無休 E E ✆ 💳

↑バレとはバリ伝統の竹で組んだあずま屋のこと。店内中央の池には鯉が泳ぐ

ウダン・スーパー・バカール・マドゥ Rp.14万9000

焼きエビをスパイスの効いたタレで和えた、店の看板メニュー

スプ・ウダン・クラパ・ムダ Rp.13万5000

エビ、イカ、きのこが入ったスパイシーなスープ

ウラップ・ガドガド Rp.4万5000

茹で野菜をココナッツフレークとスパイスで和えた料理

グラメ・ダンシング・カープ Rp.14万5000

鯉の丸揚げを特製サンバルソースでいただく店の名物

百花繚乱・安くておいしい地元ごはん!

絶品ローカルフード13店

バリ島にはリゾートだけでなく、ローカルな食堂もたくさん存在する。地元の人が通う人気店で、バリの日常に寄り添う食事も味わってみたい。

サテ・アヤム・マドゥーラ
サテの本場・マドゥーラ島のサテ。ピーナッツ入りの甘辛いソースで
Rp.2万9000

サテ・チャンプル・シーフード
魚のつくね、白身の魚、エビのサテを盛り合わせた人気メニュー
Rp.8万2000

焼きたての香ばしいサテ

グルメ・サテ・ハウス

Gourmet Sate House

レギャン MAP 付録P.17 D-2

牛肉、豚肉、鶏肉、ヤギ肉、シーフードなど、サテの種類はさまざま。香ばしく焼き上げたサテと、甘辛いピーナッツソースがマッチして絶妙のおいしさ。日本人の好みにも合う味付けで、ビールのお供にもぴったり。

☎082-1441-01909 交ビーチウォークから車で15分 所Jl. Dewi Sri No. 101, Legian, Kuta 営12:00〜24:00 休無休 E E

←セミオープンなので、気軽に入りやすい

本格ジャワ料理の人気店

ナシ・テンポン・インドラ

Nasi Tempong Indra

レギャン MAP 付録P.17 D-1

オーナーやスタッフは全員ジャワ島出身とあって、本格的なジャワ料理が楽しめる。地元でとれた魚介や野菜、鴨肉などを使った揚げ物が中心で、自家製のサンバルが味の決め手。刺激的な辛さがクセになりそう。

☎081-2345-83033 交ビーチウォークから車で23分 所Jl. Dewi Sri 788, Legian, Kuta 営9:00〜23:00 休無休 E E

↑広い店内は、毎日地元の人々で賑わっている

Rp.7万8000

ナシテンポン・グラミゴレン
グラミとは鯉のことで、鯉の丸揚げに激辛サンバルをつけて

Rp.13万8000

ベベッ・ゴレン
揚げたアヒルを、野菜やご飯、3種類のサンバルと一緒にいただく

ウブド名物のアヒル料理

ベベッ・テピ・サワ

Bebek Tepi Sawah

ウブド MAP 付録P.7 D-3

ベベッとはアヒルのことで、アヒル料理はウブドの名物。生後6カ月の脂ののったアヒルを使用しており、プリッとした食感とジューシーな味わいが魅力だ。

☎081-5580-70210 交ウブド王宮から車で15分 所Jl. Raya Goa Gajah, Banjar Teges, Peliatan, Ubud 営10:00〜22:00 休無休 J E E

↓広大な敷地にさまざまな座席を用意

ハラール料理の大型レストラン

ポンドック・テンポ・ドゥルー

Pondok Tempo Doeloe

クタ MAP 付録P.17 E-4

インドネシア国内に10店舗以上を展開する、シーフード料理中心の店。店内は大衆食堂のような活気があり、グループや家族で気軽にリーズナブルに食事が楽しめる。地元民のほか中国や韓国などアジアの観光客に人気。

☎0361-757699 交ビーチウォークから車で20分 所Jl. Sunset Road No.8, Kuta 営10:00～22:00 休無休

Rp.13万

↑本格インドネシア料理を手ごろな値段で提供

←ダルマンの葉で作ったゼリーとココナッツミルクの伝統飲み物

ニラ・ペペス

淡水魚をバナナの葉で包んで焼いた料理。上は、牛肉のスープとカボチャの葉の炒め物

↑親しみのある店内。ギフトショップも併設

地元の人で賑わう100%大衆食堂

ワルン・リク・ナクラ

Warung Liku Nakula

レギャン MAP 付録P.17 E-1

お店のいちばんの売れ筋は「ナシ・アヤム・ベトゥトゥ(ご飯と鶏の蒸し焼き)」。野菜やビーンズも入って栄養のバランス満点。各種お弁当もある。奥のカウンターで注文して支払いを済ませると、テーブルまで運んでくれる。

↑簡易なテーブルと椅子が並ぶ店内。朝から閉店の午後3時まで常に繁盛

☎なし 交ビーチウォークから車で14分 所Jl. Nakula No.19A, Seminyak 営8:00～15:00 休無休

ナシ・アヤム・ベトゥトゥ

ご飯にチキン、ゆで卵、ビーンズ、野菜炒め、棒付きつくねがのる

Rp.2万

Rp.3万

ナシ・チャンプル

焼鳥、チキングリル、豚の角煮、野菜炒め、ご飯の盛り合わせ

バリの人が大好きなお袋の味

ワルン・ナシ・バリ・ブ・クトゥ・ナリ1

Warung Nasi Bali Bu Ketut Nari1

クロボカン MAP 付録P.13 F-2

地元の人々の日常を体験したい人におすすめの店。カウンターの料理を指さして注文すると、ご飯と一緒にすべて一皿に盛るスタイル。辛さ控えめで日本人の口に合ううえ、お値段控えめ。

☎081-23961203 交バリ・デリから車で14分 所Jl. Gn. Tangkuban Perahu No.9, Kerobokan 営8:00～17:00(日曜は～16:00) 休無休

↑大通りに面しているが、目立たないローカルな店構え

優雅な気分でバリ料理が楽しめる

ナシ・バリ・レストラン・レギャン

Nasi Bali Restaurant Legian

レギャン MAP 付録P.16 C-3

アディ・ダルマ・レギャンホテル付属のレストランで、主に外国人で賑わう。風通しのよい広い店内でゆったりとくつろげ、奥にはホテルのプールが涼を演出。ローカル料理のほか、ヨーロッパ料理も取り揃える。

☎0361-751527 交空港から車で23分 所Jl. Raya Legian No.155, Kuta 営7:00~23:00 休無休 E E カード

←↓レギャンのメインストリートに面した、観葉植物が茂る木造のバリ風建築

Rp.12万5000

ナシ・バリ・ラジャ・セット

スープ、魚蒸し、チキン蒸し、チキンチョップ、ロングビーンサラダ、3種のライスが楽しめるセット

疲れた胃にやさしい心身休まる中華

ミー・ドゥラパンドゥラパン

Mie 88

クロボカン MAP 付録P.13 E-2

ディムサム(飲茶)とヌードルが売りの地元民を対象にしたカジュアルでリーズナブルなチャイニーズ・レストラン。安心して食べられ、量もたっぷり、メニューも豊富。昔懐かしい日本の大衆中華食堂といった趣の店。

☎0851-01866255 交バリ・デリから車で14分 所Jl. Petitenget No. 8A, Seminyak 営10:00~22:00 休無休 E E カード

↑庶民的な感じのする門構え。間口は狭いが奥行きがある。奥に離れの個室あり

ナシ・ゴレン・ナナス

パイナップルとシュリンプを炒めた少しスパイシーなチャーハン

Rp.5万

ベベッ・ゴレン・カラサム

お店でいち押しのメニューはパリパリの皮のフライド・ダック

Rp.3万

地元の人とのふれあい食堂

ワルン・ジョグジャカルタ

Warung Yogjakarta

クタ MAP 付録P.19 D-1

長テーブルに質素な椅子が並ぶ大衆食堂。英語は通じないので、メニューを指でさして注文する。チキンとダッグが店の自慢料理で、香辛料の効いたホームメイド・ソースをつけて食べるのがバリ流。

☎0361-754664 交バリ・デリから車で5分 所Jl. Blambangan, Kuta 営10:00~22:00 休無休

↓壁に数枚の料理の写真とインドネシア語のメニューが貼ってある

ナシ・チャンプルが一番人気
ワルン・コレガ
Warung Kolega
レギャン MAP 付録P.17 D-1

ジャワ島出身のオーナーが営む老舗ローカルワルン。ナシ・チャンプルが人気で、約55種類のおかずが日替わりでガラスケースに並ぶ。肉や野菜のほか、イカの煮物やエビの天ぷらなども美味。

☎081-3874-005900 交ビーチウォークから車で25分 所Jl. Dewi Sri 1 No.17 A, Legian 営9:00～20:00 休日曜 E E

ローカルワルンながら清潔でサービスも良く、安心

風情あるジョグロ建築で、広い店内に60席を完備

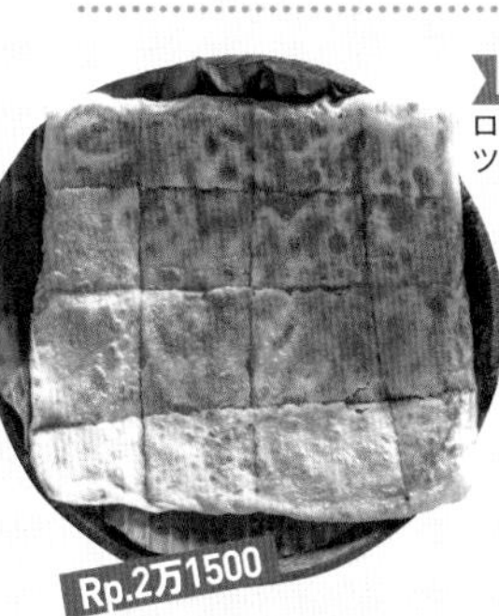

Rp.4万5000
ナシ・チャンプル
鶏のBBQやエビの唐揚げ、野菜炒めなど、おかずが盛りだくさん

好きなメニューを指さし注文するシステム

ナシ・バビグリン・スペシャル
バビ・グリンと豚と野菜和え、腸詰ソーセージ、スープなどのセット
Rp.4万5000

バリ風の豚料理専門店
オチン・バビ・グリン・サムサム
Ocin Babi Guling Samsam
ウブド MAP 付録P.6 C-4

バリ島の儀式に使用する伝統的なバビ・グリン(豚の丸焼き)は香辛料や香菜、野菜などを入れて豚一頭を2時間以上かけてゆっくりグリルする。腸詰ソーセージや串焼、蒸し焼きなどの豚料理が楽しめる。

広々としたテラス席にはテーブルと座敷がある。ローカルにも人気

☎0813-3990-0171 交ウブド王宮から車で20分 所Jl.Ambarawati No.1, Lodtunduh,Ubud 営9:00～17:00 休無休 E E

ロティ・ケジュLサイズ
ロティのチーズ包み焼き。アツアツの焼きたてを味わいたい
Rp.2万1500

チキンカレー
さらりとして食べやすく、スパイスが効いたインド風チキンカレー
Rp.1万500

マレー系カレーの専門店
ワルン・ブナナ
Warung Bunana
クロボカン MAP 付録P.13 F-4

さまざまな具材をロティという米粉でできた薄生地に包み、カレーと一緒に食べるインド系マレーシア料理の店。注文を受けてから生地を焼き始めるので、いつもできたて。

セミオープンの席と、空調が効いた室内席がある

☎085-3384-31755 交バリ・デリから車で5分 所Jl. Sanset Road No.28, Kerobokan 営10:00～22:00 休無休 J E E

伝統建築ジョグロの趣ある店内
グラ・バリ・ザ・ジョグロ
Gula Bali The Joglo
レギャン MAP 付録P.17 E-3

ジョグロスタイルのたたずまいが印象的。店内では50種類以上のインドネシア料理が楽しめる。食後には果物やココナッツの実が入ったデザート、エス・テレールが人気。

☎081-3532-58299 交ビーチウォークから車で25分 所Jl. Merdeka Raya VI No. 11, Sunset Road, Kuta 営10:00～19:00 休無休 E E

ティパ・チャントック・グラ・バリ
インゲン豆、モヤシ、豆腐炒め、ゆで卵&ライスクラッカー添え
Rp.2万5000

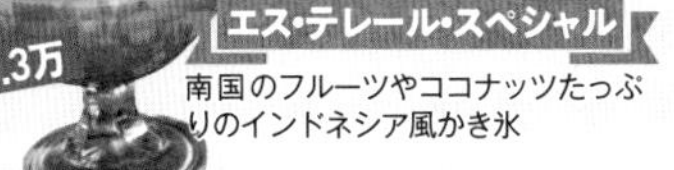
エス・テレール・スペシャル
南国のフルーツやココナッツたっぷりのインドネシア風かき氷
Rp.3万

広い店内は、家族や大人数のグループ旅行にも最適

バリ島に3店舗を構えるインドネシア料理レストラン

ピザ各種
Rp.9万~
野菜がのったヘルシーピザなど。ヴィーガン用のチーズも選択可

スマッシュド・アボカド
Rp.11万5000
地元のアボカドとハーブがたくさん入ったサラダ

ヘルシー

ジャズライブなどイベントも開催

ジーニアス

Genius

サヌール MAP付録P.21 B-4

パプア出身のシンシア・ルイーズ氏が監修。地元の新鮮な野菜やスーパーフードを取り入れたメニューは、どれも栄養バランスが考え抜かれている。

☎082-2369-44873 交ハイアット・リージェンシーから車で10分 所Mertasari Beach, Sanur 営7:00〜22:00 休無休

↑↓竹建築と藁葺き屋根が目を引く。ビーチ席もある

種類も豊富! 工夫を凝らした料理の数々

エコフレンドリーな自然派グルメ10店

自然や健康を気遣うツーリストに人気のバリ島。素材にこだわり、味も評判のカフェが増加中!

さまざまな分野で評判のレストラン

シーズ・オブ・ライフ

ローフード

Seeds of Life

ウブド MAP付録P.9 D-2

ローフード専門のレストランで、1階のトニック・バーでは漢方医学を用いたドリンクメニューも提供。ローフード・シェフ認定プログラムやヨガレッスンも開催。

☎0361-970650 交ウブド王宮から徒歩3分 所Jl.Goutama No.2, Ubud 営8:00〜22:00 休無休

←道沿いにはテラス席があり、それ以外はゆったりとくつろげる座敷席

↙オレオ・ブルーベリー・ケーキRp.4万5000

↓2012年にアメリカ人オーナーが創業

ロー・ヴィーガン・ブラウニー
Rp.6万4000
ブラウニーにはカカオやマカ、ピーカンナッツなどを使用

今さら聞けない！ヘルシーグルメのキーワード

ローフード
直訳すると、生の食べ物。野菜や果物などを生に近い状態で食べることで、酵素や栄養素を効率よく摂取できるとされる。

ベジタリアン
野菜を中心とした食生活をする人の総称。さまざまなタイプがある。

ヴィーガン
肉や魚介類、卵、乳製品など、動物性の食品を一切口にしない純粋菜食主義者を指す。

グルテンフリー
グルテンを含む小麦などを避けた食品や食事のこと。米粉で代用する場合も多い。

マクロビオティック
玄米菜食を基本とした日本発祥の食事法。旬の野菜や穀物、豆類などを中心とする。

全メニューにハーブを使用
ハーブ・ライブラリー
Herb Library
ヘルシー
ウブド MAP 付録P.9 E-2

アーユルヴェーダのドクターが監修した、ハーブを使ったヘルシーな料理を提供。魚・肉料理のほか、ベジタリアン、ヴィーガン、グルテンフリーメニューも選べ、好みの食スタイルが楽しめる。

☎0361-9083289 交ウブド王宮から徒歩10分 所Jl. Jembawan, Ubud 営7:00～23:00 休無休

店内は花の装飾にヴィンテージ調の家具が調和しフォトジェニック

ストロベリー・ブロンディーRp.5万6000

ハーブをたくさん使ったオーガニックメニュー

クラッパータルト
Rp.4万9000
オランダの影響を受けた、インドネシア北スラウェシの名物ケーキ

「クリアな精神はクリアな食事から」が店の信条

サンシャイン・ツナ
Rp.8万5000
わさび風味がアクセントのマッシュポテトにツナステーキをオン

ナチョスRp.6万5000。コーンチップの上は、黒豆やチェダーチーズ、フレッシュ・サルサやワカモレなど

多彩な料理を揃える人気店
クリア・カフェ
Clear Café
ベジタリアン＆ローフード
ウブド MAP 付録P.9 D-2

ベジタリアン＆ローフードを中心に、シーフードメニューも提供している。一皿のボリュームも満点で、毎日多くの地元客や旅行客で賑わっている。

☎087-8621-97585 交ウブド王宮から徒歩5分 所Jl. Hanoman No,8, Ubud 営10:00～23:00 休無休

セミオープンの建物で、風がよく抜け居心地がいい

ユニークなオーガニックフード
ザ・デッキ・スミニャック
The Deck Seminyak
ヘルシー
クロボカン MAP 付録P.13 D-4

白壁に青いタイルがすがすがしい小さな海の家風のカフェ。パンケーキ、トースト、パイ、スムージーなど、ベジタリアンやヴィーガンメニューが充実。

☎0361-733238 交バリ・デリから車で15分 所Jl Kayu Jati No. 1A, Kerobokan Kelod 営8:00～16:00 休日曜

隠れ家的な店の前にはブーゲンビリアが咲く

ドラゴンフルーツのヘルシージュースRp.5万5000

きれいなヘルシーメニューがSNSで人気急上昇

トースト・アラ・ザ・デッキ
Rp.5万5000
緑色のスマッシュド・アボカドと赤いトマトの配色がビビッド

ヨガ・バーガー
Rp.7万5000
セサミ入りバンズに豆腐バーガー、トマト、ルッコラをサンド

新鮮なアボカドを使った栄養満点ヘルシー料理

ヴィヴァ・ラスベガス
Rp.11万
パティがマッシュルームでできた、ベジタリアンバーガー

アボカド、チェダーチーズが入ったアボ・チーズ・クロワッサンRp.9万

店内は、落ち着きのあるアースカラーのインテリアと植物で装飾

ザ・ファクトリー・ベネディクト
Rp.8万5000
マフィンに半熟卵ときのこのソテーがたっぷりのった人気メニュー

東南アジア初のアボカド料理レストラン

アボカド・ファクトリー・チャングー

アボカド

Avocado Factory Canggu

チャングー MAP 付録P.10 B-2

ドリンクを含むすべての料理にアボカドを使用。主に地元産やジャワ島の食材を使用しており、イタリア人オーナシェフが考案した栄養満点のメニューが満載。

☎081-3373-82521 交バリ・デリから車で36分 所Jl. Tanah Barak No.52, Canggu 営7:00〜22:30 休無休 E E

ヴィーガン・フュージョン料理を明るく、おいしく、健康的に

地元野菜を使ったヘルシー料理

セージ

グルテンフリー

Sage

ウブド MAP 付録P.6 C-3

契約農園から届くフレッシュな無農薬野菜のサラダやフレッシュジュースが人気の自然派カフェ。バンズはグルテンフリーに変更可。

☎0813-3906-4031 交ウブド王宮から車で10分 所Jl.Nyuh Bulan No.1 Nyuh Kuning, Mas, Ubud 営8:00〜20:30 休無休 E E

フラ・バーガー
各Rp.8万5000
米とレンズ豆で作ったキチュリーの照り焼きソースハンバーガー

ナッツが香ばしいチョコレートケーキ。ヘーゼルナッツ・ファジー・ケーキRp.5万

フレンドリーな雰囲気で、大きな窓から差し込む自然光がやさしい

食材の味を生かした 見た目も華やかなメニュー

ベビー・ジャック・リブ
Rp.9万8000
トマトソースでいただくオシャレなリブ

目にもおいしいベジタリアン料理専門店

ゼスト・ウブド

Zest Ubud

ベジタリアン

ウブド MAP 付録P.8 A-1

シェフのサイモン氏は100種類以上のメニューを考案。砂糖や動物性食品は一切使用しない完全ベジタリアン料理だが、味、ボリュウムともにベジタリアンでなくても満足できる。

☎082-3400-65048 交ウブド王宮から車で5分 所Jl. Raya Penestanan Kelod No.8, Ubud 営8:00～23:00 休無休

テンプラ・マッシュルーム・スシ
Rp.7万7000
マッシュルームの天ぷらをスシロールにした

↑古民家を現代風にリノベーション。窓際席やテラス席は開放的

渓谷を望むセミオープンの店

ザ・エレファント

The Elephant

ベジタリアン

ウブド MAP 付録P.6 C-3

古民家をリノベーションしたダイニングで、バリ島で有機栽培された野菜や果物を使ったベジタリアン料理が楽しめる。メインはパッタイやスパゲティなど麺類が多い。グルテンフリーの注文も可能。

☎081-1396-08118 交ウブド王宮から車で8分 所Jl. Raya Sanggingan, Ubud 営8:30～21:30 休無休

↑家具のほとんどはリサイクル品を使用している

↑チャンプアン渓谷を一望できる高台に建つ

新鮮な野菜がたっぷり 水にもこだわりあり

ベジタリアン・スパゲティ・ボロネーゼ
Rp.10万
ひき肉の代わりに豆腐を使ったパスタ。サラダとガーリックバゲット付き

穏やかな海が目の前に 居心地のよさも評判

レア・イエローフィン・ツナ
Rp.8万5000
キハダマグロに野菜を盛り合わせたボリュームたっぷりの一皿

ヘルシー

海を目の前にリラックス

ソウル・オン・ザ・ビーチ

Soul on The Beach

サヌール MAP 付録P.21 C-2

「おいしさへの情熱」をコンセプトにした、ヘルシーなウエスタン料理が人気。センスの良い店内と絶好のロケーションに加え、フレンドリーでキビキビしたスタッフのサービスも心地よい。

☎081-3397-51932 交ハイアット・リージェンシーから車で10分 所Jl. Pantai Sindhu, Sanur,Denpasar 営7:00～23:00 休無休

↑のどかなバリの伝統を取り入れたリラックス空間

↑バリでは珍しく、ゲストに水とスナックをサービス

乙女心をくすぐる華やかシルエット

南国リゾートの究極映えスイーツ6店

世界中から最先端のフォトジェニックが集まって、トレンドまっしぐらなおしゃれスイーツが次々登場♡

SNS映えするスイーツたち

ドッピオ・カフェ・ピンク

Doppio Café Pink

スミニャック MAP 付録P.15 D-1

メルヘンチックなお店には、低カロリーやヴィーガンをうたったヘルシーメニュー。鮮やかなデコレーションのスイーツや良質のスムージーも人気。

☎0812-3618-2226 交バリ・デリから車で15分 所Jl. Raya Basangkasa No.8x, Seminyak 営7:30～17:30 休無休 E

ドラゴンフルーツやバナナ、アイス、グラノーラが盛り付けられたパンケーキ「ミス・ベリー」Rp.6万

ベリーとタピオカの合作、ミス・ベリーRp.6万

ピンクの壁に白い窓枠が目を引くカフェ。風が吹き抜けるテラス席は快適

ゆったりとくつろげる2階席もある

Rp.6万5000

ピンク・ワッフル

ドラゴンフルーツやバナナなど艶やかな季節のフルーツとアイスをグラノーラで縁取り

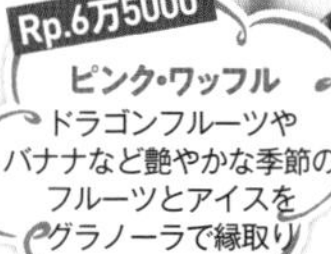

ココナッツアイスなどが付いたパラダイス・パンケーキRp.11万1000

Rp.11万7000

アサイー・ボウル

ホームメイドのグラノーラ入り。パパイアの切り抜きは自分の名前をリクエスト可能

アサイーボウルが一番人気

カインド・コミュニティ

KYND Community

クロボカン MAP 付録P.13 D-3

体と環境にやさしいフォトジェニックなメニューが楽しめる、人気のヴィーガンレストラン。パステルカラーで統一された店内やピンクの食器も写真映え間違いなし。

☎085-931120209 交バリ・デリから車で15分 所Jl. Petitenget No.12, Kerobokan 営7:30～20:00 休無休 E

昼は混雑するので、朝早い時間帯に行くのがおすすめ

トロピカルメニューも鮮やか
コーヒー・カルテル
Coffee Cartel

クロボカン MAP 付録P.13 E-3

現地産の豆と輸入豆をブレンドしたオリジナルコーヒー「コーヒー・カルテル」の店。コーヒーの泡層に自由にイラストをプリントする最新のリップルマシンを導入。

☎0812-37074458 交バリ・デリから車で15分 所Jl. Lb. Sari No.8, Kerobokan 営7:30〜18:00 休無休 E E

Rp.8万5000
リッコラ・ホットケーキ
メイプルシロップにバニラアイス、イチゴ添えのホットケーキ

↑大きな明るい窓のあるスタイリッシュな吹き抜けの店内はいつも満席

Rp.7万7000
レッド・ヴェルヴェット・パンケーキ
クリームチーズ・ムース、アイス、キャラメルハニーを配した赤いパンケーキ

Rp.6万9000
フローズン・マッチャ・ヨーグルトパフェ
抹茶ヨーグルトにイチゴとバナナ、甘いベリージャムがアクセントを添える

フュージョンメニューが自慢
ザ・ファット・タートル
The Fat Turtle

クロボカン MAP 付録P.13 D-3

バリ・ヒンドゥ教のプティトゥンガット寺院の帰りに立ち寄りたい、食事もデザートもおすすめの店。朝食プレートを目当てに、朝からツーリストもやってくる。

↑店名のタートルが壁いっぱいに描かれた内装

☎089-98912127 交バリ・デリから車で15分 所Jl. Petitenget No.886 A, Kerobokan 営9:00〜17:00 休無休 E E

オーガニックなヴィーガンアイス
マッド・ポップス
Mad Pops

スミニャック MAP 付録P.14 B-1

店頭のショーケースに並ぶアイスはコールドプレスのココナッツミルクがベース。オーガニックフルーツを使用したアイスキャンディもある。

☎081-337779122 交バリ・デリから車で12分 所Jl, Kayu Aya No.48, Oberoi, Seminyak 営10:00〜22:00 休無休 J J E E

↑カユ・アヤ通り沿いにあるテイクアウト専門店

Rp.4万
アイスクリーム(2種類)
レインボー&ラズベリー(左)とチョコレート&ソルテッド・キャラメル(右)

バリでは珍しいフローズンヨーグルトの専門店
フローズン・ヨギ
Frozen Yogi

スミニャック MAP 付録P.14 B-1

セルフ式のデザートショップ。フローズンヨーグルトのフレーバーは8種類あり、トッピングはチョコやフルーツなど40種類から選べる。会計はグラム計算。

☎0361-4792651 交バリ・デリから車で14分 所Jl. Kayu Aya, Seminyak 営10:00〜23:30 休無休 E E

←たくさんのトッピングが並ぶ、カラフルな店内。テーブル席もある

Rp.5万5000
フローズンヨーグルト
ベリー風味にイチゴ&マンゴーをトッピング。料金は1gあたりRp.210

⬆毎日11～19時はカクテル1杯注文でもう1杯が無料に

広々としたレストランで
モダンな中国料理を
ハッピー・チャッピー
Happy Chappy

クロボカン MAP 付録P.13 E-4

上海をイメージした高級感漂う店内で、伝統的な広東・北京料理やモダンな中国料理が楽しめる。毎週日曜には点心食べ放題を開催（Rp.19万）。本格的なバーがありドリンクメニューも豊富。

☎0361-4741960 交バリ・デリから車で10分 所Jl. Beraban, No.62, Banjar Taman, Seminyak 営12:00～21:30 休無休

⬆200名入れる広い店内。ファミリーやグループに最適

ディムサム・プレッターズ・スチームド（小）
シュウマイ、上海風チキン団子、北京ダックの肉まんなど

トラディショナル・BBQ・北京ダック（大）
パリッとしたアヒルの皮をネギやキュウリと一緒に薄い生地に巻いていただく本格北京ダック

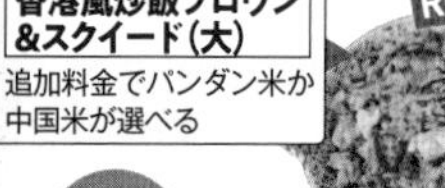

香港風炒飯プロウン&スクイード（大） Rp.9万
追加料金でパンダン米か中国米が選べる

意外な変わり種も意外とバリランチの定番

安定の旨さ、中国料理の名店5店

地元料理とちょっと違う味付けが恋しくなったら、ぜひとも中国料理店へ。島の新鮮な素材を生かした人気の中華で、胃も心もリフレッシュできるはず。

ホテルのロビーに隣接する
高級チャイニーズレストラン
ゴールデン・ロータス
Golden Lotus

クタ MAP 付録P.18 B-3

料理の巨匠テン・シェン・リー氏は経験豊富な実力者で、数々の受賞歴を誇る。メニューは広東&四川、点心ランチなどで、化学調味料は一切使わない。日曜10時～14時30分には点心食べ放題ブランチも開催。

☎0811-38200738 交空港から車で10分 所Bali Dynasty Resort, Jl. Karkita, Tuban, Kuta 営13:00～15:00（日曜10:30～14:30）、18:00～22:00 休無休

⬅宿泊客以外のゲストも多い。点心食べ放題は1名Rp.18万

イカフライ
一口大に切ったイカをカラっと揚げた一皿。ピリ辛の特製ソース付き

Rp.12万5000～

⬆伝統的な装飾と家具で彩られた上品なダイニング

シーフード入り豆腐煮
イカ&エビなどシーフードと中国野菜に豆腐が入ったまろやかなうま煮

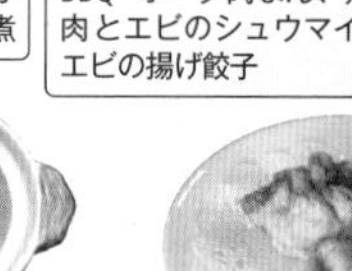
Rp.13万5000～

点心各種
BBQ・ポーク肉まん、鶏肉とエビのシュウマイ、エビの揚げ餃子

Rp.2万5000

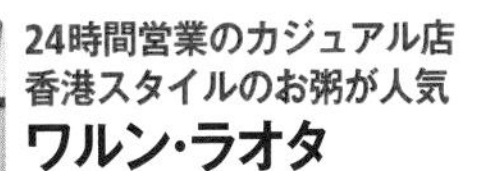

24時間営業のカジュアル店
香港スタイルのお粥が人気

ワルン・ラオタ

Warung Laota

クタ MAP 付録P.19 D-3

海鮮や鶏、うなぎなど10種類ある看板メニューのお粥を求めて、ランチやディナータイムには行列ができる。ほかにシーフード、点心、北京ダック、中華鍋など手ごろな値段のメニューが揃う。

☎085-1004-29068 交空港から車で7分 所Jl. Raya Kuta 530, Tuban 営24時間 休無休 J E E

↑オープンキッチンからいい香りが漂う。VIP席は前日までに要予約

海鮮お粥
秘伝のだしで煮たトロトロのお粥。大ぶりのエビや白身魚が入って食べごたえがある
Rp.5万

香港風イカ蒸し
プリプリのイカとネギがたっぷりのった一品
Rp.6万8000

香港風ハタのネギ蒸し
ハタを丸々一尾使用。日本人にも合う醤油ベースの味付け
Rp.7万8000/1oz

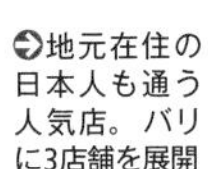

→地元在住の日本人も通う人気店。バリに3店舗を展開

日本人リピーターも多い
バリ島屈指の有名店

フラマ・チャイニーズ レストラン・トゥバン

Furama Chinese Restaurant – Tuban

クタ MAP 付録P.4 C-3

ご飯にもビールにも合う、しっかりとした味付けの広東風中国料理を提供。おいしい中国料理ならフラマとの呼び声も高い。名物は海鮮料理とローストダック。レギャンの同名店は別店なので要注意。

☎0361-751646 交空港から車で10分 所Jl. Raya Tuban No.52B, Tuban, Kuta 営10:00～22:00 休無休 J E E

↑トゥバン通りに面した大きな看板とネオンサインが目印

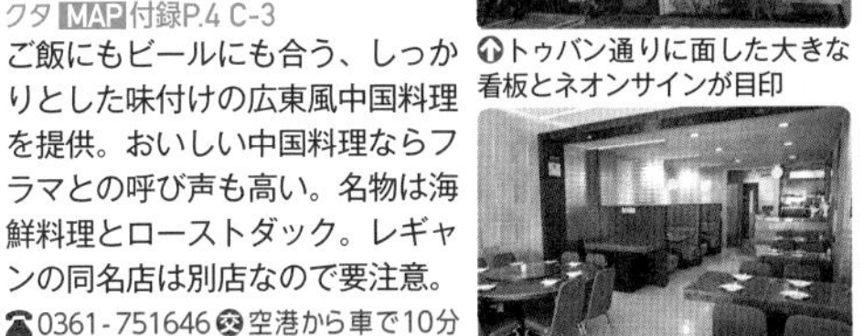

↑気取らない雰囲気の店。おすすめを親切に教えてくれる

ウダン・マサッ・サウス・プダス(M)
日本人に人気の、活きエビのチリソース炒め。特製ソースがほどよい辛さ
Rp.18万

ブロッコリー・マサッ・チュミ・サウス・ティラム(M)
イカとブロッコリーのオイスターソース炒め。野菜がたっぷり
Rp.9万4000

日本人好みの味とサービス！
ラーメンと餃子の専門店

パパ・リーズ・ヌードル&ダンプリング

Papa Lee's Noodle & dumpling

スミニャック MAP 付録P.15 E-3

台湾に中華料理店を構えるパパ・リーは現在も現役。その子どもが父親の味を受け継いで、2023年バリに移住して店をオープン。ヌードル&餃子、小籠包、肉まんがおいしいリピートしたくなるお店。

☎0812-39037533 交バリ・デリから車で6分 所Jl. Raya Seminyak 14, Seminyak 営10:00～24:30 休無休 E E

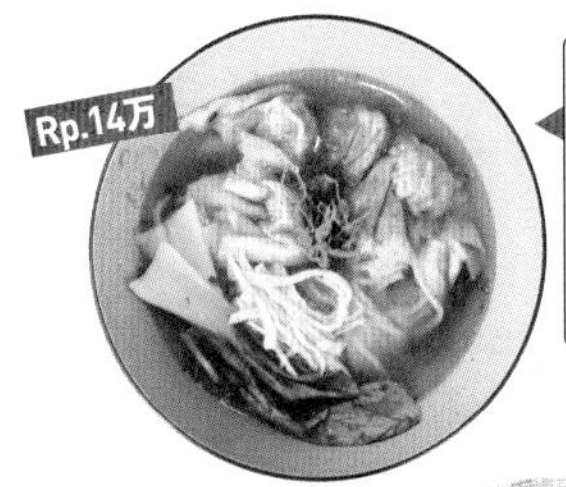

シュリンプ・ワンタン・ヌードルスープ
あっさりした旨みスープにコシのある麺。ワンタンをほおばればプリプリのエビが現れる、期待を裏切らないおいしさ
Rp.14万

↑スミニャックのメインストリートにある明るい造り

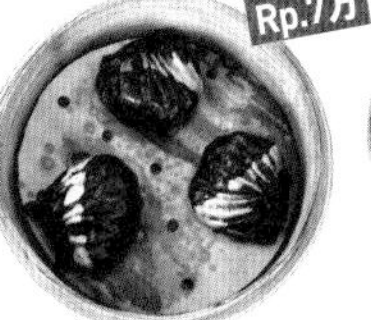

ブラック・ゴールドシュリンプ餃子
シュリンプの色に合わせて、餃子の皮も黒を基調にゴールドを描いた逸品
Rp.7万

小籠包
店の自慢のポーク味やシュリンプ&ポーク・ミックスなどアツアツが美味！
Rp.11万

インドネシア料理の基本をチェック!

300以上の民族が暮らすインドネシアでは、地域によって料理の味付けや食材が異なり、それぞれに郷土色豊か。全体的に香辛料やハーブを使った料理が多く、日本人の口にもよく合う。辛み調味料のサンバルが味の決め手。

新鮮なスパイスやハーブを使い複雑な味わいと香りを奏でる

生の香辛料やハーブをふんだんに使うのがインドネシア料理の特徴。基本的に主食は米で、ご飯に数種類のおかずを組み合わせたナシ・チャンプルなど、日本人もなじみやすい料理が揃う。ジャワ島ではココナッツミルクを用いた甘めの味付け、バリ島ではスパイスを効かせた辛い味付けが主流。サンバルというチリソースは欠かせない調味料で、バリ島では、唐辛子や香味野菜を刻んで和えたサンバル・マタ(生サンバル)を料理に添えることが多い。

バリ島伝統の豚肉料理のほか斬新な創作料理にも注目したい

イスラム教徒が大多数を占めるほかの島と違い、バリ島では豚肉をよく食べる。豚の丸焼きバビ・グリン、豚の皮や肉を野菜や香辛料と混ぜ合わせたラワールは、伝統的なバリ料理だ。最近は気鋭シェフによるフュージョン料理も登場し、さらなる進化を続けている。

↑創作料理も楽しみ

インドネシア料理・知っておきたい定番メニュー

ご飯&麺

ご飯はNasi(ナシ)、麺はMie(ミー)。ナシ・チャンプル(混ぜご飯)やミー・ゴレン(焼きそば)は定番料理。

肉料理

鶏、牛、羊のほか、ヤギやアヒルを使った料理もポピュラー。バリ島では豚も日常的に食べられている。

魚料理

海鮮に限らず、淡水魚も食べられている。新鮮な海鮮をBBQで味わうイカン・バカールは人気スポット。

野菜料理

生のまま食べることは少なく、ガドガドのような茹で野菜や炒め物にして食べるのが一般的。

そのほか

Soto(ソト)と呼ばれるスープ類、伝統的なお菓子・スイーツなど、アラックと呼ばれる地酒などにも注目。

←ナシ・ゴレン。インドネシア版焼き飯で、サテや目玉焼などが付くものもある

→バビ・グリン。豚肉と豚の内臓をカリッと揚げたもの、ラワール(豚の耳や皮を細かくして混ぜた野菜炒め)、パリッと揚げた皮にピリ辛のソースをかけていただく

↑ソト・アヤム。鶏肉と野菜、春雨がたっぷり入ったスープ。ご飯と一緒に食べるのが一般的

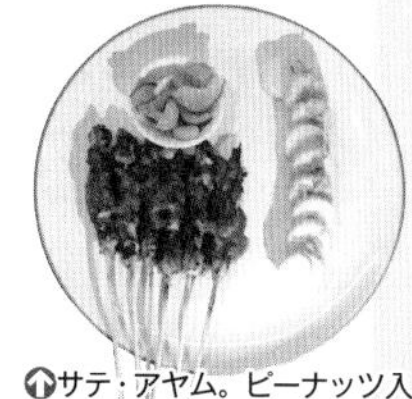

↑サテ・アヤム。ピーナッツ入りの甘辛いソースと一緒にいただく。お皿の右側にあるのは、ロントンと呼ばれる団子状のお米

→ガドガド。茹で野菜にココナッツソースとスパイスで和えた料理

レストランで役に立つ! 覚えておきたいインドネシア語単語・会話

白飯
nasi putih
ナシ・プティ

焼飯
nasi goreng
ナシ・ゴレン

お粥
bubur
ブブール

混ぜご飯
nasi campur
ナシ・チャンプル

カレー
gulai
グレ

麺
mie
ミー

焼きそば
mie goreg
ミー・ゴレン

汁入りの麺
mie kuah
ミー・クア

鶏肉入りの麺
mie ayam
ミー・アヤム

ツミレ入りの麺
mie bakso
ミー・バクソ

鶏の唐揚げ
ayam goreng
アヤム・ゴレン

鶏の照り焼き
ayam panggang
アヤム・パンガン

豚の丸焼き
babi guring
バビ・グリン

串焼
sate
サテ

焼き魚
ikan bakar
イカン・バカール

野菜
sayur
サユール

温野菜サラダ
gado-gado
ガドガド

野菜炒め
cap-cai
チャプチャイ

スープ
soto
ソト

メニューを見せてください。
Minta menu.
ミンタ メヌー

辛くしないでください。
Minta jangan pedas.
ミンタ ジャンガン プダス

半分でいいです。
Stengah saja.
ストゥンガー サジャ

もうお腹いっぱいです。
Saya sudah kenyang.
サヤ スダー クニャン

おいしいです。
Enak.
エナッ

FIND YOUR FAVORITE ITEMS AND SOUVENIRS!

ショッピング

ナチュラルもエスニックも魅力的！

Contents

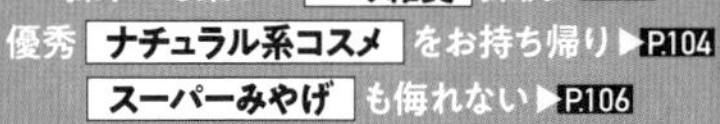

旅の思い出を手に入れる 欲しいものであふれるバリ島

小さな個性派ブティックから大型モールまで揃うバリ島は、言わずと知れた買い物天国。お得なセール情報や値段交渉のコツなどを学んで、欲しいものを賢くゲットしたい。

基本情報

どこで買う?

個性的なアイテムを探すなら、スミニャックやクロボカンの目抜き通りに並ぶショップを巡るのがおすすめ。一度にたくさん買い物をしたいときは、大型ショッピングモールが便利だ。自然派コスメを買うならウブドが最適。

休日は? 営業時間は?

ニュピ(正月)やガルンガン(お盆)の時期を除き、ほとんどの店が無休。営業時間は店により異なり、8〜10時頃に開店、19〜21時頃に閉店する店が多い。

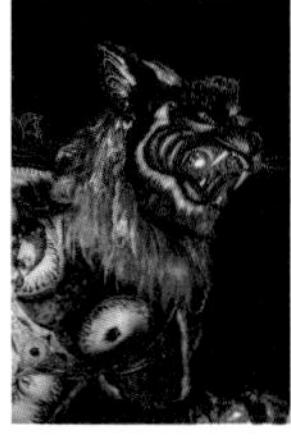

クレジットカードは使える?

観光客向けのショップではクレジットカードが広く普及している。ローカルな店や市場などでは使えないところも。

パサール(市場)での値段交渉

市場で買い物するなら値段交渉は必須。最初は高値を提示されることが多いので、その半額以下から値切り交渉を始めよう。

「いくつもまとめ買いするから安くして」と言えば、希望に応じてくれることも。話がまとまらない場合は、「ほかの店で買う」と立ち去るそぶりを見せるのも方法のひとつ。

お得情報

セールの時期は?

主なショッピングモールでは、夏休みやクリスマス、年末年始などの旅行シーズンに合わせてセールを開催。最大70〜80%オフとなる場合もあり、掘り出し物が見つかる。人気ブランド品や日本未入荷のアイテムも大幅に安くなるので要チェック。

免税手続きも怠りなく

対象となる店舗での購入額がRp.500万以上となる場合、所定の手続きをすれば付加価値税10%が還付される。ただし、細かい条件があるので注意。

▶P.167

エコバッグは必需品?

2019年からデンパサール市でレジ袋の使用が禁止に。クタでも多くのスーパーでレジ袋が廃止されている。

おつりを確認する

おつりはその場で数え、違っていたらはっきり伝えること。ルピア(Rp.)は桁数が多いので要注意だ。なお、細かいおつりは切り捨てられるか、キャンディで渡されることがある。

航空便・船便で荷物を送るには

家具などの大きな品物は、航空便または船便で日本へ送ることになる。船便のほうが安いが届くまでに日数がかかる。料金は配送会社によりさまざまで、日本での通関手続きなども代行してくれるところが便利。ショップが配送会社と提携している場合も多い。

電化製品はプラグに注意

インドネシアは日本より電圧が高く、プラグの形も日本とは異なるため、現地で購入した電化製品は日本では使えない。照明器具などのインテリア製品を買う際も注意しよう。

サイズ換算表

服(レディス)			服(メンズ)	
日本		バリ島	日本	バリ島
5	XS	34	ー	ー
7	S	36	S	36
9	M	38	M	37〜38
11	L	40	L	39〜40
13	LL	42	LL	41〜42
15	3L	44	3L	43〜44

パンツ(レディス)			パンツ(メンズ)		
日本(cm)/(inch)		バリ島	日本(cm)/(inch)		バリ島
58-61	23	32	68-71	27	36-38
61-64	24	34	71-76	28-29	38-40
64-67	25	36	76-84	30-31	40-44
67-70	26-27	38-40	84-94	32-33	44-48
70-73	28-29	42-44	94-104	34-35	48-50
73-76	30	46	ー		ー

靴	
日本	バリ島
22	34
23	36
24	38
25	40
26	42
27	44
28	46
29	48
30	50

おすすめのバリ島みやげ

自然素材を生かした雑貨やコスメ、手作りの工芸品やアクセサリーなど、女子の心を虜にする魅惑的なアイテムが豊富。バリの伝統とモダンなセンスが融合した商品が多く、おみやげはもちろん、自分用にも購入したくなるものばかり。

ナチュラルコスメ

バリ島発祥の自然派コスメブランドに注目。オーガニック製品や天然素材を使った石鹸などが揃う。

アクセサリー

精緻な銀細工やストーンをあしらった手作りアクセサリーが人気。美しい音が鳴るガムランボールも素敵。

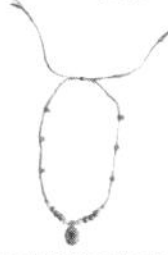

陶器

バリ島の陶器ブランドとして名高いジェンガラ・ケラミックの食器は、独特の風合いとデザインが魅力。

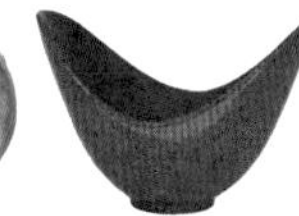

バティック&イカット

インドネシアの染織技術を生かした布は、部屋のインテリアでも活躍。バッグなどの小物も見逃せない。

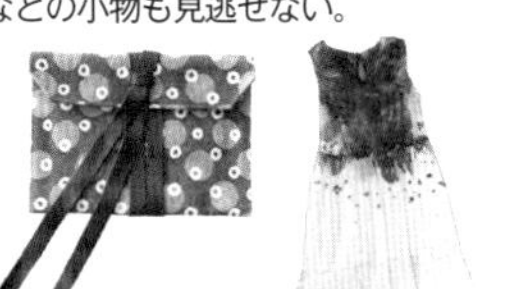

雑貨

自然素材で編んだ籠やユニークな木彫り、アロマグッズなど、アジアンテイストあふれる雑貨が勢揃い。

水着&リゾートウェア

南国らしいカラフルなワンピースや水着がズラリ。自分用にも購入して、さっそく現地で身につけたい。

バリ島のショッピングエリア

エリアごとに店のタイプや品揃えはさまざま。買い物の目的やスタイルに合わせて訪れる街を選びたい。

おしゃれな店舗が並ぶ
クロボカン&スミニャック

Kerobokan & Seminyak

メインストリート沿いに個性的なブティックが並び、最新トレンドの服や小物が手に入る。クロボカンには家具やインテリア雑貨の店が充実。

大型の複合施設が充実
クタ&レギャン

Kuta & Legian

大型ショッピングモールやデパートなどが集まり、効率よく買い物したいときに便利。高級ブランド品から手ごろな雑貨まで幅広い品揃え。

自然派コスメに注目
ウブド

Ubud

目抜き通りや細い路地に洗練されたショップが軒を連ねる。なかでも、バリ島ならではの素材を使ったナチュラルコスメの人気店が多い。

コンビニ・スーパー利用のコツ

安くてかわいい雑貨やコスメ、バリならではの調味料やお菓子などが揃うので、バラマキ用のおみやげ探しにぴったり。地元の平均的な物価を知ることができるのも魅力。

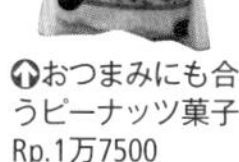

↑おつまみにも合うピーナッツ菓子Rp.1万7500

↓インドマレットブランドのチョコシューRp.6900

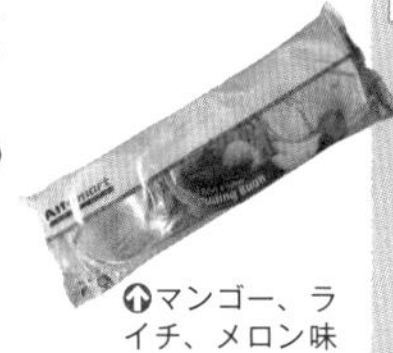

↑マンゴー、ライチ、メロン味のプリンRp.7900

街で見かけるコンビニ

アルファマート
Alfamart

インドネシアに多くの支店を持つチェーン店。

インドマレット
Indomaret

インドネシアにあるサリム店グループの子会社。

サークルK
Circle K

アメリカ発の国際的なコンビニチェーンが出店。

ミニマート
Mini Mart

くつろぎスペースを設け新鮮な果物や野菜も提供。

華やかで、ちょっと大胆なリゾートアイテム

水着は現地調達がベスト!

せっかくバリでビーチやプールに出かけるなら、オシャレな水着で気分を上げたい! バリなら現地調達が値段もお手ごろ、デザインも豊富。

Rp.110万

↑カラフルなニット素材のビキニ

Rp.100万

↑シンプルかつセクシーなホルターネック・ビキニ(ブルー)

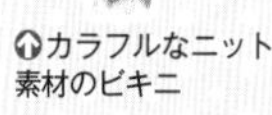

Rp.130万

↑レオパード柄がセクシーな三角ビキニ

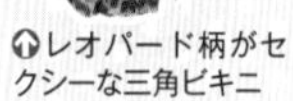

知名度の高い人気店

ニコニコ・マーレ

Niconico Mare

スミニャック MAP 付録P.14 C-1

メイド・イン・バリ島の水着やアクセサリー、リゾートウェアを販売。カラフルでポップなものからスポーティー、セクシー系まで幅広いラインナップ。

☎0361-733050 交バリ・デリから車で10分 所Jl. Oberoi No.56, Seminyak 営8:30~22:00 休無休 E 💳

世界に展開する水着ブランド

ロックスラム・サンセット・ロード

69SLAM Sunset Road

スミニャック MAP 付録P.15 F-2

フランス人が立ち上げ、現在バリを拠点とするアパレルブランド。斬新なデザインと豊富な種類の水着が人気。アウトレット店はサンセット通り店のみ。

☎なし 交バリ・デリから車で6分 所Jl. Sunset Road No.123, Seminyak 営10:00~20:00 休無休 E 💳

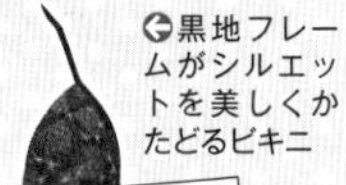

€31.00

←黒地フレームがシルエットを美しくかたどるビキニ

€39.0

↓オウム柄がチャームなスポーティー・セパレート型

€42.00

→心もはずむ、ビーチで映えるパステルカラーの水着

€45.00

↓チェックに花柄がかわいい、トライアングルブラのビキニ

Rp.80万

➡ブラック地に白い緻密な花をちりばめたワンピース水着

Rp.70万

➡ホワイト地と黒のコントラストが体に綺麗にフィット

Rp.70万

➡キャミソール水着。パンツは別売りで組み合わせ自在

こだわりのデザインと質

エントワ・ビーチ・ストア

EntoWa Beach Store

レギャン MAP 付録P.16 C-4

デザインに和のテイストを取り入れた、バリ在住日本人デザイナーの店。SNSで評判になり日本にも上陸。若者から大人まで、さまざまなビーチライフが楽しめる水着が満載。

☎なし 交ビーチウォークから徒歩7分 所Jl. Benesari No. 55, Legian 営11:00〜19:00 休無休 E 💳

Rp.55万

Rp.40万

➡サーフィンやダイビングにも合うカジュアル水着

バリ発の人気の若者ブランド

サーファー・ガール

Surfer Girl

クタ MAP 付録P.19 D-1

ブロンドのツインテールの女の子がキャラクターのティーン&子ども向けブランド。ショップでは、レディスやメンズの水着やTシャツ、サンダルなども取り揃える。

☎なし 交ビーチウォークから徒歩10分 所Jl. Legian No.138, Kuta 営9:00〜22:00 休無休 E 💳

Rp.55万

➡このままショッピングにも行けそうな黒ワンピース型

➡トロピカル植物を大胆に配した、肩ヒモなしのセクシーデザイン

Rp.49万9000

Rp.129万9000

➡ゆるやかなハイレグが大人の魅力を発揮する花柄水着

Rp.59万9000

➡オレンジの花柄が愛らしいスポブラ型のセパレート水着

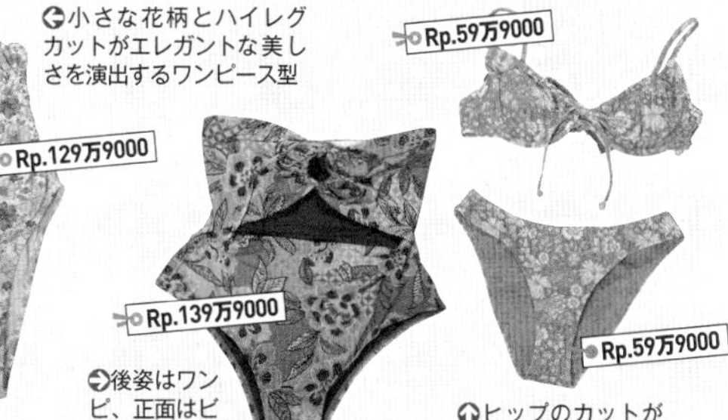

Rp.129万9000

➡小さな花柄とハイレグカットがエレガントな美しさを演出するワンピース型

Rp.139万9000

➡後姿はワンピ、正面はビキニ姿の魅惑のデザイン

Rp.59万9000

Rp.59万9000

➡ヒップのカットが控えめな、ヤング向けキュートなビキニ

サーファー憧れのショップ

ビラボン

Billabong

クタ MAP 付録P.18 C-1

1973年オーストラリアのゴールドコーストで設立したサーフ関連アパレルとアクセサリーブランド。淡い配色とレトロなデザインが人気。日本のサーファーの聖地、湘南にも出店。

☎なし 交バリ・デリから車で5分 所Jl. Raya Kediri, Kuta Square Blok A8-9, Kuta 営10:00〜22:00 休無休 E 💳

➡スポーティーなライトブルーのトップスとパンツの組み合わせ

Rp.75万9000

Rp.69万9000

普段と違うウェアで一気にテンションアップ

ボートハウスのような映える外観が目印

南国気分なリゾートウェア

トロピカルで大人かわいいリゾートウェアに袖を通せば さわやかな解放感で満たされること間違いなし。

1階はショップ、2階には2018年にカフェをオープン

カラフルな外観も注目の的

バリ・ボート・シェッド

Bali Boat Shed

スミニャック MAP付録P.14 A-1

オリジナルを含むバリ島内の50以上の人気アパレルブランドを集めたセレクトショップ。華やかな女性ものがメイン。

☎081-999-574414 交バリ・デリから車で17分 所Jl. Kayu Aya No.20, Seminyak 営8:00～22:00 休無休 E カード

黒地に大胆な花柄のサマードレス

Rp.60万

Rp.79万9000

Rp.45万

同じ柄の水着とサロンがビーチで目を引く

サマーアイランド・ミントのカラフルなミニドレス

Rp.75万

やわらかなシルエットのバロン・スカート

Rp.55万

小粋でおしゃれなリゾート着
スエン・ノア
Suen Noaj

スミニャック MAP付録P.14 B-1

海辺にぴったりのトップス、ボトムス、ワンピースを揃えるブランド。カジュアルだがフェミニンなデザインも魅力。

☎非公開 交バリ・デリから車で10分 所Jl.Kayu Aya No.39, Seminyak 営9:00~22:00 休無休 E 💳

↗Vカットの胸元がセクシーで優雅なロング・サマードレス Rp.79万5000

↓水着の上に重ね着コーデするサマー・ニットドレス Rp.59万5000

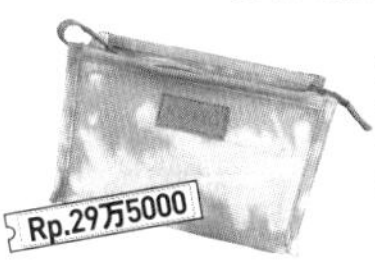

←ビーチにも持っていきたい海色のポーチ Rp.29万5000

→ヤシの木を描いた鮮やかな化粧ポーチ Rp.49万

↑ハイセンスな店が集まるスミニャックのカユ・アヤ通りにある

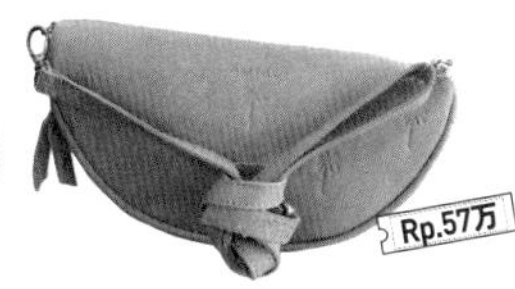

→レザーにヤシの木の型押し模様が粋な小型バッグ Rp.57万

↑バリ島発の高級リゾートウェアブランドとして誕生

↑シンプルなデザインの本革サンダル Rp.120万

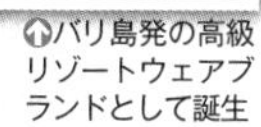

↘南国風プリントがキュートなキッズコットンシャツ Rp.42万

海や熱帯がモチーフ
バイ・ザ・シー
By The Sea

スミニャック MAP付録P.14 C-1

メイド・イン・バリの、気品漂うウェアや小物がずらり。コンセプトは、トロピカルなアイランドライフスタイル。

☎082-1444-40018 交バリ・デリから車で10分 所Jl. Kayu Aya No.20c Seminyak 営10:00~22:00 休無休 E 💳

↓日本人観光客にも人気のストローバッグ Rp.72万

エッジが効いたファッション
ロスト・イン・パラダイス・チャングー
Lost in Paradise Canggu

チャングー MAP付録P.10 B-3

ストリートテイストを取り入れたファッションブランド。帽子やサンダルも揃うのでトータルコーディネートを楽しんで。

☎081-2627-55089 交バリ・デリから車で35分 所Jl. Batu Bolong No.85, Canggu 営9:00~21:30 休無休 💳

↑スモーキーピンクが派手すぎずモダンな印象 Rp.51万5000

→ストライプ模様のシックなストローバッグ Rp.31万

↑鮮やかなオレンジ色を全身のアクセントに Rp.56万5000

↓エスニックテイストのスターペイズリー柄パンツとトップス Rp.40万

↓ヴィンテージなアートや写真が飾られるおしゃれな店内

さりげない輝きがほどよくおしゃれ

手に入れたいエスニックなアクセサリー

伝統をリスペクトしたデザイン性の高いお店や、伝統工芸品のお店でエレガントなアクセをゲット!

バリ発祥の粋なアクセサリー

ジョイ・ジュエリー

Joy Jewellery

スミニャック MAP 付録P.15 D-1

1985年、バリに魅了されたオランダ人デザイナーがこの地に移住して創業。人気の理由は、バリの海や自然をモチーフにしたスタイリッシュなデザインと高いクオリティ。

☎なし 交バリ・デリから車で5分 所Jl. Drupadi No.6, Seminyak 営9:00~18:00 休無休 E 💳

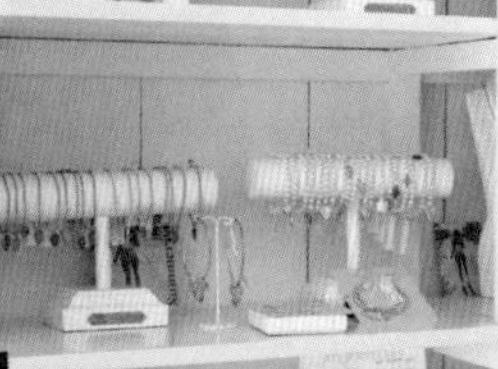

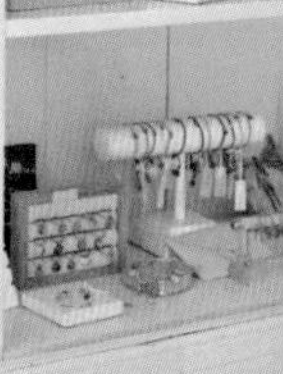

↑ショッピング街にあるパステルグリーンと白で統一された店内外

天然石と銀細工のアクセ

シー・ジプシー

Sea Gypsy

スミニャック MAP 付録P.14 B-1

インドネシア産のシルバーと、世界中から集めた天然石を組み合わせた繊細な銀細工のアクセサリーを取り扱う。ユニセックスの豊富なデザインが揃う。

☎082-3228-82045 交バリ・デリから車で12分 所Jl. Kayu Aya No.9, Seminyak 営8:00~22:00 休無休 E 💳

Rp.241万5000

天然石と緻密な銀細工を合わせたブレスレット

バリ舞踊にも登場する獅子、バロンの指輪

Rp.129万

→茅葺きを使用した店頭のシェードが南国らしい雰囲気を醸す

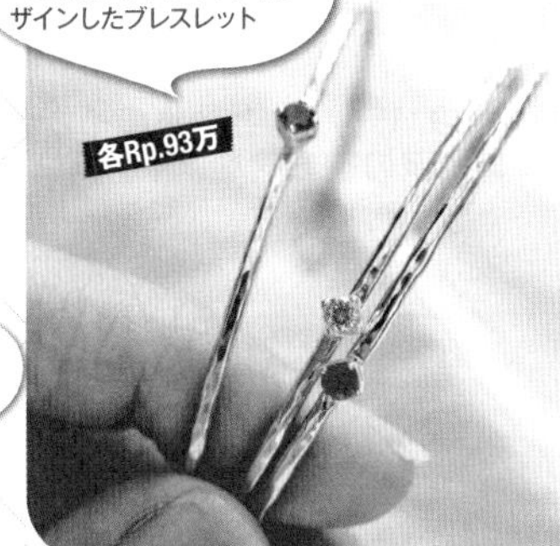

⬆日本人オーナー兼デザイナーによるオリジナルジュエリーを取り扱う

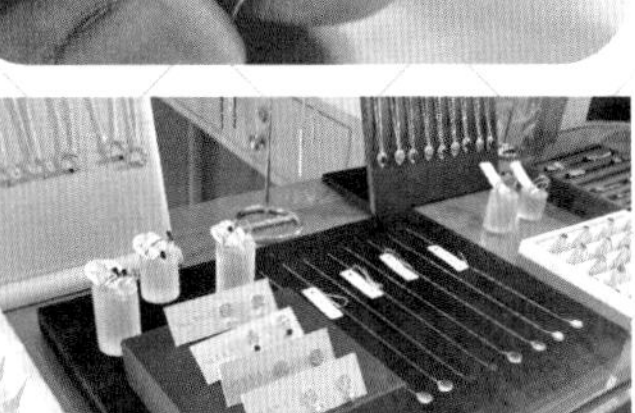

洗練されたデザインが魅力

マヤ・カネコ・ジュエリー

MAYA KANEKO Jewelry

サヌール MAP 付録P.21 C-2

デザインコンセプトは「よりシンプルに、余計なものを削ぎ落とすことで研ぎ澄まされる美・そこに生まれる強さ」。美しい輝きは世界各国の幅広い層に人気がある。

☎0821-4509-7773 交 ハイアット・リージェンシーから車で5分 所 ICON BALI MALL GF, Jl.Danau Tamblingan No.27, Sanur 営 10:00～22:00 休 無休 E 💳

ガーリーで最先端なデザイン

ジュエリー・ロックス

Jewel Rocks

スミニャック MAP 付録P.15 D-2

バリ人とジャワ人のアーティストがハンドメイドで製作する、かわいくてカジュアルなアクセサリーを取り扱う。商品の多くはブレスレットで、毎年新しいコレクションが登場する。

☎081-1382-73777 交 バリ・デリから徒歩10分 所 Jl. Drupadi No.8, Seminyak 営 9:00～19:00 休 無休 E 💳

➡インドネシア人女性のオーナー兼デザイナーがオープン

インドネシアの伝統的な布製品

バティック&イカット製品の店

インドネシアに古くから伝わる染物のバティックと織物のイカットがエスニックで普段使いもできる、個性派の魅力的なアイテムに。

バティックのぬいぐるみなど子ども向けの商品も

天然染色、天然繊維が基本

ルーシーズ・バティック
Lucy's Batik

スミニャック MAP 付録P.15 D-1

ジャワ島やバリ島のネイティブアートに精通した職人と協力。バティックを使用した、天然染め、天然素材のファッションアイテムやホームウェアを取り扱っている。

☎0361-7951275 交バリ・デリから車で5分 所Jl. Raya Basangkasa No.88, Seminyak 営10:00〜20:00 休無休 E

コレクションは豊富で、伝統的なデザインから女性らしく華やかなデザイン、子ども向けまでさまざま

Rp.12万

高級感のあるバティックのコースター6枚セット

Rp.89万8000

フェミニンなピンクのロングスカート

Rp.135万

リゾートに映える、バティックのロングドレス

イカット・バティック
Ikat Batik

ウブド MAP 付録P.8 C-4

バティック、イカットを中心としたテキスタイルの専門店。商品の7割はインディゴ染めのバティック。大人の雰囲気が漂うスタイリッシュなデザインで、すべて一点もの。

☎081-3397-99595 交ウブド王宮から車で10分 所Jl.Monkey Forest, Ubud 営9:00〜21:00 休無休 E

一点ものの藍染めバティック

50cm四方のクッション。型押しはすべて手作業

Rp.47万5000

水玉模様をあしらったハンドバッグ

伝統技術とモダンなスタイルを融合させたスカーフ

Rp.70万

レザーと組み合わせた長財布など、小物も人気

地元の職人が製糸などすべての工程を手作業で行う。バリ島内で生産された高品質の商品を販売

プサカ
Pusaka

大人向けのシックなデザイン

ウブド MAP 付録P.8 C-2

ファッションアイテムが中心で、天然染料による落ち着いたアースカラーと、エスニックデザインが特徴。ほかに雑貨やアクセサリーがあり、日本人のリピーターも多い。

☎082-1469-91660 交ウブド王宮から徒歩3分 所Jl. Monkey Forest No.71, Ubud 営9:00〜21:00 休無休 E 💳

Rp.136万

インディゴの絞り染めが目を引くワンピース

Rp.110万

異なる柄を組み合わせたキャミソール

Rp.22万

インディゴ染めのピアス。ファッションのアクセントに

ピテカントロプスの姉妹店。オーガニックの草木染め商品が中心

ピテカントロプス
Pithecanthropus

地元で作る質の良い商品

ウブド MAP 付録P.8 C-2

1990年の開業以来、民族衣装にモダンなスタイルを融合させた独自のスタイルを発信。アイテムは地元職人によるハンドメイド。ウブド本店はゆったりと落ち着いた雰囲気が人気。

☎0897-6686-362 交ウブド王宮から徒歩7分 所Jl. Monkey Forest, Ubud 営9:00〜21:00 休無休 E 💳

Rp.151万

カジュアルに着こなしたいオールインワン

幅広い年齢層に親しまれる商品が並ぶ

Rp.28万

愛らしい猿のぬいぐるみなど、小物も豊富に揃う

Rp.58万

美しい青色バティックのエメラルドハンドバック

Rp.153万

オフショルダーのフォルムがキュートなトップス

ビン・ハウス
BIN House

個性派揃いの匠のアート

クタ MAP 付録P.18 B-2

1986年創業。伝統のジャワ更沙が現代風デザインで蘇った。熟練アーティストが数カ月、ときには1年以上もかけて染め描いた珠玉のテキスタイル。色彩も風合いもオンリーワンの品々ばかり。

☎082-340049963 交ディスカバリー・ショッピング・モール内 所Discovery Shopping Mall内、Jl.Kartika Plaza,Kuta 営10:00〜22:00 休無休 E 💳

Rp.150万

緻密な模様が黒に映えるエキゾチックなジャケット

Rp.115万

丹念に染め上げた味わいある風情のブラウスは着心地抜群

Rp.5万4000

コンパクトな折り畳み式のエコバック

Rp.17万5000

小さなぬいぐるみの置物。種々の動物あり

シャツやジャケットからポーチ、ストール、小物まで品揃え豊富

バティックとイカット

伝統技法を生かした2つの布の違いとは?

バティックは、ろうけつ染めの布のこと。ろうで模様を描いてから染色するため、ろうを塗った部分は染まらず、柄となって浮かび上がる。一方、イカットは染めた糸で布を織って模様を表現する絣織物。縦糸または横糸のどちらかに染色した糸を使うシングル・イカットが一般的だが、トゥガナン村には縦糸と横糸の両方を染めて織り上げる珍しいダブル・イカットがある。

ハイセンスな陶器たち

高級リゾート御用達の什器をはじめ、
バリ島の文化にインスパイアされた多国籍な作家たちの作品が揃う。

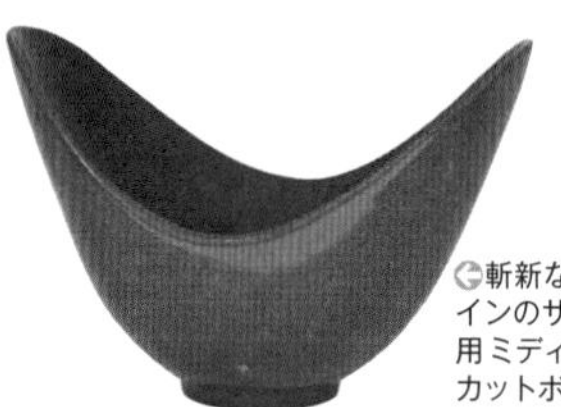

斬新なデザインのサラダ用ミディアムカットボウル

現在3000種類を超えるデザインがある

セットRp.34万、1個Rp.9万

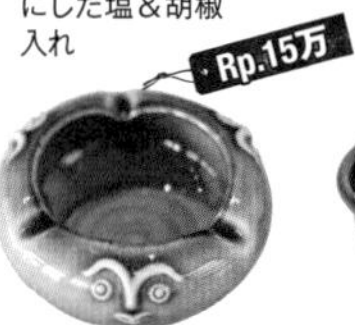

フランジパニの花をモチーフにした塩&胡椒入れ

Rp.15万

Rp.25万

バリ島の神様「デヴィ・スリ」の顔が愛らしい灰皿

深いブルーの色合いが印象的な蓋付きのスープ用ボウル

南国らしいモチーフが素敵

ジェンガラ・ケラミック

Jenggala Keramik

ジンバラン MAP 付録P.20 B-4

5ツ星ホテルでも愛用される有名な陶器ブランド。バリ島の自然を題材にしたものからモダンなものまで、3000種類を超えるデザインがある。定期的に新コレクションが登場。

☎0361-703311 交 空港から車で15分 所 Jl.Uluwatu II, Jimbaran 営 9:00～21:00 休 無休 E 💳

芸術的な装飾タイルの数々

フィリップ・レイクマン・ケラミック

Philip Lakeman Ceramic

サヌール MAP 付録P.21 B-4

オーストラリア出身の陶芸家がオーナーデザイナーを務めるショップ兼ギャラリー。アート感覚あふれる装飾タイルのほか、独特の風合いの壺や大皿なども人気。

☎0361-281440 交 ハイアット・リージェンシーから車で8分 所 Jl.Danau Poso No.20, Sanur 営 8:00～17:00 土曜9:00～16:00 休 日曜 J E 💳

1枚Rp.5万

1枚ずつ手描きしたアーバンタイル(20cmx20cm)

さまざまなデザインが揃うアーバンタイル(10cmx10cm)

1枚Rp.3万3000

1枚Rp.1万7000

バリの伝統文様をアレンジしたデコ・タイル(15cmx15cm)

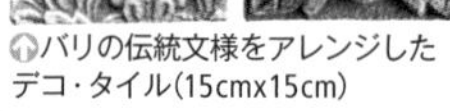

のびやかな花鳥風月の図柄が美しい手描きの大皿

各Rp.200万

Rp.170万

一点ものシリーズ作品、手描きのボトル4点セット

1階はショップ、2階はセラミックタイルのギャラリー

温かく素朴なデザインの器
エクリップス・ポトゥリ
Eclipse Pottery
ウブド MAP 付録P.6 C-4

作品の色やイメージに合わせてバリ島以外のインドネシアの島島から土を選ぶ。ショップの裏で製作過程も見学可能。ワークショップを週に一度、木曜日に開催している(要予約)。

☎0361-898-2368 交ウブド王宮から車で20分 所Jl.Br.Kelinkung Lodtunduh, Ubud 営9:00～17:00 休無休 E 💳

棚に並ぶカップを見ているだけでも楽しいお店

土の温かみを感じるカップは手になじむデザイン

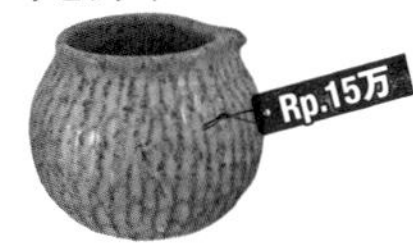

丸い形がキュートな手のひらサイズのミルクピッチャー

スペインのアンティークな水差しをヒントにした茶器

遊び心ある個性的なデザイン
ケバラ・ホーム・サヌール
Kevala Home Sanur
サヌール MAP 付録P.21 B-4

厳選した粘土と自家開発の釉薬を使い、サヌールの工房ですべて手作り。バリ島の伝統的なモチーフをモダンにアレンジした製品が揃う。

☎081-7768-99988 交ハイアット・リージェンシーから車で5分 所Jl. Danau Poso No.20, Sanur 営10:00～19:00 休無休 E 💳

サンシャインシリーズは海をイメージしている

デザインシリーズごとの見やすく選びやすいディスプレイ

美しい女性が力強く描かれた皿

神への供物を入れる器をかたどったボコール小物入れ

浮き模様のディミティ・ビーカーはフラワーベースに

バリの地名が細かい文字で書かれたダリマナ・ボウル

イタリアとバリの魅力が融合
ガヤ・ケラミック
Gaya Ceramic
ウブド MAP 付録P.6 B-3

イタリア人の陶芸家夫妻が経営。イタリアのセンスとバリ島の職人技を取り入れたハンドメイドの陶器は、一流ホテルでも使われている。食器のほか、照明や花瓶なども扱う。陶芸教室も行われている。

☎0361-976220 交ウブド王宮から車で18分 所Jl. Raya Sayan No. 105, Ubud 営9:00～18:00 休無休 💳

独特の質感が特徴的なマグカップ・ゴールド

テーブルを華やかに演出するディナープレート

白地に青い図柄が鮮やかに映えるサラダボウル

ショールームのほか、工房とギャラリーも併設

どこか和の雰囲気を漂わせるシックな花瓶

どれをとっても個性が際立つ!

探すのも楽しいバリ雑貨探検

素朴なテイストの小物から、エッジの効いたアジアン風味の手作り雑貨まで、周りと差がつくプレゼントならバリ雑貨が一番!

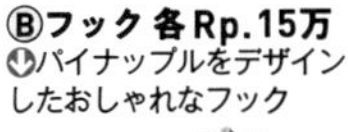

Ⓑフック 各Rp.15万
⬇パイナップルをデザインしたおしゃれなフック

Ⓑストローハット Rp.15万
⬅貝がらがアクセントの涼しげな帽子

Ⓓスモール・ランタン・リネン Rp.20万
⬆リネンを使用したランプシェード

Ⓓキッズエプロン Rp.39万
➡ヒョウ柄のエプロン（スプーン別売り）

Ⓐ籠バッグ Rp.63万8250
⬅トロピカルグリーンをデザインしたバリ製のバッグ

Ⓐコーヒーカップ 各13万7000
⬅インド産「ザ・エレファント・カンパニー」のコーヒーカップ

Ⓑラフィア素材のバック Rp.26万5000
⬇天然素材のラフィアはヤシの葉を使い、丈夫で長持ち

Ⓐトロピカル・ラタン・バッグ Rp.71万5000
➡地元の職人によるハンドメイド籠バッグ

Ⓐテーブルランナー Rp.52万5500
⬆ていねいに施された上品な刺繍がダイニングを彩ってくれる

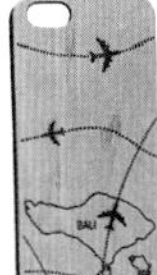

Ⓒ竹製iPhoneケース 各Rp.29万9000～
⬇バリ島らしいデザインが繊細に彫刻されている

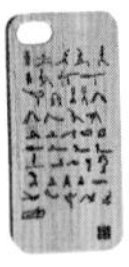

Ⓑクッション Rp.35万
⬆トロピカルなデザインと色合いが南国らしい

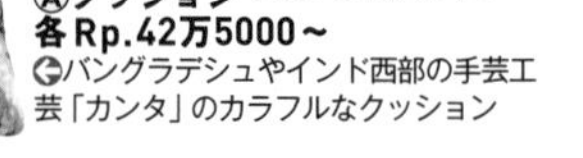

Ⓐクッション 各Rp.42万5000～
⬅バングラデシュやインド西部の手芸工芸「カンタ」のカラフルなクッション

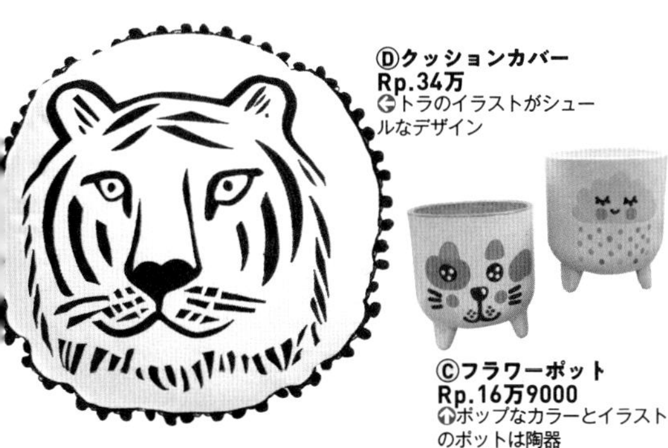

Ⓓクッションカバー
Rp.34万
⬅トラのイラストがシュールなデザイン

Ⓒフラワーポット
Rp.16万9000
⬆ポップなカラーとイラストのポットは陶器

Ⓒイヤリング
Rp.31万9000
⬆ラタンで編んだハンドメイド。デザインもいろいろある

Ⓑクラッチバッグ
Rp.25万
⬆南国のバナナの葉のデザイン

Ⓒミニバック
Rp.49万9000
➡ナチュラルなラタンのバックはポーチにもなる

Ⓓ竹製ストロー
Rp.9万
⬅ポーチとブラシがセットになっている

Ⓒスキのサングラス
Rp.799万
⬇ユニセックス仕様の人気コレクション

日本人のお客さんにも人気です

Ⓔペスパの置物
Rp.19万9000
⬅イタリアのスクーター、ペスパのミニチュア

Ⓔパイナップルの吊り下げ
⬅南国らしいパイナップルの5連吊り下げ

Ⓔビールの壁掛け
Rp.19万9000
➡インドネシアを代表するビールの壁飾り

A 手作りのカラフルアイテム アナザー・アイランド・リビング
Another Island Living

クロボカン MAP 付録P.4 C-2

バリ島とインドを中心に、世界各国のアーティストのハンドメイド作品を販売。デザイン・品揃えともに多彩な商品を扱う。

☎081-5864-54191 交バリ・デリから車で15分 所Jl. Gunung Tangkuban Peraha 304 営9:30〜17:00 休無休 E

B カフェ併設の雑貨店 バンガロー・リビング
Bungalow Living

チャングー MAP 付録P.11 E-4

写真家として活躍していたオーナーによる、色鮮やかなテキスタイル商品やインテリア雑貨の店。フォトグラフも人気。

☎081-7172-69735 交バリ・デリから車で25分 所Jl. Paantai Berawa 35A, Canggu 営9:00〜17:30 休無休 E

C 環境に配慮した竹や木製商品 エコ・エゴ・ストア
Eco Ego Store

チャングー MAP 付録P.10 B-3

自社ブランドの竹製iPhoneケースなど、環境にやさしい商品を揃える。職人手作りのローカルブランドものも多い。

☎082-1673-01080 交バリ・デリから車で45分 所Jl. Munduk Catu, Canggu 営9:00〜22:00 休無休 E

D 異国情緒漂う雑貨たち ザ・ジャングル・トレーダー
The Jungle Trader

チャングー MAP 付録P.11 D-4

ボヘミアン調の雑貨やインドネシアの骨董品が並ぶ。ジャングルをモチーフにした絵画やファッションアイテムも人気。

☎081-1318-004 交バリ・デリから車で25分 所Jl. Pantai Berawa, 46X, Canggu 営9:00〜19:00 休無休 E

E センスの良いギフト＆インテリアショップ タマラ・ダニエル
Tamara Danielle

ウブド MAP 付録P.8 C-3

ヴィンテージとアンティークをコンセプトに100種類以上の商品を取り扱う。地元の職人によるハンドメイド品も豊富。

☎081-3822-28722 交ウブド王宮から徒歩3分 所Jl. Monkey Forest, Ubud 営9:00〜22:00 休無休 E

自然派&コスメ通が注目するアイテム

優秀ナチュラル系コスメをお持ち帰り

世界中のビューティ感度高めなツーリストが訪れるバリ島。
伝統療法ベースや材料にこだわった注目のコスメは絶対チェックしておきたい!

↑バリ島産の成分を用い、島の職人が手作業で作っている

独自のレインミストが評判

ブルー・ストーン・ボタニカルズ

Blue Stone Botanicals

ウブド MAP 付録P.8 C-2

火山性農地や熱帯雨林、香料植物などバリ島の天然成分を用いたスキンケア商品を販売。レインミストは、天然水を自社蒸留所で精製した、ほかにはないオリジナル商品。

☎085-205517097 交ウブド王宮から徒歩5分 所Jl. Dewi Sita, Ubud 営9:00〜21:00 土・日曜10:30〜20:30 休無休 E 💳

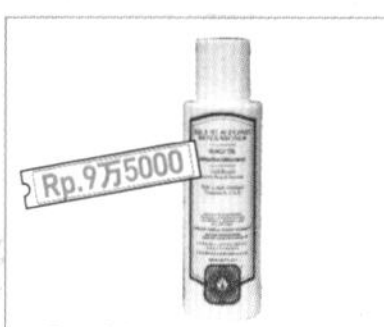

↑独自製法で抽出したイラン・イランのナチュラルオイル

↑アロマテラピーに最適なエッセンシャル・オイル

↑バリ・アロマテラピー・オイルは4種類

Rp.12万

↑制汗剤や部屋の芳香剤としても使える、レインミスト

↑心地よいハーブが香るリラクゼーション・ボディバター

↑植物栄養素を豊富に含むザクロ油配合のクレンジング

↑アルコール未使用のフェイシャル・トナー。油性肌用

↑ミネラル豊富な黒火山砂ナチュラル・ソープ

↑ローズとジャスミン配合ナーチャリング・ヘアオイル

↑店内の商品ひとつひとつに説明が付く。自分に合った商品を見つけよう

バリ島初GMP認証を受けた店

センセイシャ・ボタニカルズ

Sensatia Botanicals

スミニャック MAP 付録P.14 B-1

2000年にバリ島で創立された、ナチュラル・スキンケアの先駆け。良質な材料だけで作られた無添加のフレーバー・ソープが看板商品で、おみやげにも重宝されている。

☎0361-4741927 交バリ・デリから車で15分 所Seminyak Village Mall, Unit F21, Jl.Kayu Jati, Seminyak 営10:00〜22:00 休無休 E 💳

↑バリ島の5ツ星リゾートやスパ50カ所と業務提携している

自然素材で作るスキンケア
ウタマ・スパイス・ブラワ
Utama Spice Brawa

チャングー MAP付録P.11 D-1

☎081-1380-7974 交バリ・デリから車で6分 所Jl. Pantai Batu Bolong 11-9 Canggu 営10:00～20:00 休無休 E

バリ島の伝統療法をベースにした、ナチュラル・スキンケア商品店。人気はリップやボディローションで、地元のオーガニック農家が栽培したハーブや海藻が用いられている。

↓容器を回収するリサイクルボックスやシャンプーなどのリフィルサーバーなど地球にやさしい取り組みをしている

Rp.16万9830

↑油性肌の人におすすめの、ティーツリー・シャンプー

Rp.2万1100

↑保湿を促すココナッツオイル配合のリップバーム

Rp.15万3100

↑肌に素早くなじむアルガンオイル。乾燥した頭皮にも

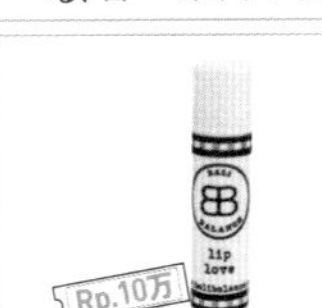

Rp.14万9406

↑天然成分シトロネラ油を用いた防虫剤スプレー

厳しい品質基準に基づく製品
バリ・バランス
Bali Balance

スミニャック MAP付録P.15 D-1

☎087-862237007 交バリ・デリから車で5分 所Jl. Raya Taman No. 147a Seminyak 営10:00～18:00 休無休 E

化学物質を一切使わない、高品質なナチュラルコスメを手ごろな価格で販売。一番人気のロー・ココナッツ・オイルはミネラルとビタミンを豊富に含み、全身ケアに使用可。

↓バリ人オーナーによって創立。店内や商品のラベルやデザインは白色で統一され、清潔感を感じさせる

Rp.10万

↑無香料と3つの香りから選べる、ロー・ココ・バーム

Rp.20万

↑化学物質フリーで体と環境にやさしいサン・ブロック

Rp.10万

↑ココナッツオイルとココナッツ・バター配合のリップ

Rp.15万

↑店の看板商品ココナッツオイル。食用としても使える

オーガニックブームの草分け
バリ・ブッダ
Bali Buda

ウブド MAP付録P.9 E-2

☎081-1383-11877 交ウブド王宮から徒歩5分 所Jl. Raya Ubud, Ubud 営7:00～22:00 休無休 E

1994年にオープンしたナチュラル志向のカフェ＆ショップ。オーガニックや無添加にこだわったシリアル、ジャムなど、さまざまな食材を揃える。自家製スイーツも多い。

←アースカラーで落ち着いた雰囲気の店内は、ショップとカフェがある

Rp.8万1000

↑傷んだ髪におすすめのヘアバター

Rp.10万6000

↑しっとりした洗い上がりのシャンプー&コンディショナー

Rp.7万2000

↑天然成分で体にやさしい防虫スプレー

Rp.16万7000 Rp.6万7000

↑バージンココナッツオイル1ℓ(左)、300mℓ(右)

Snacks
お菓子
南国ならではの個性派も。バラマキにもGOOD

モンゴチョコレート(イチゴ味)
Rp.3万4600
カカオ58%使用。ストロベリーペースト入りのサクサク感が決め手のダークチョコレート。冷やして食べるといっそうおいしい

クテラ・シンコン・チップ
Rp.6100
インドネシアのピリ辛調味料バラド風味のチップス

チョコレート
(ココナッツ・シーソルト)
各Rp.2万4500
インドネシア産の高級チョコ。コーヒーやパームシュガーなど全7種類

バロンクッキー
(8枚入り)Rp.6万
バリ在住の日本人が開発したバリの善の化身バロンをモチーフにした大人気商品

ドライフルーツ・トロピカルMIX
Rp.2万2400
ジャワ産のトロピカル・フルーツを使用

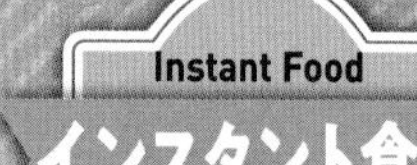

チタトチップス
Rp.1万500
日本人在住者にも人気の、ビーフBBQ風味

バラエティに富むバリ島らしさが集合
スーパーみやげも侮れない
食べ物もコスメも多種多様に揃うスーパーは地元の人だけでなく、もちろん観光客にも人気のスポット。

Instant Food
インスタント食品
エスニックな味がお気軽に再現できちゃう

バリ・コピ・クプクプ
Rp.3万6000
バリ島産コーヒー。バリコピやルアックコーヒーもおみやげに人気

KOKITA ナシ・ゴレンの素
Rp.7300
インドネシア定番の家庭料理用ナシ・ゴレンの素

インスタントスープ(ソト・アヤム)
Rp.6500
インドネシアのスープ「ソト」の素

インドフード・ナシ・ゴレン・プダス
Rp.6000
インドネシア最大の食品会社が発売する辛口のナシ・ゴレンの素

フィナ・ブンブ・ナシ・ゴレン
Rp.7300
日本人の口に合うマイルドな味付けの人気定番ナシ・ゴレンの素

Seasoning
調味料
定番は塩や地元料理でも使われるサンバル

ココナッツミルクパウダー20g
Rp.2100
パウダーにお湯を入れてかき混ぜるだけ

ABC チリソース
Rp.6600
なんにでも使える人気No.1のサンバル

サンバル・チャップ・ジュンポル
Rp.2万
定番のサンバル。インドネシアの家庭に必ずある辛味調味料

ターメリックパウダー42g
Rp.1万300
植物の根を原料とした鮮やかな黄色いスパイス

Beauty
ビューティ
さまざまなブランドのいち押しコスメをゲット

エリップス・ヘアマスク
Rp.9000
使い切りタイプのヘアマスク。洗い流し用

ヴァージン・ココナッツオイル
Rp.11万1000
ダイエットにも最適。世界中で話題の万能オイル

クリームバス高麗人参
Rp.2万9800
バリ島で人気ヘアトリートメント「クリームバス」

エリップス・ヘアビタミン
Rp.1万5200
手ごろでコンパクト、効能も高評価

ボカシオイル
Rp.4万8000
天然成分100%の万能薬。虫刺され、筋肉痛、やけど、咳止めなど

パパイヤ・ボディ・バター
Rp.5万8200
日焼けを防ぎ肌に潤いを与えるパパイヤエキス配合クリーム

ブラット・ワンギの石鹸各80g
Rp.2万4150
ハンドメイドのオーガニック系の石鹸

オリーブオイル
Rp.4万1500
アロマ効果抜群！世界中で支持されるロングセラー商品

SHOP LIST

サヌールの中心部に立地
スーパーマーケット・アルタセダナ・サヌール
Supermarket Artasedana Sanur
サヌール MAP 付録P.21 C-3
2019年に旧ハーディーズから改名。幅広い商品を扱う3階建てのスーパー。おみやげ用の雑貨も揃う。
☎0361-281915 交 ハイアット・リージェンシーから徒歩5分 所 Jl. Danau Tamblingan No.136, Sanur 営 8:00〜22:00 休 無休

赤い星が目印の人気店
ビンタン・スーパーマーケット・ウブド
Bintang Supermarket Ubud
ウブド MAP 付録P.6 C-3
旅行者に人気の老舗スーパー。日用品から雑貨、食品、衣類まで多彩に揃う。輸入食材の豊富さが魅力。
☎0361-972972 交 ウブド王宮から車で7分 所 Jl. Raya Sanggingan, Ubud 営 8:00〜22:00 休 無休

老舗の日本食スーパー
パパイヤ・フレッシュ・ギャラリー
Papaya Fresh Gallery
レギャン MAP 付録P.17 E-3
おみやげに最適なインドネシア産のお菓子など豊富。日本の食材やお菓子のほか、寿司やたこ焼も販売。
☎0361-759222 交 ビーチウォークから車で11分 所 Jl. Merta Nadi No. Banjar, Abian Base 営 9:00〜22:00 休 無休 E

パサール(市場)をお散歩しよう

みずみずしい野菜や熟した南国の果物、多彩な香辛料などが並ぶ市場は、見て歩くだけでおもしろい。
早起きしてエネルギッシュな朝市を見学したあとは、手ごろでかわいいバリ雑貨を探してみよう。

1 夜に賑わうデンパサールのバドゥン市場 2 クレネン市場でお供え用の花を売る女性 3 魚市場のジンバラン市場 4 パサール・スニには地元向けから観光客用までさまざまな衣類が並ぶ 5 野菜が並ぶウブド市場

庶民の暮らしを身近に感じる 活気に包まれた朝市と夜市

生鮮食品から日用雑貨、衣類まで、あらゆるものが揃う市場は、人々の生活が垣間見られる場所。特に早朝は活気にあふれ、野菜や果物、肉、魚、香辛料などが雑然と並び、売り買いの様子を眺めるだけで楽しい。一方、B級グルメの屋台が連なる夜市も賑やかで、ローカルな風情を満喫できる。

おみやげにも喜ばれそう 安くて素敵なバリ雑貨を入手

島内に数ある市場のなかでも、旅行者が訪れやすいのがウブド市場。昼間は観光客向けの店が軒を連ね、籠バッグ、アクセサリー、陶器、ワンピースなどの雑貨や工芸品が並ぶ。バリらしいデザインが魅力で、おみやげにもぴったり。デンパサールのバドゥン市場やクンバサリ市場も品揃え豊富。

買い物には値段交渉が必須 相手との駆け引きを楽しんで

市場の商品には定価がないため、購入の際は値段交渉が必要。外国人はぼられることも多いので、事前にスーパーマーケットなどで相場を確認しておくとよい。値切り交渉がうまくいかない場合は、買わずに立ち去るそぶりを見せると、急に安くなることも。駆け引きを楽しむつもりで挑戦しよう。

ショッピングで役に立つ! 覚えて起きたいインドネシア語単語・会話

店
toko
トコ

市場
pasar
パサール

お金
uang
ウアン

おつり
uang kembali
ウアン・クンバリ

両替
tukar uang
トゥカール・ウアン

大きい
besar
ブサール

小さい
kecil
クチル

価格
harga
ハルガ

(価格)が高い
mahal
マハール

(価格)が安い
murah
ムラー

長い
panjang
パンジャン

短い
pendek
ペンデッ

小さい(きつい)
sempit
スンピッ

似合う
cocok
チョチョッ

サイズが合う
pas
パス

おみやげ
oleh-oleh
オレオレ

手工芸品
kerajinan tangan
クラジナン・タンガン

洋服
baju
バジュ

アクセサリー
aksesoris
アクセソリ

Tシャツ
kaos
カオス

あのバッグを見せてください。
Coba kasih lihat tas itu?
チョバ カシ リハッ タス イトゥ

試着してもいいですか。
Boleh saya coba?
ボレ サヤ チョバ

もう少し大きいのはありませんか?
Ada yang lebih besar?
アダ ヤン レビー ブサール?

高すぎます。
Terlalu mahal
トゥルラル マハール

まけてもらえませんか?
Boleh tawar?
ボレ タワール?

BALI, AREA WALKING

歩いて楽しむ

常夏の島を気ままに歩き尽くす

Contents

ここ数年で人気急上昇のリゾートエリア

チャングー
Canggu

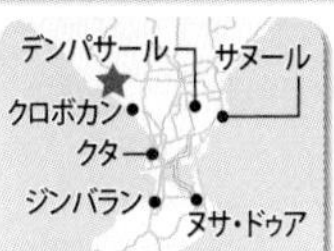

欧米人サーファーたちに人気のローカルタウンがおしゃれな街に変身。周辺にはのどかな田園風景が広がり、素朴で美しいビーチにも心癒やされる。

MAP付録P.10-11

最新スポットが続々と誕生
急速に開発が進むホットな地区

もともとは欧米系サーファーの間で人気となったチャングー。少し前までは知る人ぞ知るマイナーなエリアだったが、近年は急速におしゃれな街に進化している。

エコ・ビーチやバトゥ・ボロン・ビーチは絶好のサーフポイントで、それぞれのビーチに続く道沿いにセンスの良い店舗が次々とオープン。メインストリートのパンタイ・バトゥ・ボロン通りには雑貨店やブティックが多く、パンタイ・バトゥ・メジャン通りにもショップやカフェなどが並ぶ。一歩横道に入れば、のどかな田園風景が広がり、緑に囲まれて小さなヴィラやゲストハウスが点在。昔ながらの素朴な雰囲気と最新スポットが共存している。海沿いには大型ビーチクラブも増えており、開放的なプールやダイニングでのんびり過ごすのもいい。

サーファーが多く、リゾート感あふれるバトゥ・ボロン・ビーチ

洗練されたショップが増えつつあるパンタイ・バトゥ・ボロン通り

アボカド・ファクトリー・チャングーではヘルシー料理を提供

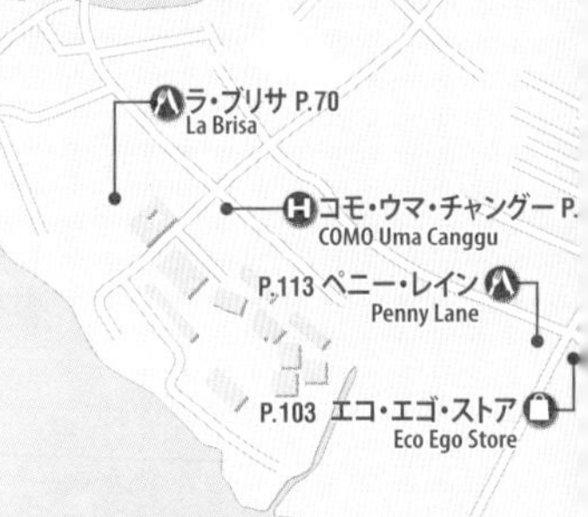

エコ・ビーチではテーブル席とパラソルの下で、夕陽を眺めながら食事を楽しめる

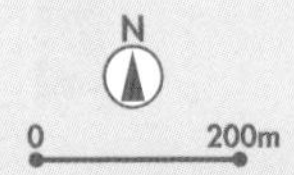

バリ島発のコスメをゲットしたいなら、イシャ・ナチュラルズへ

チャングー Canggu

Jl. Pantai Batu Mejan

パンタイ・バトゥ・ボロン通りに次ぐ、チャングーのメインストリート

パンタイ・バトゥ・メジャン通り

P.105 ウタマ・スパイス・ブラワ Utama Spice Brawa

P.113 イシャ・ナチュラルズ ISHA Naturals

Jl. Pantai Batu Bolong

Gg. Jalak

デウス・エクス・マキナ P.113 Deus Ex Machina

アボカド・ファクトリー・チャングー P.82 Avocado Factory Canggu

Jl. Subak Canggu

地元のアーティスト製作の雑貨などを扱うショップ。価格は交渉で

ラブ・アンカー・チャングー P.113 Love Anchor Canggu

パンタイ・バトゥ・ボロン通り

Jl. Raya Semat

ヴィラ ケディス チャングー

ロスト・イン・パラダイス・チャングー P.95 Lost in Paradise Canggu

Jl. Anggrek

ビーチでの乗馬などのアクティビティを催行している会社

デヴァイン・ガッデス P.48 Devine Goddess

Jl. Nelayan

ザ ダウン バリ

ザ・プラクティス P.47 The Practice

サーフ ロッジ チャングー

Jl. Karang Suwung

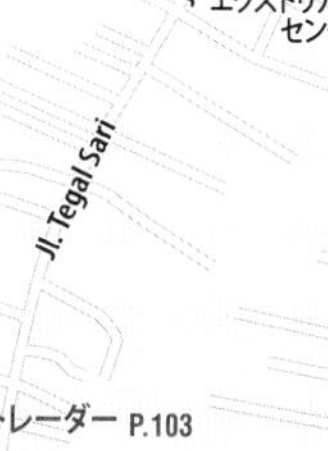

バリ・エクストリアン・センター

アメティス ヴィラ

Jl. Tegal Sari

Gg. Anggrek

Jl. Nelayan

アップスケール・スカイ・ダイニング P.112 UpZscale Sky Dining

ヌード・チャングー P.112 Nude Canggu

Jl. Pemelisan Agung

セレニティ エコ ゲストハウス

ザ・ジャングル・トレーダー P.103 The Jungle Trader

ジ・レストラン P.45 Ji Restaurant

アーラーダナー ヴィラ
バイ カラニヤ エクスペリエンス

Jl. Pantai Berawa

Jl. Pemelisan Agung

Jl. Pantai Berawa

バトゥ・ボロン・ビーチ

ザ ヘブン スイーツ バリ ベラワ

大人気の「フィンズ・ビーチクラブ（→P.70）」はこの先に

ヌラヤン・ビーチ

クロボカン&スミニャック

人気上昇中！チャングーの注目店

近年めざましい発展を遂げるチャングー。トレンドを狙った新しいお店が続々増加中！

プールパッケージは1名Rp.12万5000。ピザまたはナシ・ゴレンがセット

眺望が抜群な最上階でインターナショナル料理

アップスケール・スカイ・ダイニング

UpZscale Sky Dining

MAP 付録P.10 B-3

アストン・チャングーにある、インド洋を望むルーフトップ・レストラン。パスタやステーキ、春巻など幅広い料理を提供。

☎0361-3023333 交バリ・デリから車で36分 所Jl. Pantai Batu Bolong No.99, Canggu 営7:00～22:00 休無休 E E

↑お店いち押しのヘルシーモクテル(ノンアルコールカクテル)、トロピカル・パラダイスRp.7万5000

↓ボリューミーなチャングー・ビーチ・タコスRp.8万

↑ヨーロッパで人気のイカフライを野菜とカラマリ・ソルト&ペッパーでいただくRp.9万5000

幅広い客層に人気

ヌード・チャングー

Nude Canggu

MAP 付録P.10 C-3

地元の新鮮な食材を使ったベジタリアンやヴィーガン向けのヘルシーフードから、グリルド・ビーフやハンバーガーなどがっつり系までメニューが豊富。朝食は13時まで注文できる。

☎085-2382-14003 交バリ・デリから車で25分 所Jl. Pantai Berawa No.33, Canggu 営7:00～22:00 休無休 E E

↑白を基調としたさわやかな店内。7～9時はブレッキー・ブリトー購入でレギュラコーヒー1杯無料

↑ボリューミーな朝食アンホーリー・モーリー・パンケーキRp.8万5000

↑スーパー・グリーン・ゴッドネスRp.5万5000

↑アンガスビーフのパティがジューシー。ヌード・バーガーRp12万5000

↑山小屋のような2階建ての建物に100～150店のテナントが出店

かわいいアイテムの宝庫！

ラブ・アンカー・チャングー

Love Anchor Canggu

MAP 付録P.10 B-2

アンティーク＆クラシックな雑貨や工芸品、ファッションアイテムなどがずらりと並ぶバザール。商品は主に地元のアーティストによるハンドメイド。値段は基本交渉制。

☎0361-9091276 交 バリ・デリから車で35分 所 Jl, Pantai Batu Bolong No.56, Canggu 営9:00～21:00 休無休 E カード

↑木製の装飾ボード

→フラミンゴ・ポーチRp.4万5000

↑ココナッツに入れたドラゴンフルーツが鮮やかなスムージーボウルRp.7万

木洩れ日の下のひととき

ペニー・レイン

Penny Lane

MAP 付録P.10 A-3

サーファーの新天地チャングーの中心にある人気カフェレストラン。ヘルシーでカラフルな料理はSNS映えして味もGood! 夜中までカクテルを傾ける旅行者で賑わう。

☎0851-7442-7085 交 バリ・デリから車で50分 所 Jl. Munduk Catu No.9, Canggu 営8:00～24:00(LO22:20) 休無休 E E カード

←8～13時の時間帯限定のグッドライフ・ブレックファスト・プレートRp.12万

↑木々の枝が織りなす吹き抜けのアーチ型天井が異次元空間を演出

オージー発の人気ブランド

デウス・エクス・マキナ

Deus Ex Machina

MAP 付録P.10 B-2

モーターサイクルやサーフカルチャーを取り入れたライフスタイルを発信する、オーストラリア発のアパレルブランド。チャングー店にはショップのほかレストランやギャラリーも併設している。

☎081-1388-315 交 バリ・デリから車で35分 所 Jl. Batu Mejan No.4, Canggu 営8:00～22:00 休無休 E カード

↑チャングー・アドレス・トラッカーRp.39万5000

←バリ島オリジナル・女性用タンクトップRp.42万5000

↓日本より低価格でバリ島オリジナルTシャツなどが手に入る

メイド・イン・バリのコスメ

イシャ・ナチュラルズ

ISHA Naturals

MAP 付録P.10 C-2

バリ島のオーガニック素材を使用したハンドメイドのナチュラルコスメショップ。バリ島の高級スパ施設でも重宝され、在住の日本人にも人気が高い。ほとんどの商品が試供可能。

☎081-3387-10742 交 バリ・デリから車で35分 所 Jl. Pantai Batu Bolong No.37, Canggu 営9:00～19:00 休無休 E カード

↑保湿効果のある成分とオイルを使用。フェイシャル・エリクシルRp.33万

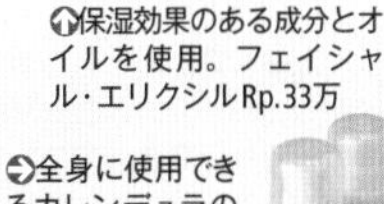

→全身に使用できるカレンデュラのバーム。カレンデュラ・オール・パーパスRp.12万1000

↓ミニマリズムを意識したシンプルなインテリアやパッケージ

バリ島の最新トレンド発信地

クロボカン&スミニャック
Kerobokan & Seminyak

デンパサール
サヌール
チャングー
クタ
ジンバラン
ヌサ・ドゥア

メインストリートを散策しながら、世界各国から集まった高感度な個性派ブティックやハイレベルなディナーを楽しもう。

MAP 付録P.12-13 / P.14-15

静かで落ち着いた大人の街&旬のファッションタウン

上品な雰囲気を漂わせる大人の街クロボカンと、ハイセンスなショップやダイニングが集まるバリ島きってのおしゃれタウン、スミニャック。バリ島に魅せられて移り住んだ外国人が経営する店が多く、それぞれにオーナーの感性が反映されている。

ラヤ・クロボカン通りにはインテリアショップが軒を連ね、アジアンテイストの家具はどれもセンス抜群。素朴な風景に溶け込む隠れ家ヴィラがひっそりと点在するのも、クロボカンの特徴。喧騒を離れて静かに滞在したい人におすすめだ。カユ・アヤ通り(通称オベロイ通り)には一流シェフが腕をふるうレストランが多く、世界各国の料理が味わえる。アルジュナ通り(ダブル・シックス通り)やチャンプルン・タンドゥ通りにはナイトスポットが充実しており、夜を満喫できる。

↑スミニャック・スクエアの1階にはおしゃれなカフェや雑貨店が集まる

↑プティトゥンガット通り沿いにあるヒンドゥ寺院

アユ ゲストハウス2
Lv8リゾート ホテル
Jl. Subak Sari
コメア
ヴィラアバロン バリ
P.45
カフェ・デル・マール
Café del Mar
P.12/P.71
マリ・ビーチクラブ
Mari Beach Club
Jl. Batu B
グランド バリサニ スイーツ
クタ湾
Teluk Kuta
P.67
スター・フィッシュ・ブルー
Starfish Bloo
W バリ スミニャ

スターウッド系の最上位ブランド「W」ホテル。一帯には高級リゾートが多い

↑夕日が沈むビーチとイタリア料理が楽しめるラ・ルッチオーラ

↑プティトゥンガット通りはおしゃれなカフェやレストランが並ぶ人気スポット

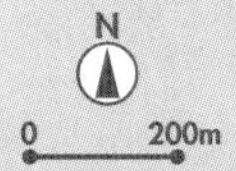

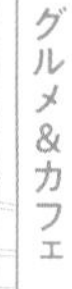

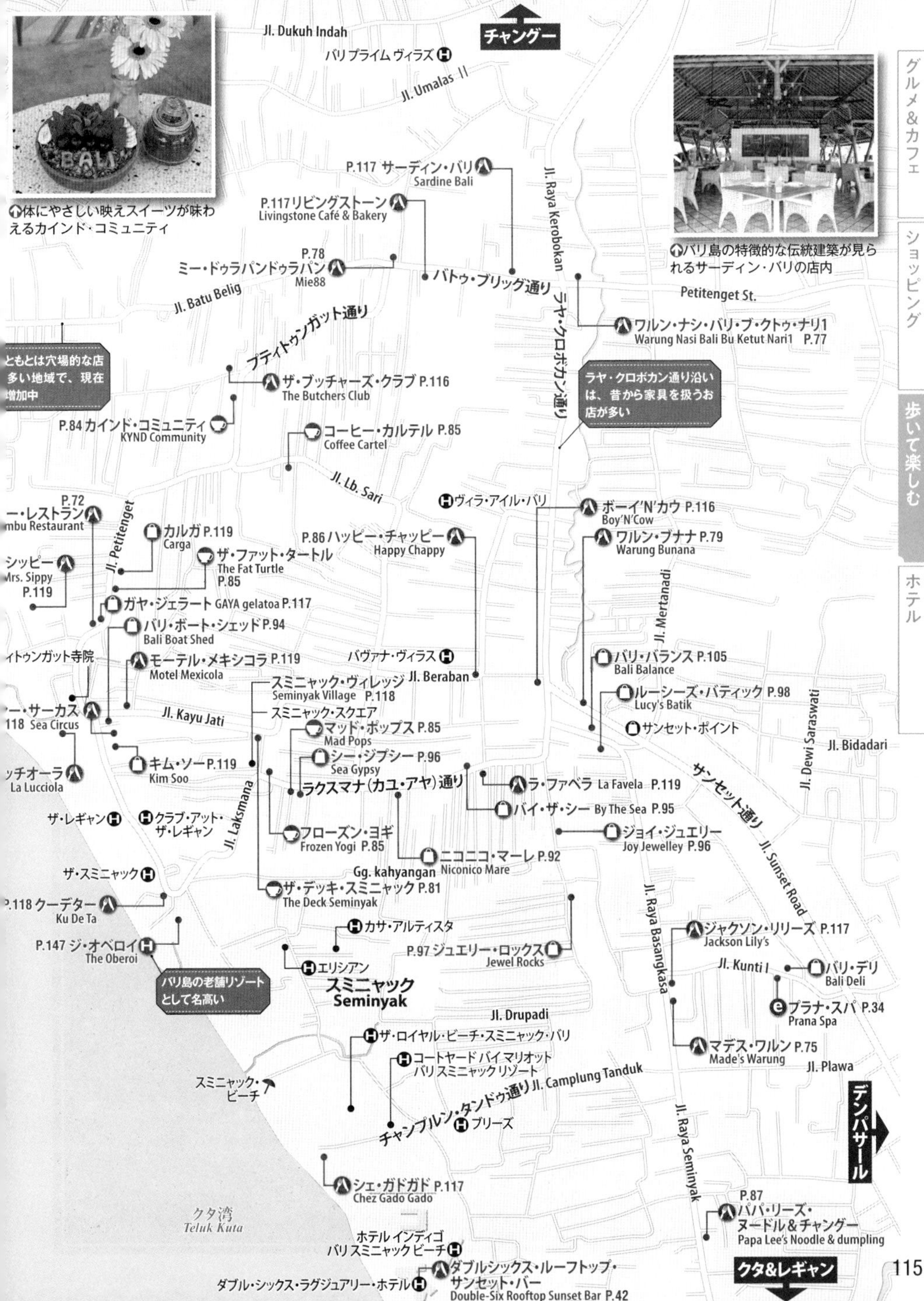

体にやさしい映えスイーツが味わえるカインド・コミュニティ

バリ島の特徴的な伝統建築が見られるサーディン・バリの店内

クロボカン＆スミニャックで話題のレストラン

流行の発信地で、おしゃれに敏感な観光客を唸らせるとっておきレストランを楽しみたい。

クオリティとボリュームで
評判のステーキハウス

ボーイ'N'カウ

Boy'N'Cow

MAP 付録P.13 F-4

厳選した穀物＆牧草で育てた牛肉を使用。28日間乾燥熟成させたビーフの炭火焼きステーキは店の自慢の一品。ビーフやチキンのほか、サーモンやシーフードグリルもおすすめ。

☎0361-9348468 交バリ・デリから車で5分 所Jl. Raya Kerobokan No.138, Seminyak 営12:00〜23:00 休無休 E E

↑倉庫を改装し、黒を基調としたスタイリッシュな内装は落ち着いた雰囲気。上質肉のショップも併設

←グリル・オクトパスRp.32万、白グラスワインRp.17万

ザ・ブッチャーズ・クラブ

The Butchers Club

MAP 付録P.13 D-3

香港発のハンバーガーとステーキの店。冷凍ものは使わず、パティにはその日にミンチした肉のみを使用。熟成肉の濃厚な旨みを堪能できる。

☎0361-8974004 交バリ・デリから車で15分 所Jl.Cendrawasih, Petitenget, Kerobokan 営8:00〜23:00 休無休 E E

→ゆったりとしたテラス席。夜はムードある雰囲気に

→分厚いパティを2枚重ねた食べごたえのあるダブル・ハピネスRp.23万5000

肉の旨みがぎっしり
インパクト大の巨大バーガー

海を望むロマンティックなレストラン

←シーフード・フィットチーネRp.13万9000(手前)、カラマリ・フリッターRp.8万3000(中央)、シェ・ガドガド・ライス・ボウルRp.9万7000(奥)

↑もともとは30年もの歴史を誇るナイトクラブ

シェ・ガドガド

Chez Gado Gado

MAP 付録P.14 C-3

スミニャックビーチに隣接する海が見渡せるおしゃれなレストラン。夕暮れどきは、ランプの光で幻想的な雰囲気に包まれる。オランダ人シェフの独創的な地中海料理は絶品。

☎0877-58708066 交バリ・デリから車で15分 所Jl. Camplung Tanduk 99, Seminyak 営11:00～24:00 休無休

斬新な発想を生かした遊び心あふれるケーキ

↑本物の「ヌテラ」と見分けがつかないヌテラ・ケーキボトルRp.6万

→木製の家具が配置されたモダンで落ち着きのあるインテリア

リビングストーン

Livingstone Café & Bakery

MAP 付録P.13 E-2

焼きたてのパンと焼き菓子、コーヒーが味わえるカフェ。なかでも、「ヌテラ」のボトルをかたどったチョコレートムースがユニーク。豊富な朝食メニューも見逃せない。

☎0361-4735949 交バリ・デリから車で15分 所Jl.Petitenget 88X, Kerobokan 営7:00～11:45、12:15～22:00 休無休

サーディン・バリ

Sardine Bali

MAP 付録P.13 E-2

→高い天井と竹を用いた内装が特徴的なバリの伝統建築

自家栽培のオーガニック野菜や新鮮な魚を使った地中海料理が自慢。仕入れにより毎日メニューが変わり、付け合わせや薬味にまで工夫を凝らした繊細な料理に定評がある。

☎087-7781-87390 交バリ・デリから車で15分 所Jl.Petitenget No.21, Kerobokan 営11:30～翌1:00(フードは～23:00) 休無休

←グリルド・ホール・フィッシュ"ジンバランスタイル"Rp.36万

↓水田や畑に囲まれたセミオープンの心地よいダイニング

最高の食材を使った地中海料理

Shop アイスが食べたい!

Rp.5万3000～

ガヤ・ジェラート

GAYA gelato

MAP 付録P.13 D-4

パパイヤやパイナップルなどのトロピカル系のほか、キャラメルやミントなど鮮やかカラーが人気。

↑ピーナッツ・キャラメル、ピスタチオ、ストロベリーのミディアム・カップ

↓色とりどりのアイスが並ぶショーケース

☎0819-99807888 交バリ・デリから車で17分 所Jl. Raya Petitengat No.2002, Seminyak 営10:00～23:00(土・日曜は～23:30) 休無休

ジャクソン・リリーズ

Jackson Lily's

MAP 付録P.15 E-2

その日、市場で仕入れた新鮮な魚介類を使った贅沢なアジア料理。ほかに1mのピザやハンバーガー、焼きたてのケーキやペストリーも大好評。トロピカル・カクテルも充実。

☎0361-4740121 交バリ・デリから徒歩5分 所Jl. Raya Seminyak No.2, Seminyak 営8:00～22:00 休無休

→客席から料理を作るスタッフが見える広いオープンキッチン

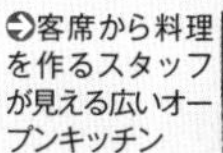

↓春巻、エビ餃子、フライドチキンの点心Rp.11万

モダンカフェ・スタイルのアジアン・ビストロ

→キャラメルピーナッツのドリンク。中国酢が隠し味

多国籍なクロボカン＆スミニャックのいち押し店

外国人観光客で賑わう華やかな街。レストランもショップも人気店はハズレなし！

最先端のトレンドが集結

スミニャック・ヴィレッジ

Seminyak Village

MAP付録P.14 B-1

スミニャック最大級の複合施設。世界的ブランド店からバリ島のローカルショップまで、スタイリッシュな店舗が集まる。洋服やコスメ、雑貨のほか、話題のスイーツにも注目。

☎0361-738097 交バリ・デリから車で15分 所Jl.Kayu Jati, No.8, Seminyak 営10:00〜22:00 休無休

↑インテリア雑貨やアクセサリーなどかわいい小物も充実

↓曲線を取り入れた斬新な外観で、内部は吹き抜けの構造

朝から深夜まで賑わう店

クーデター

Ku De Ta

MAP付録P.14 B-2

ダイニングスペース、バーラウンジ、ビーチクラブがあるオールデイダイニングで、朝、昼、夜と異なる食事が楽しめる。毎日16時30分からはサンセットDJがスタート。

☎0361-736969 交バリ・デリから車で15分 所Jl. Kayu Aya No. 9, Seminyak 営8:00〜24:00 休無休

↑朝食メニューのグリーン・エッグスRp.9万。朝はインターナショナル料理が中心

→ビーチクラブのエントランスは無料。デイベットはチャージが必要

↓オープンエアの人気ダイニング。ゆっくりと朝食が味わえる

ヘルシーな朝食メニュー

シー・サーカス

Sea Circus

MAP付録P.14 A-1

ヴィーガン向け朝食から、ブリトーやタコス、ナチョスといった定番のメキシカンまで幅広い料理が楽しめる。各国の雑誌やSNSに頻繁に取り上げられるカラフルなウォールアートも注目。

☎081-1289-00311 交バリ・デリから車で16分 所Jl. Kayu Aya No.22, Seminyak 営7:30〜22:00 休無休

↑SNS用の写真撮影を目的に訪れるゲストも多い

→アサイー・スムージーRp.6万。イチゴやバナナをトッピング

↓リコッタ・パンケーキにバナナ、ミックスベリー、ピンクの綿菓子がのった看板朝食のフェアリー・フロス・パンケーキRp.8万5000

若者に人気のプールクラブ

ミシ・シッピー

Mrs. Sippy

MAP 付録P.12 C-3

人工ビーチ、塩水プール、飛び込み台、レストランやバーを備えたプールクラブ。DJイベントも頻繁に行われる。ミニマムチャージはRp.10万で、同金額の飲食と引き換えが可能。

☎082-1450-01007 交バリ・デリから車で17分 所Jl. Taman Ganesha, Gang Gagak 8, Seminyak 営10:00〜21:00 休無休 E E

↑トマトソースベースのプロシュート・ピザRp.21万(手前)。さっぱりしたソースのツナ・ステーキRp.20万(上)

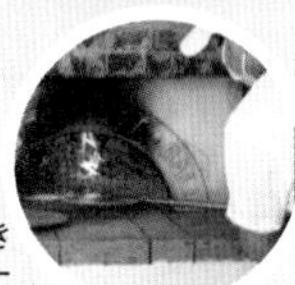

→レストランでは窯焼きピザも味わえるインターナショナル料理を提供

→リゾート感あふれるプールサイドでとっておきのひとときを

カラフルなメキシカンバー

モーテル・メキシコラ

Motel Mexicola

MAP 付録P.14 B-1

ヴィヴィッドカラーのウォールアートやタイル、ネオンライトで飾られた、フォトジェニックなメキシコ料理店。毎晩9時30分からはDJパフォーマンスが始まり、多くの客で賑わう。

☎0361-736688 交バリ・デリから車で18分 所Jl.Kayujati 9X, Petitenget 営11:00〜翌1:00 休無休 E E

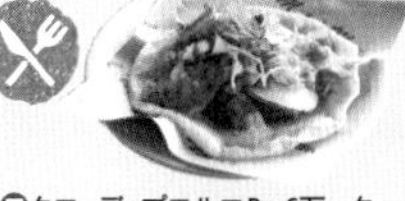

↗タコ・デ・プエルコRp.6万。クリスピー豚バラ肉がジューシー

↑SNSでも話題の、カラフルでご機嫌なスポット

アートセンスが光るクラブ

ラ・ファベラ

La Favela

MAP 付録P.15 D-1

←新鮮なツナの上にハーブをのせたツナ・カルパッチョRp.10万

ロンドンの地下バーなど、アンダーグラウンドの文化を反映した店内デザインが斬新。22時まではレストランとして利用でき、スパニッシュやメキシカン料理がいただける。

☎081-8021-00010 交バリ・デリから車で10分 所Jl. Laksamana Oberoi No.177X, Seminyak 営10:30〜翌3:00(週末は〜翌4:00) 休無休 E E

→民家を改装。ブラジルのスラム街ファヴェーラが店名の由来

上質デザインの、洗練雑貨を買う

さりげなくセンスが良く、品質も◎。そんな雑貨をお探しならこちらへ。

バリやインドネシアの質の高い多彩な雑貨

カルガ

Carga

MAP 付録P.13 D-3

竹、石、綿、革など天然素材を使った良質な雑貨を扱う。ほとんどが地元の職人によるハンドメイド。地元で作られたスキンケア商品も販売。

☎081-3385-88988 交バリ・デリから車で15分 所Jl. Petitenget No.886, Kerobokan 営8:00〜21:30 休無休 E

↑人気観光スポット、プティトゥンガット通りに立地

Rp.19万5000

↗フランジパニのフレグランスのキャンドル

Rp.4万5000

←フローラルデザインのコースター

Rp.9万5000

→バリ島の職人が手作りした木製の鳥の置物

ハンドメイドのモノクロホームウェア

キム・ソー

Kim Soo

MAP 付録P.14 A-1

モノクロームをコンセプトにした家具や雑貨、ファブリック商品が並ぶ。「快適な家具に囲まれてリラックスを」という思いからカフェも併設。

☎082-2471-30122 交バリ・デリから車で16分 所Jl. Kayu Aya No.21, Seminyak 営8:00〜17:30、カフェ7:30〜17:30 休無休 E

↑植民地時代に建てられた、コロニアル建築の廃墟を改装

→ビーズで装飾されたモダンなクッションカバー

Rp.45万

←スンバの伝統的な模様をモチーフにしたイカットのクロス

→ミルクジャグはコーヒー用のオリジナル商品

サーファーや旅行者で賑わうクタ・ビーチ

バリ島で最も賑やかな繁華街

クタ&レギャン
Kuta & Legian

デンパサール
サヌール
チャングー
クロボカン
ジンバラン
ヌサ・ドゥア

さまざまなショップやホテルが混在し、人や車が行き交うエネルギッシュな街。サーファー憧れのクタ・ビーチは、夕日を望む絶景ポイントとしても有名。

MAP 付録P.16-17/18-19

世界中から大勢の観光客が訪れる刺激に満ちたビーチタウン

かつて小さな漁村だったクタは、1960年代からサーファーが集まり、若者の街として発展。現在では隣接するレギャンとともに、バリ島随一の繁華街となっている。

街を南北に貫くレギャン通りには、みやげ物店や飲食店、バーやクラブなどがひしめき、夜遅くまで賑やか。海沿いのラヤ・パンタイ・クタ通りにはホテルが多く、サーフィンのメッカであるクタ・ビーチは、サンセットの名所としても知られる。

ショッピングスポットも充実しており、人気ブランド店が入居するビーチウォークをはじめ、カルティカ・プラザ通りにあるディスカバリー・ショッピング・モール、クタ・スクエア。他にも免税店のモール・バリ・ギャラリア・クタなどが点在。買い物のあとは、多彩なグルメやナイトライフも楽しみたい。

↑レギャン通りから海沿いのラヤ・パンタイ・クタ通り周辺はとても賑わう

↑ムラスティ通り沿いのパサール・スニではビーチドレスなどが

アルジュナ(ダブルシックス)通り

ラマダ・リゾート・カマキラ

↑サーフィンや夕日観賞がバリ島屈指の人気を誇るクタ・ビーチ

クタ湾
Teluk Kuta

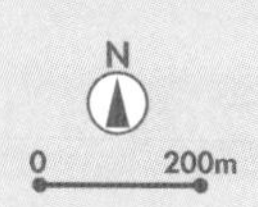

↑おみやげをはじめ、何でも揃うディスカバリー・ショッピング・モール

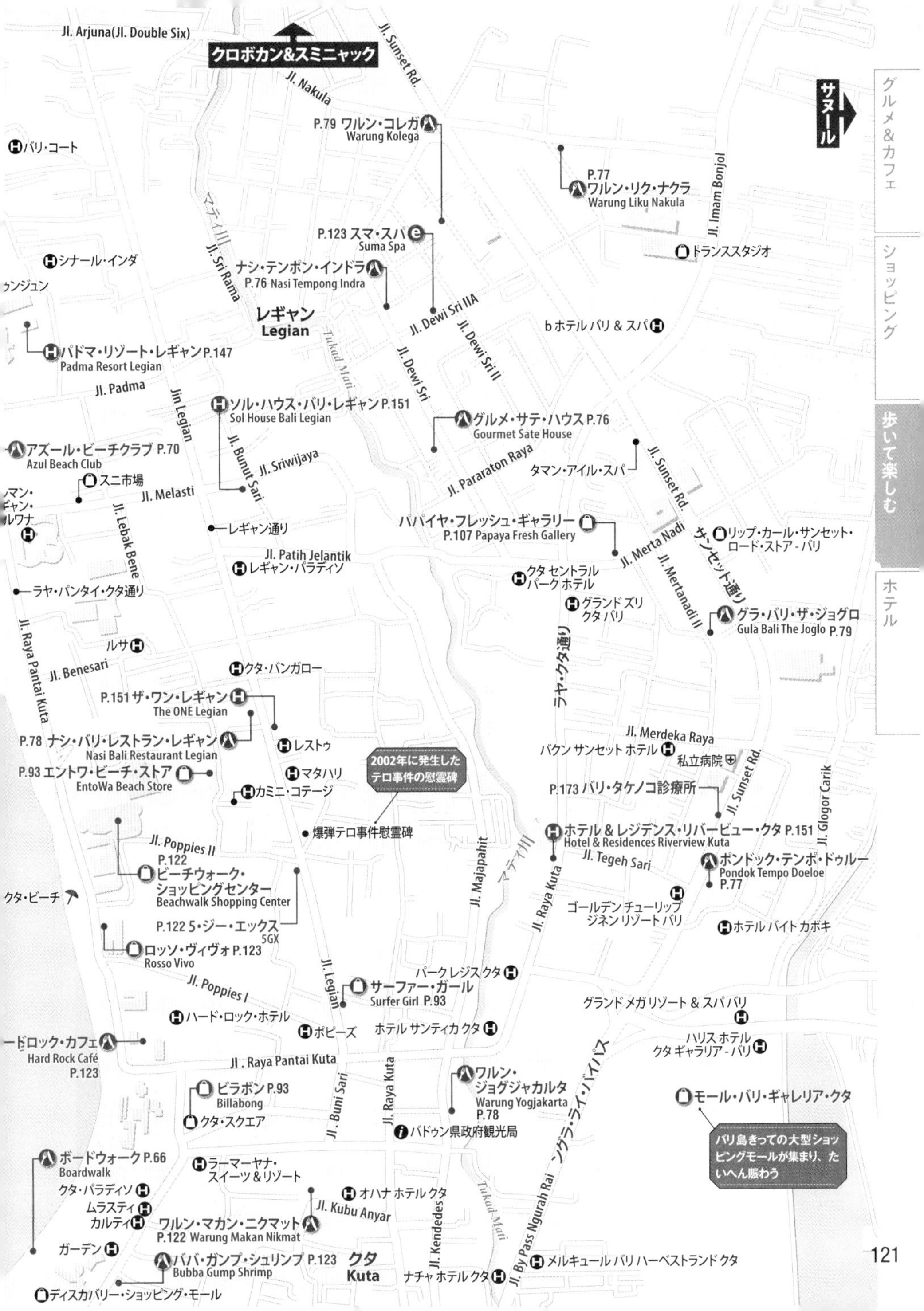
Jl. Arjuna(Jl. Double Six)
クロボカン&スミニャック
Jl. Sunset Rd.
Jl. Nakula
サヌール
P.79 ワルン・コレガ
Warung Kolega
バリ・コート
P.77
ワルン・リク・ナクラ
Warung Liku Nakula
Jl. Imam Bonjol
マティ川
Jl. Sri Rama
P.123 スマ・スパ
Suma Spa
トランススタジオ
シナール・インダ
ナシ・テンポン・インドラ
P.76 Nasi Tempong Indra
ンジュン
レギャン
Legian
Jl. Dewi Sri IIA
Jl. Dewi Sri II
b ホテル バリ & スパ
パドマ・リゾート・レギャン P.147
Padma Resort Legian
Tukad Mati
Jl. Dewi Sri
Jl. Padma
Jln Legian
ソル・ハウス・バリ・レギャン P.151
Sol House Bali Legian
グルメ・サテ・ハウス P.76
Gourmet Sate House
アズール・ビーチクラブ P.70
Azul Beach Club
Jl. Bunut Sari
Jl. Sriwijaya
Jl. Pararaton Raya
タマン・アイル・スパ
Jl. Sunset Rd.
スニ市場
Jl. Melasti
Jl. Lebak Bene
レギャン通り
パパイヤ・フレッシュ・ギャラリー
P.107 Papaya Fresh Gallery
Jl. Merta Nadi
サンセット通り
リップ・カール・サンセット・ロード・ストア・バリ
Jl. Patih Jelantik
レギャン・パラディソ
クタ セントラル パーク ホテル
Jl. Mertanadi II
ラヤ・パンタイ・クタ通り
グランド ズリ クタ バリ
グラ・バリ・ザ・ジョグロ
Gula Bali The Joglo P.79
ラヤ・クタ通り
Jl. Raya Pantai Kuta
ルサ
Jl. Benesari
クタ・バンガロー
P.151 ザ・ワン・レギャン
The ONE Legian
Jl. Merdeka Raya
P.78 ナシ・バリ・レストラン・レギャン
Nasi Bali Restaurant Legian
レストゥ
2002年に発生したテロ事件の慰霊碑
バクン サンセット ホテル
私立病院
P.93 エントワ・ビーチ・ストア
EntoWa Beach Store
マタハリ
P.173 バリ・タケノコ診療所
カミニ・コテージ
Jl. Sunset Rd.
Jl. Glogor Carik
爆弾テロ事件慰霊碑
ホテル&レジデンス・リバービュー・クタ P.151
Hotel & Residences Riverview Kuta
Jl. Poppies II
P.122
ビーチウォーク・ショッピングセンター
Beachwalk Shopping Center
Jl. Majapahit
マティ川
Jl. Tegeh Sari
ポンドック・テンポ・ドゥルー
Pondok Tempo Doeloe
P.77
クタ・ビーチ
Jl. Raya Kuta
ゴールデン チューリップ ジネン リゾート バリ
P.122 5・ジー・エックス
5GX
ホテル バイト カボキ
ロッソ・ヴィヴォ P.123
Rosso Vivo
パークレジス クタ
Jl. Poppies I
Jl. Legian
サーファー・ガール
Surfer Girl P.93
グランド メガリゾート & スパバリ
ハード・ロック・ホテル
ポピーズ
ホテル サンティカクタ
ードロック・カフェ
Hard Rock Café
P.123
ハリス ホテル クタ ギャラリア - バリ
Jl. Raya Pantai Kuta
ワルン・ジョグジャカルタ
Warung Yogjakarta
P.78
ングラ・ライ・バイパス
ビラボン P.93
Billabong
Jl. Buni Sari
Jl. Raya Kuta
モール・バリ・ギャレリア・クタ
クタ・スクエア
バドゥン県政府観光局
パリ島きっての大型ショッピングモールが集まり、たいへん賑わう
ボードウォーク P.66
Boardwalk
ラーマーヤナ・スイーツ&リゾート
クタ・パラディソ
オハナ ホテル クタ
ムラスティ
Jl. Kubu Anyar
Jl. Kendedes
Tukad Mati
カルティ
ワルン・マカン・ニクマット
P.122 Warung Makan Nikmat
Jl. By Pass Ngurah Rai
ガーデン
ババ・ガンプ・シュリンプ P.123
Bubba Gump Shrimp
クタ
Kuta
メルキュール バリ ハーベストランド クタ
ナチャ ホテルクタ
ディスカバリー・ショッピング・モール

クタ&レギャン、満喫するならこのお店！

バリ島一の繁華街、まずはテンションの上がる場所へ！

↑アラカルトでは、スープ料理やナシ・ゴレンがおすすめ

日替わり提供の豚肉を使わないハラル料理

ワルン・マカン・ニクマット

Warung Makan Nikmat

MAP 付録P.19 D-2

全メニューがハラル料理で、豚肉は不使用。香ばしいアヤム・バカール（チキンのBBQ）や甘辛く味付けしたテンペなど、約80種類の日替わりメニューがある。

☎0361-764678 交ビーチウォークから車で7分 所Jl. Bakung Sari Gg. Biduri No.6A, Kuta 営8:00～21:00 休無休 E 日

→多彩な味が勢揃いのナシ・チャンプルRp.4万

↑創業25年の老舗。昼は行列ができ、夕方には売り切れる

バリ島屈指の買い物天国

ビーチウォーク・ショッピング・センター

Beachwalk Shopping Center

MAP 付録P.16 B-4

クタ・ビーチ前に位置する近代的な巨大ショッピングモール。グローバルブランドショップから、バリ島の工芸品の店、映画館まで220以上のテナントが集まる。

☎0361-8464888 交パンタイ・クタ通り沿い 所Jl.Pantai Kuta, Kuta 営10:30～22:30 休無休 E カード

↑施設内はフォトジェニックな装飾や写真スポットもある

↑グリーンガーデンや人工池もあり、散策も楽しめる

↑3階の休憩所は、クタ・ビーチを見渡す絶好のビュースポット

最高な絶叫アトラクションへ！

スリル満点の逆バンジー

5・ジー・エックス

5GX

MAP 付録P.16 C-4

時速250kmで地上から一気に上空へ。ゴムの力で座席ごと投げ出されるため、逆バンジーとも呼ばれる。所要時間は3分程度。自分の絶叫顔が映った写真や動画の購入もできる。

☎081-9997-33399 交ビーチウォークから徒歩10分 所Jl.Raya Legian 99, Kuta 営11:00～翌3:00 休無休 E 日 カード

↑2本の鉄塔から垂れ下がったゴムの先に座席があり、勢いよく飛び上がる

スピードと浮遊感がクセになりそう！

海辺で味わうイタリアン

ロッソ・ヴィヴォ

Rosso Vivo

MAP 付録P.16 B-4

クタ初の本格イタリアンレストランとして創業。海を見渡すダイニングで、イタリア料理のほか、フレンチやインドネシア料理も味わえる。朝食ビュッフェも人気。

☎0361-3349090／0361-751961 交ビーチウォークから徒歩3分 所Jl.Pantai Kuta, Kuta 営7:00～24:00 休無休 E E

↑炎がエキサイティングな火山ピザRp.24万とトロピカルサンセットRp.12万5000

←ソファが並ぶテラス席やセミオープンの屋内席がある

海と太陽とシーフードの店

オーシャン

Ocean

MAP 付録P.18 B-2

魚、イカ、エビのグリルなど最高級品をリーズナブル・プライスで提供。味は太鼓判。夕日が海に傾く頃、息をのむ景色にグラスを傾けたい。

☎081-1397-0407 交空港から車で15分 所Discovery Shopping Mall(ビーチ), Jl. Kartika Plaza, Kuta 営9:00～22:00 休無休 E E

↑グリル・フィッシュRp.12万5000

↓イカグリルRp.10万、ブラウン・サラダRp.8万5000、マンゴージュースRp.3万

←潮風を肌に感じるビーチ席は気分も上々

アメリカ料理と音楽を堪能

ハード・ロック・カフェ

Hard Rock Café

MAP 付録P.18 C-1

世界中に展開する人気レストラン。ハンバーガーやステーキなど、家族やグループで分け合えるボリューミーなアメリカ料理を提供する。22時以降は毎日ライブを開催。

☎0361-755661 交ビーチウォークから徒歩5分 所Jl.Pantai Kuta, Banjar Pande Mas, Kuta 営11:00～24:30(金・土曜は～翌1:30) 休無休 E E

↓スモークした豚肉を挟んだハンバーガー、ザ・テキサン・ポーク

←ニューヨーク・ストリップ・ステーキRp.31万9000～

↑レトロな雰囲気の内装とロック関連の装飾品が調和

ホテル最上階の贅沢スパ

スマ・スパ

Suma Spa

MAP 付録P.17 D-1

日本からのお客が7割で、受付は日本語対応も可能。マンゴスチンを使用した天然オリジナルプロダクトによるトリートメントが人気を集める。各部屋にバスタブを完備。

☎0361-8947100 交ビーチウォークから車で23分 所Jl.Dewi Sri No.68, Kuta 営10:00～23:00 休無休 E E

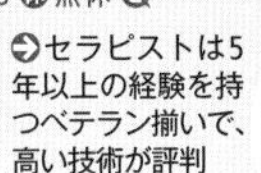

↑施術後はフラワーバス、またはミルクバスでリラックス

←日本人デザイナーが手がけた内装

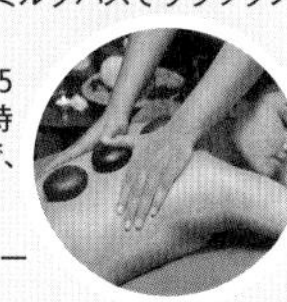

→セラピストは5年以上の経験を持つベテラン揃いで、高い技術が評判

エビ料理が盛りだくさん

ババ・ガンプ・シュリンプ

Bubba Gump Shrimp

MAP 付録P.18 C-2

映画『フォレスト・ガンプ』をテーマとしたアメリカ発レストラン。エビ料理をはじめとするシーフードのほか、ハンバーガー、リブなどが揃う。アメリカの古い漁師小屋を再現した雰囲気も印象的。

☎0361-754028 交ビーチウォークから車で7分 所Jl.Kartika Plaza No.8X, Kuta 営11:00～23:00 休無休 E E

↓オリジナルグッズを販売するショップも併設

←4種類のエビフライが楽しめるシュリンパーズ・ヘブンRp.29万8000

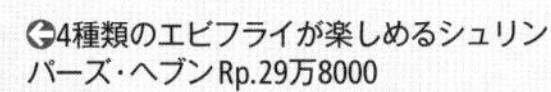

↓エル・ティー・ダンズ・サーフ&ターフRp.29万8000

↓オール・アメリカン・BBQ・チーズバーガーRp.18万8000

映画の世界観を満喫できるよ！

→斬新なカクテル、コロナリータRp.26万8000

素朴な漁村に高級リゾートが点在

ジンバラン
Jimbaran

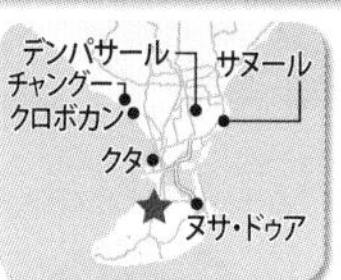

人々の暮らしが息づく漁村の風情と
極上ホテルの洗練された雰囲気が共存。
夕焼けに染まる海と空を眺めながら
ビーチで味わうシーフードBBQは格別。

MAP 付録P.20

空港近くの静かなリゾートエリア
名物のイカン・バカールも魅力

ングラ・ライ国際空港のすぐ南に位置する静かなエリア。フォーシーズンズ・リゾートやアヤナ・リゾート＆スパなど、世界に名だたる高級ホテルが集まる。一方、のどかな漁村の風情も色濃く残り、獲れたての魚介が並ぶ魚市場は活気あふれる雰囲気。夜はイカン・バカールと呼ばれる浜辺のシーフードBBQが名物で、ジンバラン・ビーチ沿いには多数のレストランが連なり、夕暮れどきになると香ばしい煙が立ち上る。

ウルワツ通りは、庶民の生活が垣間見られるメインストリート。ウルワツ2通りには人気ショップが点在し、陶器ブランドのジェンガラ・ケラミック本店が有名だ。2016年にオープンした複合施設のサマスタ・ライフスタイル・ヴィレッジには、おしゃれな店舗が集結している。

ジンバラン市場。水揚げされた新鮮な魚介がずらりと並ぶ

ウルワツ通り沿いにあるウルン・シウィ寺院

カユマニス・プライベート・ヴィラ＆スパ内に併設しているカユマニス・レスト・ジンバラン

ジンバラン湾
Teluk Jimbaran

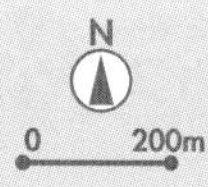

インドネシアの伝統的な焼き魚料理をイカン・バカールで

インフィニティ・プールが素晴らしいフォーシーズンズ

フォーシーズンズ・リゾート・バリ・アット・ジンバラン・ベイ

アヤナ・リゾート＆スパ

ングラ・ライ(デンパサール)国際空港
Jl. Pantai Kelan
Jl. Taman Sari
ジンバラン市場
Jl. Segara Madu
ケドンガナン魚市場
ココ デ ヘヴン ハウス
ブノア湾
Teluk Benoa
Jl. Pasir Putih
Jl. Toyaning
ケドンガナン ビーチ
Jl. Pantai Kedongan
Jl. Raya Uluwatu
Jl. By Pass Nguran Rai
Jl. Pengeracikan
プリ・バンブー
Jl. Pemelisan
Jl. Segara Wangi
ラヤ・ウルワツ通り
ングラ・ライ・バイパス
ジンバラン ベイ ビーチ リゾート&スパ バイ プラブー
Jl. Batas Kauh
ジンバラン寺院
Jl. Pantai Sari
ウルン・シウィ寺院
Jl. Pemelisan Agung
ジンバラン市場
Jl. Ulun Siwi
Uluwatu St.
夕方以降、大勢の人で賑わいをみせるイカン・バカール
P.75
カユマニス・レスト・ジンバラン
Kayumanis Resto Jimbaran
.43 ジンバラン・ビーチ沿いの イカン・バカール
Ikan Bakar at Jimbaran Beach
ジンバラン
Jimbaran
ジンバラン・ビーチ
インドネシア人建築家・ヘンドラ氏が手がけた老舗リゾート
ンター・コンチネンタル・バリ・リゾート
Jl. By Pass Nguran Rai
Uluwatu St.
バルキーゼ ヘリテージ ホテル
ジンバラン レスタリ ホテル&レジデンシズ スパ
スンダラ P.44
Sundara
ウルワツ通り
Jl. Bukit Permai
ニルマラ ホテル ジンバラン
ウルワツ2通り
Jl. Raya Kampus Unud
クプクプ・ジンバラン
Jl. Uluwatu 2
P.100 ジェンガラ・ケラミック
Jenggala Keramik
バリ パラゴン リゾート ホテル
サマスタ・ライフスタイル・ヴィレッジ

巨大市場や問屋街の散策が楽しい

デンパサール
Denpasar

チャングー
クロボカン
クタ
ジンバラン
ヌサ・ドゥア
サヌール

熟れた果物や香辛料が多彩な匂いを放つ
活気に満ちた庶民的な市場を探訪。
地元の人々の日常を肌で感じたあとは
寺院や博物館で歴史と文化を学びたい。

MAP 付録P.5 D-1

バリ州の州都でありながら 生活感あふれるローカルな街

行政機関や企業が集まるバリ州の州都。デンパサールとは「北の市場」の意味で、活気ある市場が多い庶民的な街でもある。

ププタン広場の西側に繁華街が広がり、ガジャ・マダ通りを中心に店舗が密集。スラウェシ通り沿いは布問屋街で、色とりどりの生地が鮮やかだ。バリ最大規模のバドゥン市場には、生鮮食品や日用品などが所狭しと並び、向かい側のクンバサリ市場は工芸品や雑貨が充実。2つの市場の間を流れるバドゥン川は最近きれいに整備され、やや南には複合施設のレベル21モールがオープンするなど、新たな開発も進んでいる。

一方、ププタン広場の東には、ジャガッ・ナタ寺院やバリ博物館などの観光スポットが点在。歴史や文化にふれながら、ビーチリゾートとは違った魅力を実感できる。

カラフルな布が陳列されたスラウェシ通りの問屋街

対オランダ独立戦争での悲劇の舞台となったププタン広場

地元食材や工芸品が揃う活気あるバドゥン市場

Jl. Setia Budi
デンパサール
Denpasar
Jl. Gunung Agung
Jl. Thamrin
プムチュタン宮殿
三浦襄の墓
実業家でインドネシアの独立に貢献したと称えられている
Jl. Imam Bonjol
Sungai Badung
イマム・ボンジョル通り
バドゥン川
クロボカン&スミニャック

イマム・ボンジョル通りに
ンパサール中心に位置する
通の要所

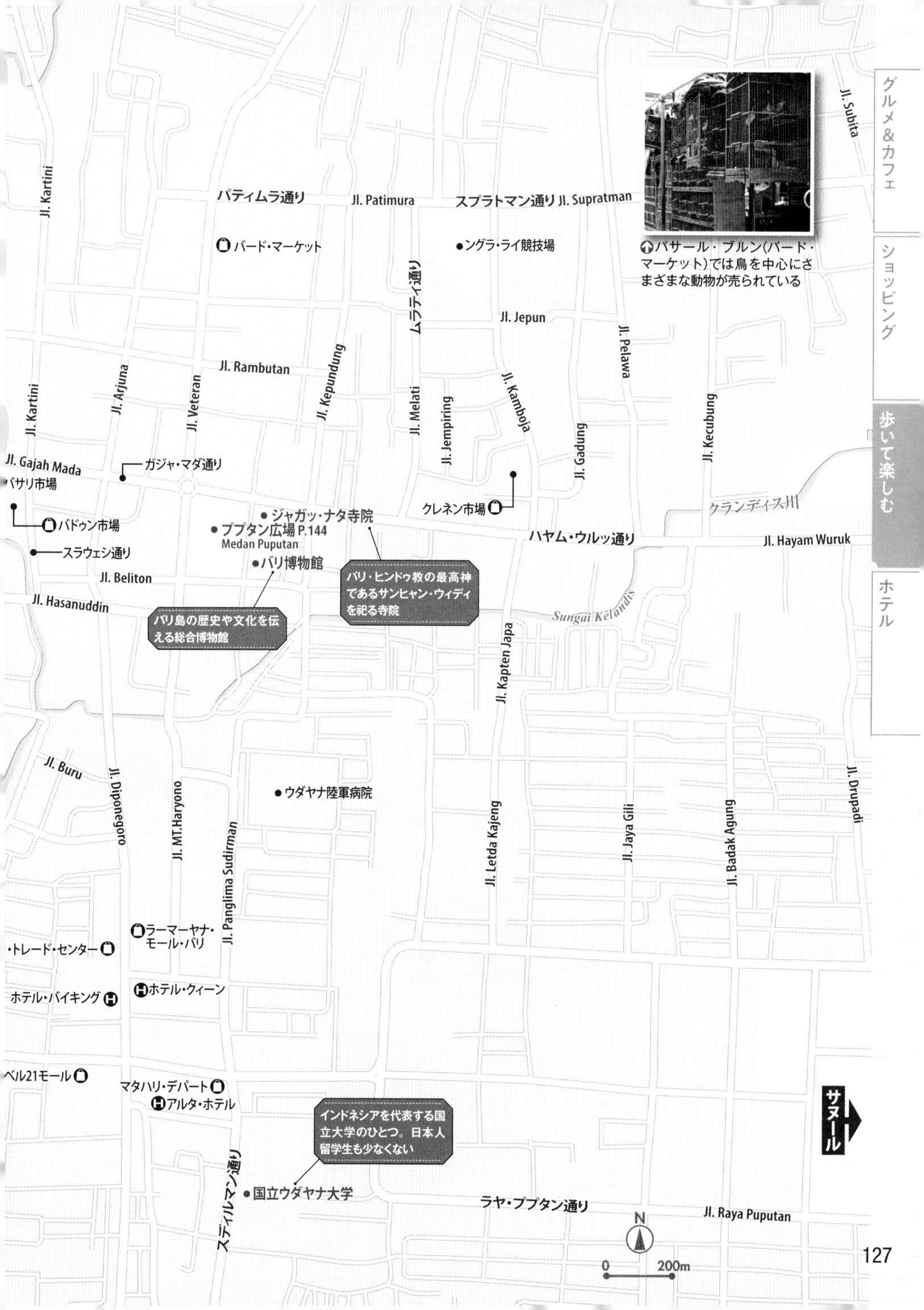

パサール・ブルン(バード・マーケット)では鳥を中心にさまざまな動物が売られている

グルメ&カフェ
ショッピング
歩いて楽しむ
ホテル

落ち着きのある老舗リゾート地

サヌール
Sanur

デンパサール
チャングー
クロボカン
クタ
ジンバラン
ヌサ・ドゥア

のんびりとした空気感が心地よい
古き良き時代を感じるビーチリゾート。
最近はおしゃれなスポットも登場し
再び人気エリアとして浮上している。

MAP 付録P.21

ほかのエリアに先駆けて開発された欧米人に人気の静かな保養地

オランダ統治時代の1930年代、多くの外国人がこの地に別荘を建てたのがリゾート開発の始まり。その後、ヌサ・ドゥアなど近隣エリアの発展によって一時期は衰退したが、静かで落ち着いたムードが支持され、欧米人を中心に根強い人気を誇る。

古き良き時代の面影はそのままに、最近は新たなスポットも増加中。目抜き通りのダナウ・タンブリンガン通りにはおしゃれなショップやヘルシーカフェが並び、チュマラ通りにも魅力的な店舗が次々と誕生している。ビーチ沿いには約5.5kmの遊歩道が続き、散歩にぴったり。早起きして朝日を見ながら歩くのも気持ちいい。途中には海を見渡すレストランが点在し、休憩や食事に最適。ル・メイヨール美術館やシンドゥ市場などの見どころも訪れたい。

シンドゥ市場に並ぶチャナン(お供え物)

ダナウ・タンブリンガン通り。クタと異なり、のどかな雰囲気

フィリップ・レイクマン・ケラミックでは芸術的な装飾タイルを取り扱う

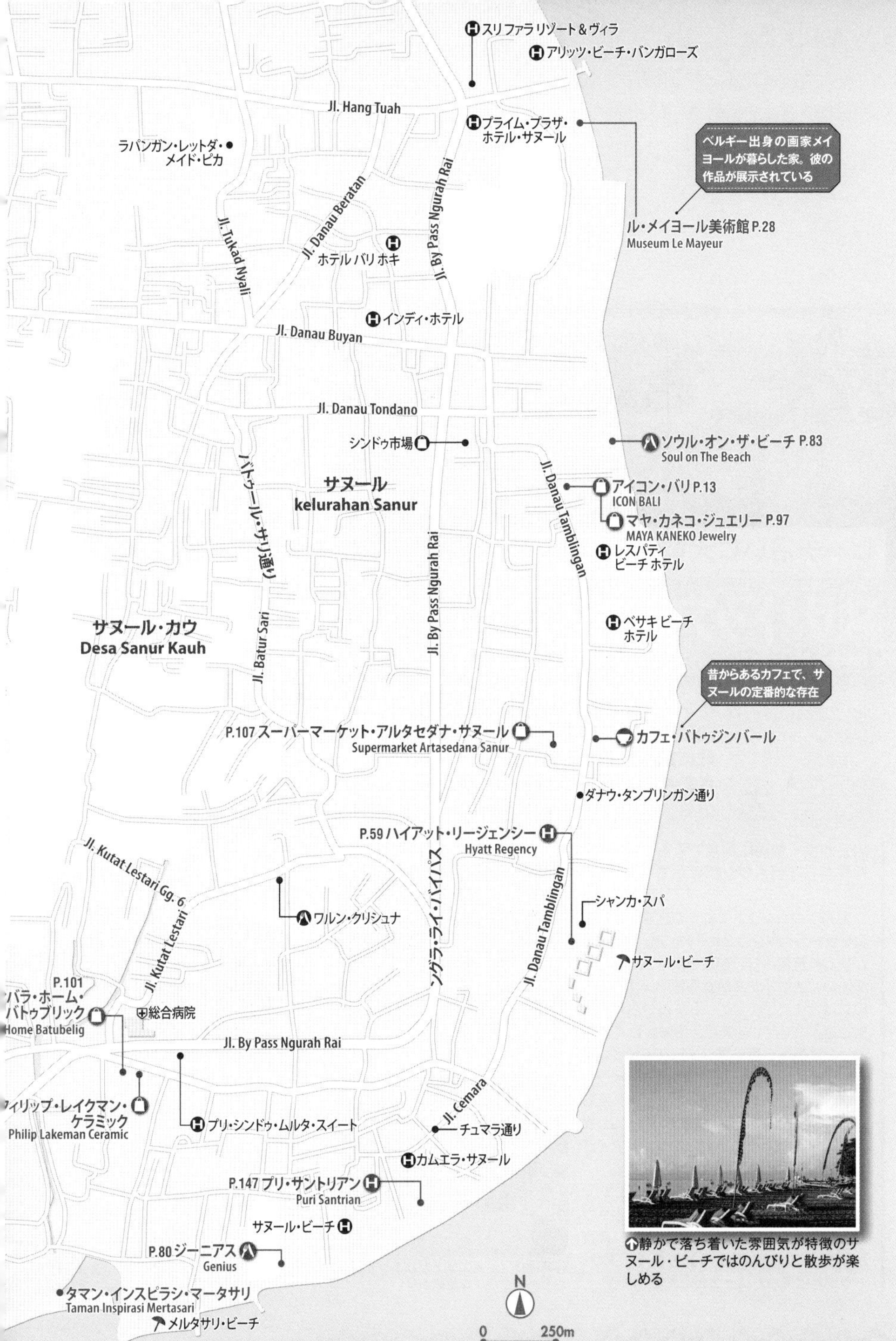

↑静かで落ち着いた雰囲気が特徴のサヌール・ビーチではのんびりと散歩が楽しめる

ビーチ沿いに大型ホテルが林立

ヌサ・ドゥア&ブノア
Nusa Dua & Benoa

ブノア湾
Benoa Bay
バリ・マンダラ有料道路
Bali Mandara Tall Rd.
ジンバラン
ングラ・ライ・バイパス
Jl. By Pass Ngurah R

デンパサール
チャングー
クロボカン
クタ
サヌール
ジンバラン

インドネシア政府が観光開発を進めた白砂のビーチが美しいヌサ・ドゥア。北に隣接するタンジュン・ブノアはさまざまなマリンスポーツのメッカ。

MAP付録P.22

治安が良く快適に滞在できる外界から遮断された閑静なエリア

国家プロジェクトによって造成された高級リゾートタウンのヌサ・ドゥア。地区全体が美しく整備され、白砂を敷き詰めたビーチ沿いに大型ホテルが立ち並ぶ。エリア入口にはセキュリティゲートが設けられ、外部と区別されているため、治安が良く整然とした雰囲気。東南アジア特有の雑多なイメージとは無縁で、贅沢なホテルライフを満喫できる。洗練されたショッピング施設もあり、多彩な店舗が集まるバリ・コレクションが人気。おしゃれなブランドアイテムのほか、日用品やおみやげも手に入る。

アクティブに海を楽しみたいなら、北上してマリンスポーツが盛んなタンジュン・ブノアへ。目抜き通りのプラタマ通りには庶民的なカフェやレストランも多く、ヌサ・ドゥアとは違ったローカルな風情が漂う。

↑ブノア半島にある日系ホテル、ホテル・ニッコー・バリ・ベノアビーチ

↑高級リゾートエリアだけあって、スパもハイクラスな施設が多い

↑ジャムウ・トラディショナル・スパでワークショップに参加しよう

ブノア
Desa Benoa

↑5ツ星リゾート内にあるラグジュアリーなマナライ・ビーチクラブ

↑ヌサ・ドゥアの大型ショッピングモールのバリ・コレクション

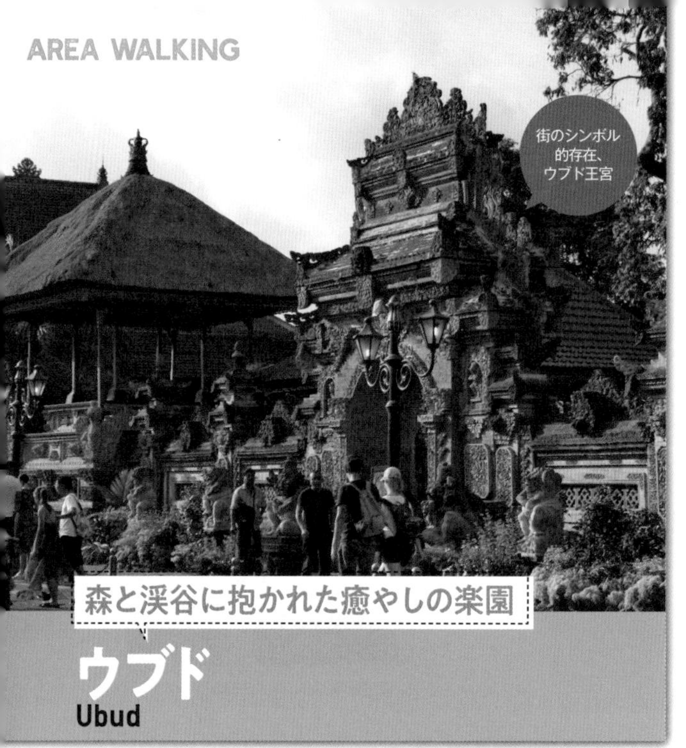

街のシンボル的存在、ウブド王宮

森と渓谷に抱かれた癒やしの楽園

ウブド
Ubud

緑深い山あいに美しい棚田が広がり
どこか懐かしさを感じさせる雰囲気。
気ままな街歩きや芸術鑑賞を楽しみ
渓谷を望む高級ヴィラでリラックス。

MAP 付録P.6-7/8-9

バリ伝統の絵画や舞踊など
独特の文化に彩られた芸術の村

標高約600mの山間部にあるウブドは、森と渓谷に囲まれた神秘的な場所。ヤシの木と棚田が織りなす風景が美しく、隠れ家ヴィラが自然に溶け込むように点在している。伝統芸能やアートの拠点でもあり、ネカ美術館のほかギャラリーも多数。夜はバリ舞踊の公演があちこちで行われ、心地よく響くガムランの音色が情緒を誘う。

市街地の中心に位置するウブド王宮が街のランドマーク。ここから南へ続くモンキーフォレスト通りと、東西に走るラヤ・ウブド通り沿いに、おしゃれなブティックやレストランが立ち並ぶ。ハノマン通りやデウィ・シタ通り、ゴータマ通りなどの路地裏にも個性的なショップが多く、散策にぴったり。モンキーフォレストでは、緑の中を歩きながら野生の猿に出会える。

↑旅行者に人気のカフェやショップが集まるデウィ・シタ通り

↑2023年に新しくなったウブド市場。地元住民や観光客で賑わう

↑ウブドにある渓谷を渡る美しく歴史的なチャンプアン橋

Pankang Siapsiap

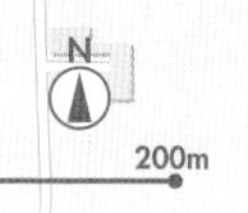

↑モンキーフォレストはウブドの中心にあり、自然と猿が共存するスポット

P.82 セージ
Sage

P.46 ウブド・ヨガ・センター
Ubud Yoga Center

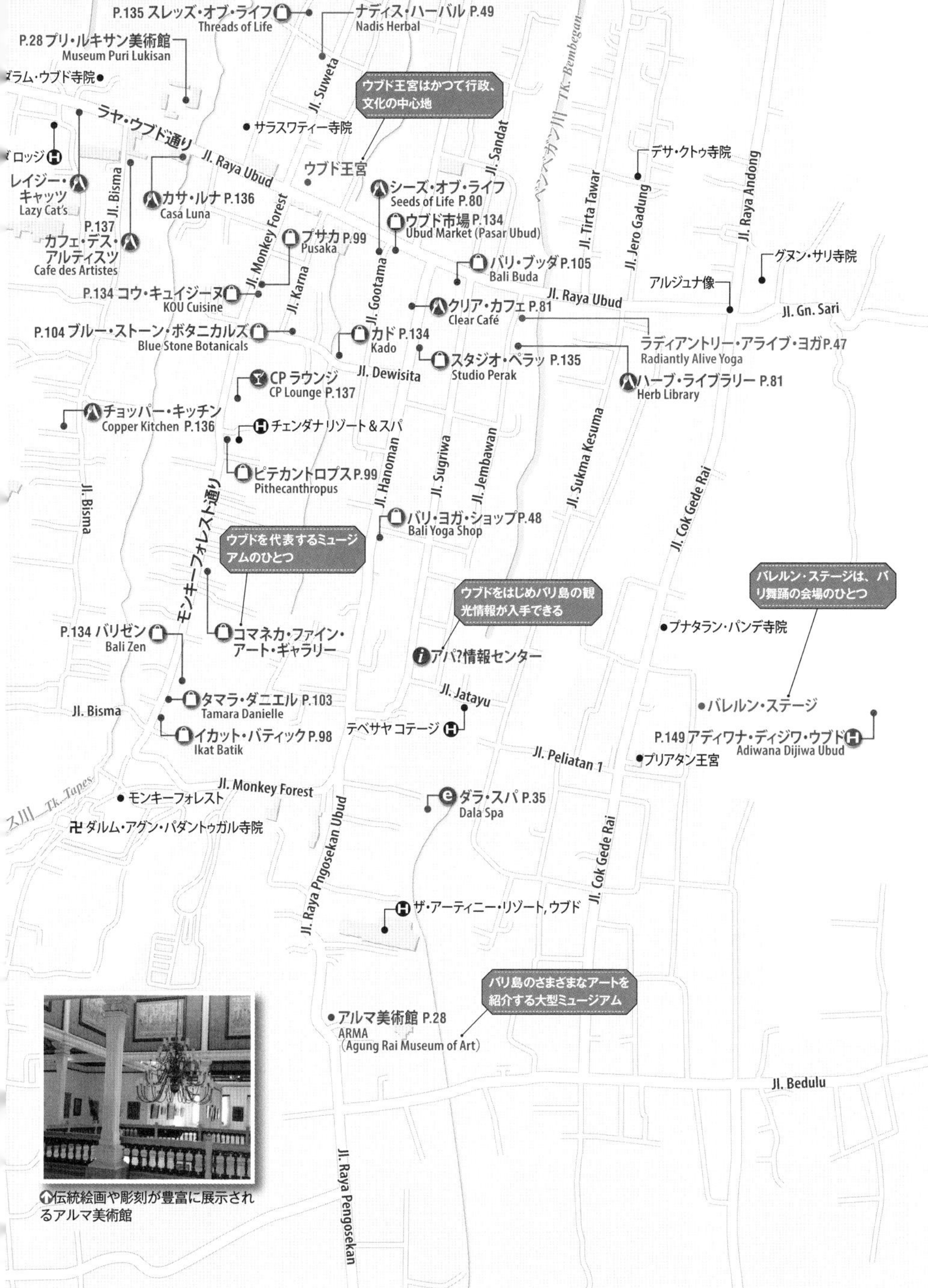

伝統絵画や彫刻が豊富に展示されるアルマ美術館

ウブドの個性的な雑貨さがし

ハンドメイドの雑貨や食べ物など、地元民にも人気なアイテムをゲットしたい。

Rp.12万5000~

コスメポーチ(中) A
手前からコーヒー豆、インディゴの葉、イソギンチャクがモチーフ

Rp.6万

チョコレート・ジャム C
カボチャの種の食感も楽しい、ミルクチョコレート

木彫りの箱 D
手作り感がかわいい、小さめサイズの小物入れ

Rp.15万~

クッションカバー A
バティック生地のクッションカバー

Rp.17万

クサンバ・ハーブ・ソルト C
バリ島のクサンバ村で作られた、天然ハーブ入り天然塩

Rp.3万

扇子(ボックス付) B
エスニック調の花柄模様が目を引くリサイクルペーパーの扇子

Rp.27万5000~

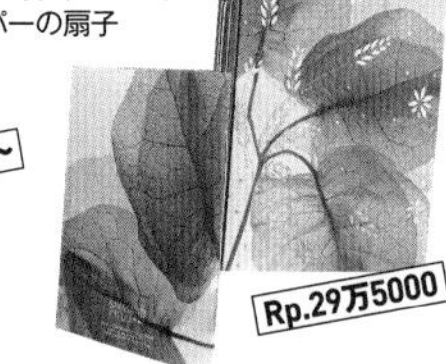

Rp.29万5000

ノート B
美しい葉脈をデザインしたノートは同色のボックス入り

アタ・バッグ D
「アタ」という植物で編まれた、バリ島みやげの定番

Rp.35万~

キリンのぬいぐるみ A
100%オーガニックコットンのぬいぐるみ

各Rp.10万

Rp.3万7000

天然蜂蜜50g C
コーヒーの花の蜂蜜。蜜源はほかにマンゴー、ロンガンの花など

Rp.5万5000

ジャム 110mℓ C
素材の甘さを引き出した、砂糖不使用のフルーツジャム

人気のインテリア雑貨店

A バリゼン

Bali Zen

MAP 付録P.8 C-3

オーガニックコットンや貝など天然素材を使った雑貨がやさしい色合いで人気。手編みや木彫り、染色などバリ島に伝わる伝統工芸を用いて製作されている。

☎0361-976022 交ウブド王宮から徒歩15分 所Jl. Monkey Forest, Ubud 営10:00～20:00 休無休

ハイセンスなハンドクラフト

B カド

Kado

MAP 付録P.9 D-2

リサイクルペーパーを使ったペーパークラフトの専門店。美しい模様の包装紙やボックス、カラフルなノートなど、すべてオリジナルデザイン。

☎0812-3606-0099 交ウブド王宮から車で5分 所Jl. Dewisita, Ubud 営10:00～20:00 休無休 E

手作りの無添加ジャム

C コウ・キュイジーヌ

KOU Cuisine

MAP 付録P.8 C-2

看板商品のホームメイドジャムは、厳選フルーツをじっくり煮たあと、1カ月の発酵と滅菌を経て店頭に並ぶ手間ひまかけた逸品。

☎0361-972319 交ウブド王宮から徒歩3分 所Jl. Monkey Forest, Ubud 営9:30～18:45 休無休 E

活気あふれるマーケット

D ウブド市場

Ubud Market(Pasar Ubud)

MAP 付録P.9 D-2

早朝は新鮮な野菜やフルーツが並び、昼からは伝統工芸品や雑貨などが並ぶ。値段は交渉制なので、言葉に自信がない人はガイドと行くのがベター。

☎なし 交ウブド王宮から徒歩3分 所Jl. Raya Ubud No.35, Ubud 営4:00～18:00 休無休

Rp.9万

アロマオイルセット E
フクロウ形のアロマストーンとフランジパニの香りがやさしい

Rp.5万2000~

ココナッツ石鹸 E
ココナッツオイルを使用したコールドプロセス製法のナチュラルな石鹸

板チョコ 40g H
ミント&クコの実、オレンジ&イチジクなど4種類がある

Rp.5万~

ガラスのコースター D
カラフルなガラスをちりばめた、南国らしいコースター

Rp.2万5000

Rp.1万5000

Rp.17万~

チョコレート・スプレッド 260g H
プレーンとカカオニブが入ったクランチタイプの2種類

Rp.147万5000

ティモール産のテーブルクロス G
インディゴカラーを使用した、ティモール伝統の模様

Rp.85万

スラウェシ産の枕カバー G
赤色の染料はモリンガの木。1カ月かけて染め上げる

リサイクルビーズのブレスレット E
陶器やガラスで作ったリサイクルビーズとルドラクシャの実

Rp.9万

Rp.250万

カリマンタン産のクッションカバー G
西カリマンタン、ダヤック村の女性たちによって作られたもの

ストロング・アズ・バングル F
手作り感が美しく、おしゃれでエレガントな雰囲気のバングル

Rp.70万

フラワー・オブ・ライフ(ゴールド) F
生命の花をかたどった幾何学模様のピアス

Rp.42万

自然派のガーデンショップ

E ホウ・ホウ
hou-hou

MAP 付録P.7 D-3

フクロウをモチーフにしたオリジナル商品や絵画が人気のナチュラルショップ。庭でアロマオイルや石鹸に使う花やハーブも楽しめる。1997年からの老舗。

☎0361-977649 交ウブド王宮から車で7分 所Jl.Gunungsari Peliatan, Ubud 営10:00~17:00 休無休 E J カード

手作りの銀細工アクセ

F スタジオ・ペラッ
Studio Perak

MAP 付録P.9 D-2

オリジナルのシルバーアクセサリーが人気の有名なショップ。自然モチーフからモダンなものまでさまざまなデザインを扱う。ワークショップも体験可能。

☎081-3389-70565 交ウブド王宮から徒歩5分 所Jl. Hanoman, Ubud 営9:30~20:30 休無休 E カード

伝統織物イカットの専門店

G スレッズ・オブ・ライフ
Threads of Life

MAP 付録P.9 D-1

各島に独自の模様が伝承されるイカット。店にはインドネシアの12の島から集められた100%コットン製のイカットが揃う。

☎0361-972187 交ウブド王宮から徒歩5分 所Jl. Kajeng No.24, Ubud 営10:00~18:00 休無休 E カード

栄養価の高い注目フード

H ウブド・ロー・チョコレート
Ubud Raw Chocolate

MAP 付録P.6 B-2

バリ島産の非焙煎カカオとカカオバター、ココナッツミルク&シュガーで作るロー・チョコレートが評判。4種類の板チョコを販売。

☎081-3389-39080(WA) 交ウブド王宮から車で15分 所Jl. Raya Sayan No.74, Sayan, Ubud 営10:00~19:00 休無休 E カード

ウブドで過ごす優雅なグルメ時間

森に囲まれたこのエリアには、眺めの良さや内装、材料にこだわった多彩なレストランが集結。

ジャングル・フィッシュ
Jungle Fish

MAP 付録P.6 C-2

チャプン・セバリ・リゾート＆スパ内にあり、ジャングルとウォス川渓谷を望むプール＆バーでインターナショナル料理が楽しめる。レストランはアジア＆地中海料理が中心。

☎0361-8989102 交ウブド王宮から車で20分 所Jl. Raya Sebali, Keliki, Ubud 営7:30～20:00 休無休

↑スパイシーなネイティブ・スパイス・ココナッツ・カレーRp.11万～

←プールサイドのソファ席やデイベッドでくつろぐこともできる

←マッシュルームのタグリアテレ・アル・フンギRp.14万

アルカディア・レストラン
Arcadia Restaurant

MAP 付録P.8 A-1

ウブドの中心街から少し外れたチャンプアン川の渓谷にたたずむ静かなレストラン。メニューは幅広い多国籍料理。渓谷沿いの3階建てでフロアごとに雰囲気が変わるのも魅力。

☎0813-1117-7882 交ウブド王宮から車で5分 所Jl. Raya Campuhan Sayan, Ubud 営11:00～23:00 休無休

←香ばしいチキンカツサンドはポテト付きRp.13万5000

→ロブスターとビーフを使った、サーフ＆ターフRp.18万

↑一番人気は景色が楽しめる渓谷沿いのソファー席

↑オーストラリア人ファミリーが経営するレストラン

→海鮮たっぷり、シーフード・バリRp.16万

←グリルド・チキンRp.8万

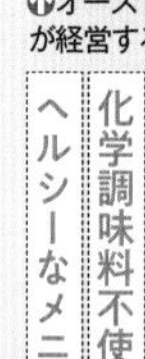

カサ・ルナ
Casa Luna

MAP 付録P.8 C-1

創業25年、老舗の趣にほっとできる居心地のよい店。開店当初から健康的な食事にこだわり、地元産や自家菜園で採れたオーガニック食材を使用している。バリスタによるコーヒーも美味。

☎0361-977409 交ウブド王宮から徒歩3分 所Jl. Raya Ubud, Ubud 営8:00～23:00 休無休

←ホテル・ビスマ・エイトのルーフトップにある

落ち着いた雰囲気の
オールデイダイニング

チョッパー・キッチン
Copper Kitchen

MAP 付録P.8 B-2

↑ロースト・パンプキン・キヌアRp14万5000

地元のオーガニック食材を使ったモダンなアジア＆インドネシア料理を提供している。ウブドの自然を背景にした、大人っぽいおしゃれな雰囲気も魅力的。テラス席やバーエリアもある。

☎0361-4792888 交ウブド王宮から徒歩15分 所Jl. Bisma Ubud 営7:00～17:00 17:30～23:00 休無休

モザイク
Mozaic

MAP 付録P.6 C-2

地元の旬の素材とインドネシアのスパイスを取り入れた、モダンなフレンチを提供。ランチ・ディナーともにコースのみで、各コースにワインペアリングがリクエストできる(追加料金)。

☎0361-975768 交ウブド王宮から車で10分 所Jl. Raya Sanggingan, Ubud 営18:00～21:30 休無休 E E

コースでいただくモダンな高級フレンチ

カップル向け1日1組限定のロマンティックディナーもあり

料理前には食材の説明もあり。シーゾナル8コースはRp.165万。シーズンごとに獲れる旬な魚介類を使用

高級リゾートが点在するサンギンガン通り沿いに立地

野菜が入ったヘルシーなブレックファスト・タコスRp.6万

ドラゴンフルーツを使ったピンククレープスRp.5万5000

レイジー・キャッツ
Lazy Cat's

MAP 付録P.8 B-1

ボヘミアン調の装飾品やアートが飾られた、スタイリッシュなお店。料理にはシェフ自らが育てたオーガニック食材も使用。インドネシア産コーヒーやスムージーなどドリンクも充実。

☎081-2465-24975 交ウブド王宮から徒歩10分 所Jl. Raya Ubud No. 23, Ubud 営8:00～22:00 休月曜 E E

ヴィンテージ感漂う家具が並ぶ

大きなテラスから朝日が差し込む明るい店内。毎週土曜18～21時はDJイベントも開催

ヴィーガンフード中心の隠れ家的レストラン

リピーターの絶えない人気レストラン

肉の串焼、プロシェット・デス・アルティスツRp.18万6000

ローカル・テンダーロイン・ステーキ・ネイチャー280gRp.19万5000

カフェ・デス・アルティスツ
Cafe des Artistes

MAP 付録P.8 C-1

ベルギー風にアレンジしたメインのほか、アジア料理もセレクト可。一番人気はリーズナブルでやわらかいテンダーロイン・ステーキ。ムーディなディナータイムは混み合うので予約がおすすめ。

☎082-1469-10901 交ウブド王宮から徒歩10分 所Jl. Bisma 9X, Ubud 営12:00～23:00 休無休 E E

ワイン、カクテル、ベルギー産ビールなどドリンクも豊富

ウブドで唯一、飲んで踊れるナイトクラブ

CP ラウンジ
CP Lounge

MAP 付録P.8 C-2

広々とした屋外ラウンジとレストラン、バーがあり、ライブステージやDJブースも完備。19時30分～はバリニーズダンスがあり、セキュリティも万全。

☎0361-978954 交ウブド王宮から徒歩6分 所Jl. Monkey Forest, Ubud 営11:00～翌2:00 休無休 E E

レインボーショットは12杯でRp.17万5000

毎晩21時からライブがスタート、0時～翌2時はDJライブ

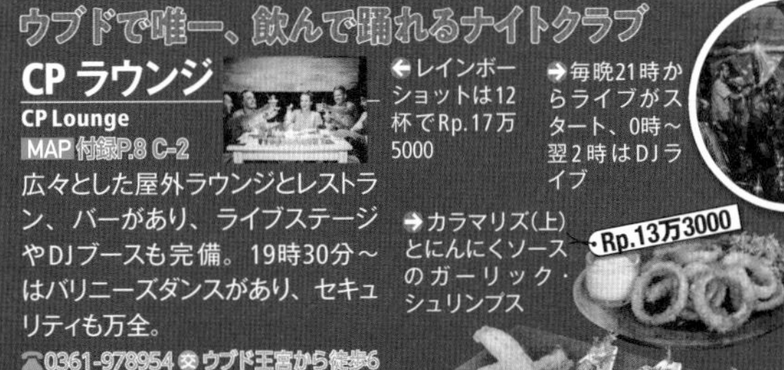

Rp.13万3000

カラマリズ(上)とにんにくソースのガーリック・シュリンプス

ローカル気分でのんびり

ひと足延ばして バリ島郊外へ

大自然や荘厳な遺跡へ、ツアーを利用すれば比較的行きやすい。

観光客に人気の避暑地

2 キンタマーニ

Kintamani

バリ島中部 MAP付録P.3 E-2

バトゥール山の外輪山に広がる高原地帯で、標高が1500m以上あるため一年を通して涼しい。山と湖が一望できる絶景スポット。

交ウブド中心部から車で1時間

写真提供:インドネシア共和国観光省

地域ごとにまったく異なる多様な表情に出会う

豊かな自然と歴史が息づく郊外は、南部リゾートエリアとはまったく違った表情を持つ。島の中部には穀倉地帯が広がり、美しいライステラスのほか、由緒ある寺院や遺跡などの見どころも多い。東部には雄々しい山々がそびえ、火山や湖、高原が織りなすダイナミックな風景が壮観。王朝時代の面影が残る古都では、宮殿跡が往時の栄華を今に伝えている。周辺には昔ながらの素朴な村々が点在しており、バリ島の多彩な文化と奥深い魅力が見えてくる。

世界文化遺産に登録されたジャティルイの棚田。眺める角度や季節によって趣が変わる

バリ海
0 10km
ブッタ・ブラハマ僧院 5
ブレレン
クブタンバ
サワン
シガラジャ
バンリ
ギッギの滝
スカサダ
プラキ
バンジャール
ブヤン湖
バリ植物園
ブレレン県
ウルン・ダヌ・ブラタン寺院 6
ムルブク山
ププアン
9 バトゥカル山
ジュンブラナ県
プネベル
イエ・パナス 8
タバナン県
バリ海峡
プランチャク岬
ヌガラ
プランチャック・ウィサタ公園
セレマデ
クランビタン
タバナン
クディリ
1 タナ・ロット寺
デンパサール
ングラ・ライ(デンパサール国際空港)
バドゥン
4 ウルワツ

↑夕日を浴びて浮かぶ寺院のシルエット。神が降臨するにふさわしい、幻想的な風景だ

↑干潮時には陸続きとなり、歩いていくこともできる

神秘的な夕景に感動

1 タナ・ロット寺院

Pura Tanah Lot

バリ島南西部 MAP付録P.4 B-1

海に突き出た岩礁の上に建ち、海の守護神を祀る寺院。16世紀頃にジャワの高僧ニラルタによって建立された。異教徒は内部には入れないが、寺院の麓まで行くことができる。

交ウブド中心部から車で1時間15分

ランドマーク的存在の活火山

3 バトゥール山
Gunung Batur

バリ島北東部 MAP 付録P.3 E-2

標高1717mの活火山で、キンタマーニの中心にそびえる。1917年と1926年に大噴火があり、現在でもときどき噴煙を上げている。

㊫ウブド中心部から車で1時間20分

↑山頂から幻想的な朝日が見られるトレッキングが人気

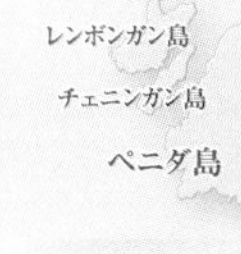

↓山麓から望むバトゥール山。神聖な気配と力強さを感じさせる

断崖絶壁に建つ美しい寺院

4 ウルワツ寺院
Pura Uluwatu

ウルワツ MAP 付録P.4 B-4

10〜11世紀頃、ジャワの高僧によって建立されたと伝わる。海の精霊を祀り、バリ島の六大寺院のひとつに数えられる。18時になるとケチャッ・ダンスが開催される。

㊫空港から車で50分

↑高さ約70mの切り立った崖の上に建つ。門の先の奥境内は立入禁止

↑寺院周辺には野生の猿が生息。持ち物を取られないよう注意して

➡岬に3層のメルが建つ光景は、夕日の美しさと相まって観光客に人気だ

境内の最上層に金色の仏像を安置

5 ブッタ・ブラハマ僧院

Whihara Buddha Brahma Vihara Arama

バリ島北西部 MAP付録P.2 C-2

バリ島最大にして、唯一の仏教寺院。庭にタイ仏教の流れをくんだ、朱色のパゴダ(仏塔)が見られる一方、壁にはバリ特有の浮き彫り細工が施され、多様な文化が溶け合っている。

交ウブド中心部から車で2時間20分

湖のほとりにたたずむ寺院

6 ウルン・ダヌ・ブラタン寺院

Pura Ulun Danu Bratan

バリ島中部 MAP付録P.3 D-2

1633年に建立された寺院で、バリ島屈指の美しい寺として有名。特に夕日を背景にメルのシルエットが浮かび上がる、夕方に訪れるのがおすすめ。

交ウブド中心部から車で1時間30分

病を治癒する聖水が湧く寺院

7 ティルタ・エンプル寺院

Pura Tirta Empul

ウブド MAP付録P.3 E-2

敷地内の泉から湧く聖なる水(ティルタ)を浴びると、病気の原因となるけがれが落ちると信仰されている寺院。沐浴場では、多くの人々が祈りを捧げている。

交ウブド中心部から車で30分

ミネラル豊富な温泉

8 イエ・パナス

Yeh Panes

バリ島中部 MAP付録P.3 D-3

バトゥカル山の麓に位置するスパリゾート。趣向の異なる露天風呂や山の清流を使ったプール、レストランや宿泊施設などが備わり、スパや食事だけでの利用もできる。

交ウブド中心部から車で1時間

中腹に由緒ある古刹を有する

9 バトゥカル山

Gunung Batukaru

バリ島中部 MAP付録P.3 D-2

穀倉地帯が広がるタバナンエリアの山。標高2276mはバリ島2番目の高さだ。山腹にバリ島六大寺院のひとつ、バトゥカル寺院がある。

交バトゥカル寺院までウブド中心部から車で1時間

↓周辺のライステラスと美しい調和を見せるバトゥカル山

郊外散策のアドバイス

●所要時間の目安

クタなどの南部中心地から、キンタマーニやアグン山周辺などの郊外エリアまでは、車で2～3時間ほど。日帰りも可能で、主要な見どころを効率よく巡るツアーも催行されている。渋滞により移動時間が変動する場合もあるので、余裕のあるスケジュールを。

●自然豊かな場所は虫除け必須

カを媒介とした感染症予防のため、虫除けは必ず持参すること。強い日差しから身を守る帽子や日焼け止め、飲料水も忘れずに。ヒンドゥ教寺院を訪れる際は、肌を隠すスカーフがあると便利。冷房の効いた車内は冷えるので、薄手の羽織りものを用意していこう。

優れた天井画に目を見張る

11 スマラプラ王宮

Puri Semarapura

バリ島東部 MAP 付録P.3 E-3

水上の宮殿バレ・カンバンと旧裁判所クルタ・ゴサのほか、博物館の計3つの建物があるスマラプラ王朝の宮殿跡。オランダ軍との戦闘を描いた博物館の絵も必見。

交 ウブド中心部から車で1時間

岩肌の墓碑は見応えあり

10 グヌン・カウィ

Gunung Kawi

ウブド MAP 付録P.3 E-3

11世紀に建造された、バリ島最大の石窟遺跡。ワルマデワ王朝の陵墓として建造されたが、王族が死後の世界から蘇るようにと願って建てられた記念碑だと考えられている。

交 ウブド中心部から車で30分

神々が宿ると信仰される霊山

12 アグン山

Gunung Agung

バリ島東部 MAP 付録P.3 E-2

標高3142mのバリ島最高峰。アグン山がある方角は神聖な方位と考えられており、古くから崇拝されてきた。中腹にあるブサキ寺院は、バリ・ヒンドゥ教の総本山。

交 登山口までウブド中心部から車で1時間30分

➡活発に活動する火山で、最近も噴火が続いている

独特の風習を守り続ける先住民の村を訪ねて

珍しい織物や工芸品の産地

トゥガナン

Tenganan

バリ島東部 MAP 付録P.3 F-3

先住民族バリ・アガが暮らす村。アニミズムに根ざした独特の宗教や文化を継承している。縦糸と横糸で複雑な模様を織り上げるダブル・イカットや、天然素材で編むアタ製品の生産地としても有名。

交 ウブド中心部から車で1時間30分

⬅グリンシンと呼ばれるダブル・イカット。世界的に貴重な織物で、完成までに数年かかることもある

➡昔ながらの暮らしを営むバリ・アガの人々。バリ島古来の風景が垣間見られる

エスニックで魅力的な「神々の島」のルーツを知る

バリ島王朝の誕生と繁栄

ベトナムの金属器文化が伝来

バリ島の先史時代

アジア最古の化石人類が発見されたジャワ島から約3㎞の距離にあり、太古より人が居住していたと考えられるバリ島。現在のバリ人はオーストロネシア語族に属し、紀元前2000年頃に中国南西部から移動してきたとされる。紀元前4世紀から紀元1世紀頃、ベトナムのドンソンを中心として金属器文化が発展。その影響はバリ島にも及び、ガムラン楽器やプナタラン・サシ寺院に伝わる銅鼓「ペジェンの月」などに、その痕跡が垣間見られる。

約400年続いたワルマデワ王朝

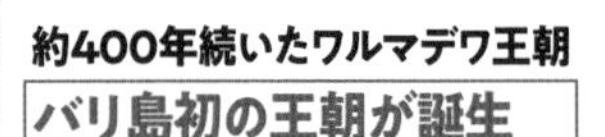

バリ島初の王朝が誕生

バリ島の古代史についての詳しい資料は残されていない。碑文に刻まれた最古の年は882年で、この頃にはすでに稲作やヒンドゥ教などが伝来し、ジャワ中部で隆盛したシャイレンドラ王朝の影響も受けていたことがわかる。10世紀になると、ペジェン周辺を拠点とするワルマデワ王朝が誕生。バリ島最初の王朝として知られ、約400年にわたり続いた。4代目のウダヤナ王はジャワ島クディリ王朝の王女を妻に迎え、その息子アイルランガはクディリ王朝の王となるなど、ジャワ島の王朝と強い結びつきを持っていた。ウブド近郊には、バリ島最大の石窟遺跡であるグヌン・カウィ、聖なる泉が湧くティルタ・エンプル、「象の洞窟」の名を持つゴア・ガジャなど、ワルマデワ王朝時代の遺跡や寺院が点在。いずれも歴史的に貴重で、ティルタ・エンプルは世界遺産に登録されている。

神秘的な雰囲気を漂わせるティルタ・エンプル。境内には沐浴場があり、聖水で心身を清めながら祈る人々の様子を見ることができる

強国に翻弄され続けるバリ島

ジャワ王朝の支配

13世紀から14世紀にかけて、ジャワ島では強大な王朝が次々と出現。その激しい変遷にバリ島も干渉され続ける。13世紀、クディリ王朝に代わってシンガサリ王朝が台頭し、バリ島を支配。14世紀には、マジャパヒト王朝がバリ島へ侵攻し、10世紀から続いてきたワルマデワ王朝は終焉を迎える。以後、マジャパヒト王朝が遣わした王がバリ島を統治。この王朝は当初ギャニャール周辺を拠点としていたが、のちにゲルゲルへ遷都し、16世紀に繁栄を極めるゲルゲル王朝の始まりとなる。

バリ島で最も高いアグン山。中腹にはバリ・ヒンドゥの総本山ブサキ寺院がある

ジャワ島から伝わった影絵芝居ワヤン・クリッ。華やかな宮廷文化が偲ばれる

宮廷文化が花開いた黄金期

王朝の変遷とバリ文化

16世紀に入ると、イスラム勢力がジャワ島に進出し、ヒンドゥ教のマジャパヒト王朝が崩壊。これにより、バリ島はジャワ王朝の支配を離れ、ゲルゲル王朝は最盛期を迎える。イスラム化が進むジャワ島から逃れてきた貴族や僧侶、技術者たちがバリ島に新たな文化をもたらしたことで、舞踊や仮面劇、影絵芝居、音楽、文学、絵画といった宮廷文化が開花。さらに、高僧ニラルタによってタナ・ロット寺院の建立やウルワツ寺院の増築などが行われ、バリ・ヒンドゥの原型が形成された。

そんな栄華を誇ったゲルゲル王朝も、17世紀になると内乱により国力が低下し、衰退の一途をたどる。1710年、クルンクンに遷都してクルンクン王朝を興すも、かつてのゲルゲル王朝のような勢いを取り戻すことはできなかった。やがて、各地方を治めていた領主たちが分離独立し、クルンクン、タバナン、バドゥン、ギャニャール、カランアサム、バンリ、ジュンブラナ、ブレレン、ムングウィという9つの小王国が乱立。その後、ムングウィは滅び、8つの王国が群雄割拠する時代となった。この8王国の区分はオランダ統治下でも行政単位として引き継がれ、現在のバリ8県の基盤となっている。かつて都が置かれたクルンクンは1995年にスマラプラと改名され、現在はクルンクン県の首都。水上の宮殿跡が美しいスマラプラ王宮があり、バリ島最後の王朝となったクルンクン王朝の栄枯盛衰を今に伝えている。

↑20世紀建設のタマン・ウジュン宮殿

紀元前からの長い歴史を持ち、常に周辺の島々と関わりがあるバリ島。ヨーロッパも含めさまざまな民族や宗教の影響を受けながら、個性的で人々を惹きつけてやまない、独自の文化を形成した。

ププタンで武力に抵抗した人々
オランダによる統治

西欧諸国が東南アジアに進出し始めたのは17世紀頃。バリ島には目立った特産品がなかったため、長らく干渉されることはなかった。だが、19世紀後半、オランダがバリ島北西部に侵攻。1908年には島全土が植民地となった。オランダ軍との戦いのなかで、尊厳を守るためにププタン(玉砕)を選ぶバリ人もいた。デンパサールでは、美しく盛装した人々が、オランダ軍の銃口の前で死の行進を決行。その場所は現在ププタン広場となっている。

←王朝時代の名残をとどめるスマラプラ王宮。水上の宮殿バレ・カンバンや旧裁判所クルタ・ゴサの緻密な天井画が美しい

欧米人が見た「最後の楽園」
植民地時代と文化復興

ププタンの悲劇によって世界中から非難を浴びたオランダは、バリ島の伝統文化を保護することで国際社会の理解を得ようとした。1917年に大地震が起こると、損壊したブサキ寺院の修復などを支援し、震災復興を推進した。やがてバリ島の魅力は広く知られることとなり、1930年代には「最後の楽園」としてのイメージが定着。西欧から大勢の観光客が押し寄せ、そのなかには喜劇王チャップリンもいた。長期滞在する欧米人も増え、さまざまな国籍の芸術家や学者が来訪。ドイツ人画家ヴァルター・シュピースやオランダ人画家ルドルフ・ボネは、ウブドにピタ・マハ財団を創設し、西洋絵画の技法を教えながら現地アーティストの育成に努めた。さらにシュピースは、バリ島に古くから伝わる儀礼舞踊劇をもとにしたケチャッやバロンダンスの創作にも貢献。こうした文化復興の高まりは「バリ・ルネサンス」とも呼ばれ、バリ舞踊やガムラン音楽、バリ絵画などが生み出された。その背景には、欧米人が抱く楽園への憧れと、それを受け入れて観光資源としてきたバリ人たちのしなやかさがあった。

↑半裸の男性たちによる合唱劇。シュピースの助言で宗教儀礼をもとに考案された

通りの名前

バリ島の通りには、歴史的人物の名前がつけられていることが多い。例えば、デンパサールのガジャ・マダ通りは、14世紀にマジャパヒト王朝で活躍した宰相の名に由来。ほかにも、女性解放の先駆者の名がついたカルティニ通り、植民地政策に抵抗した活動家にちなんだイマム・ボンジョル通り、クディリ王朝の王の名を冠したダルマワンサ通りなどがある。それぞれの人物の功績を調べてみるのもおもしろい。

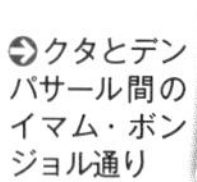

→クタとデンパサール間のイマム・ボンジョル通り

←デンパサール中心部を通るガジャ・マダ通り

聖水が湧き出る神聖な寺院
ティルタ・エンプル寺院
Pura Tirta Empul

ウブド MAP付録P.3 E-2

敷地内の泉の聖なる水を浴びると、病気の原因となるけがれが落ちると信仰される。水があふれる沐浴場では、多くの人々が祈りを捧げている。

▶P.140

←観光客も沐浴をすることが可能。ツアーガイドに従って

岩肌に彫られた墓碑は見応えあり
グヌン・カウィ
Gunung Kawi

ウブド MAP付録P.3 E-3

11世紀に建造されたバリ島最大の石窟遺跡。死者を埋葬した痕跡はなく、王族が死後の世界から蘇るようにと願って建てられたと考えられている。

▶P.141

←ワルマデワ王朝の陵墓として建造された

優れた天井画に目を見張る宮殿跡
スマラプラ王宮
Puri Semarapura

バリ島東部 MAP付録P.3 E-3

神話をモチーフにしたバレ・カンバン、地獄の苦しみを描いたクルタ・ゴサ、どちらの天井画も秀逸だ。オランダ軍との戦闘を描いた博物館の絵も必見。

▶P.141

←3つの建物があるスマラプラ王朝の宮殿跡

伝統と最先端が入り交じり、観光地として成長

混乱を経て、世界的なリゾート地へ

政治的・経済的な混迷から復活したバリ島は人気リゾート地として、いっそうの開発が進む。

バリ島バドゥン県出身で、インドネシア独立のために戦った英雄グスティ・ングラ・ライ。その肖像は旧5万ルピア紙幣にも描かれている

国家独立までの長い道のり

オランダからの独立戦争

1941年に太平洋戦争が始まり、日本軍はオランダ領東インドに侵攻。1942年2月にはバリ島に上陸し、支配下に置いた。その軍政統治は厳しいものだったが、現地の人々のために力を尽くした三浦襄のような日本人もいた。1945年、第二次世界大戦が終結すると、独立運動を指揮していたスカルノがインドネシアの独立を宣言。しかしオランダはこれを認めず、バリ島では親オランダ派と共和国派の対立が激しくなる。1946年には、共和国派のグスティ・ングラ・ライ率いる部隊とオランダ軍がバリ島西部のマルガで衝突。激戦の末に玉砕したングラ・ライは英雄として称えられ、その名は国際空港の名称にも残されている。戦いに勝利したオランダは、バリ島を東インドネシア国という自治地域として間接的に統治。1949年、ハーグ協定によりインドネシア連邦共和国が成立し、翌年にはバリ島も共和国に加わった。

スハルト政権下の観光開発

リゾート化するバリ島

念願の独立を果たしたインドネシアだが、情勢は安定せず、経済も低迷。1965年の軍事クーデターをきっかけに、初代大統領スカルノは失脚する。この頃からバリ島では観光開発が進み、1966年、日本の戦争賠償金によりサヌールにホテルが開業。1969年には国際空港が開港した。新大統領となったスハルトは、ヌサ・ドゥアを特別区としてリゾートを造成。1990年代には、ジンバランやウブドなど各エリアにも高級ホテルが続々とオープンした。しかし、2001年にアメリカ同時多発テロが発生すると観光客は激減。翌年にはバリ島でも爆弾テロが起こり、観光産業は大打撃を受けた。その後は徐々に回復し、2012年にはバリ島初の世界遺産が誕生。最近はチャングー地区まで急速に開発が進んでいる。

ウルワツの断崖に建つジ・エッジ。バドゥン半島南端にも高級リゾートが増えている

歴史スポットをツアーで巡る

遺跡や寺院などを効率的にまわる1日ツアーが人気。ゴアガジャ遺跡、棚田が美しいテガラランン、風光明媚なキンタマーニ高原、荘厳なブサキ寺院やスマラプラ宮殿、ウブドでの舞踊鑑賞など内容盛りだくさん。

バリ・ツアーズ.com ☎0361-737355 営9:00～17:00 体験データ **バリ島歴史まるわかり！遺跡＋寺院＋舞踊を網羅する達人ツアー**
HP www.bali-tours.com

記念碑が見守る市民の憩いの場

ププタン広場

Medan Puputan

デンパサール MAP 付録P.5 D-1

20世紀初頭、オランダ軍の侵攻に対して、バリ人たちが玉砕(ププタン)を覚悟で行進。悲劇の舞台となった場所は今は花で彩られ、広場となっている。

所 Dauh Puri Kangin, Denpasar

デンパサールの中心地に行進の記念碑が立つ

神秘的な雰囲気の島内最大の寺院

ブサキ寺院

Pura Besakih

バリ島東部 MAP 付録P.3 E-2

アグン山南西に位置する、30以上の寺院の総称。バリ・ヒンドゥ教の総本山で、多くの参拝客が訪れ、常に賑わいを見せている場所でもある。

▶P.52

標高900mに位置する。今なお絶大な信仰を集める

澄んだ水が広がる歴史ある公園

タマン・ティルタ・ガンガ

Taman Tirta Gangga

バリ島東部 MAP 付録P.3 F-2

カランガッセム王国最後の王が離宮として築いたとされる。敷地内にはメルの噴水やプール、多彩な石像を配した池など、水を使った施設が充実。

▶P.53

「聖なるガンジス川」という意味の名前

STAY AT THE RELAXING HOTEL

ホテル

南国リゾート気分を満喫

Contents

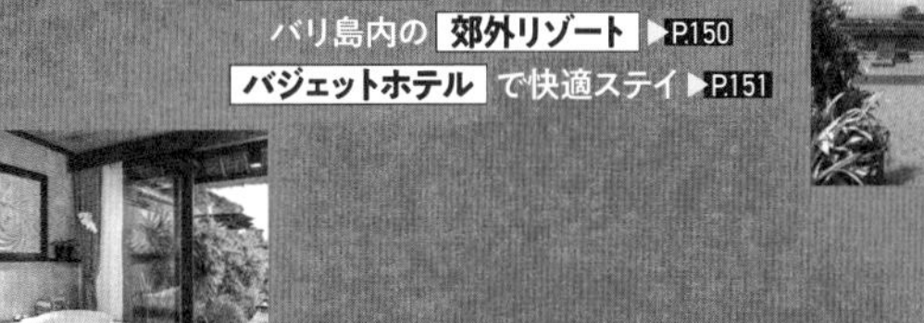

さわやかなそよ風を感じながら過ごす贅沢な時間

南部リゾートエリアの極上ホテル

リゾートで一度は泊まってみたい、一日中過ごせそうなとびきりホテル。景観も内装もサービスも素晴らしい、名だたる有名ホテルをご紹介。

クタ中心部で海と庭に囲まれた優雅な滞在

ジ・アンヴァヤ・ビーチ

The Anvaya Beach Resort Bali

クタ MAP 付録P.18 B-3

賑やかなクタにありながら、敷地内に一歩入ると、街の喧騒とは無縁。美しいビーチと緑の庭園に抱かれて、静かに滞在できる。客室は多彩なタイプがあり、先住民バリ・アガやヒンドゥの様式をモダンにアレンジした内装が素敵。

☎0361-2090477 交空港から車で10分 所Jl. Kartika Plaza, Tuban, Kuta 料ⓈⓉRp.230万～ 室数493 HP www.theanvayabali.com

高級感あふれるロビー。バリの伝統と現代的なデザインが融合している

インドネシア料理が味わえる「クニット・レストラン」の開放的なテラス席

プールに直接アクセスできる客室「プレミア・キング・ラグーン・アクセス」

ビーチフロントに位置する広々としたメインプール。真っ青な空に植物の緑が映え、南国リゾートらしい雰囲気が漂う

天蓋付きのベッドがロマンティックな「デラックス・ハネムーン」

水の宮殿をイメージした壮麗なたたずまい

アヨディア

Ayodya Resort

ヌサ・ドゥア MAP 付録P.22 C-4

約11.5haにおよぶ敷地に、巨大プールや500以上の客室が点在。バリの伝統を取り入れた建物は宮殿のような雰囲気で、ロビーの大空間が目を奪う。客室はクラシカルなテイストでまとめられ、緑豊かな庭の眺めにも癒やされる。

☎0361-771102 交空港から車で20分 所Jl. Pantai Mengiat, Nusa Dua 料ⓈⓉRp.180万～ 室数537 HP www.ayodyaresortbali.com

崖から突き出た絶景プールで非日常体験

ジ・エッジ

The Edge

ウルワツ MAP 付録P.4 B-4

バドゥン半島南端の断崖に建ち、雄大な空と海を一望。洗練を極めたヴィラはゆとりあるつくりで、プライベートプールからの眺めも素晴らしい。人気のデイクラブには、底の一部がガラス張りになったプールがあり、スリル満点。

☎0361-8470700 交空港から車で50分 所Jl. Pura Goa Lempeh, Banjar Dinas Kangin, Pecatu, Uluwatu 料ⓈⓉRp.2600万～ 室数17 HP www.theedgebali.com

メインプールの隣にはデイクラブ「ワンエイティ」があり、崖から突き出たプールが評判

「2ベッドルーム・ヴィラ」のプライベートプールとデッキで、心身ともにリラックス

↑視界を遮るものは何もなく、客室の窓から大パノラマを一望

○ 眼下に広がる紺碧のインド洋にうっとり

カルマ・カンダラ

Karma Kandara

ウンガサン MAP 付録P.4 C-4

崖の上から海を見晴らす最高のロケーション。自然の地形を生かした斜面にプール付きの優雅なヴィラが並び、メインプールでは海に溶け込むような一体感を満喫できる。崖下のビーチクラブには専用ケーブルカーでアクセス可能。

☎0361-8482202 交空港から車で40分 所Jl. Villa Kandara, Banjar Wijaya Kusuma, Ungasan 料ⓈⓉRp.1030万～ 室数107 HP www.karmagroup.com

○ 南国ムードあふれる海沿いの大型リゾート

パドマ・リゾート・レギャン

Padma Resort Legian

レギャン MAP 付録P.16 B-2

熱帯の植物が生い茂るガーデンと、日差しを浴びて輝く5つのプールが目にまぶしい。客室はシャレーとビルディングの2タイプがあり、バリ様式の上品なインテリアが落ち着きを演出している。繁華街に近く、買い物にも便利。

☎0361-752111 交空港から車で25分 所Jl. Padma No.1 Legian 料ⓈⓉRp.564万～ 室数435 HP padmaresortlegian.com

↑日本人の総料理長が熟練の腕をふるう「天海 日本食レストラン」

↑緑豊かな植物に彩られた客室「デラックス・シャレー」の外観

↑温かみのある色調をベースとした「デラックス・シャレー」

○ 古き良きバリの伝統が息づく静寂の楽園

プリ・サントリアン

Puri Santrian

サヌール MAP 付録P.21 B-4

白砂のサヌール・ビーチに隣接する老舗ホテル。欧米人やリピーターが多く、バリスタイルの部屋で静かに過ごせる。

☎0361-288009 交空港から車で30分 所Jl. Cemara No.35, Sanur 料ⓈⓉRp.250万～ 室数199 HP santrian.com/puri-santrian

→さわやかな風が吹き抜けるビーチクラブレストラン
↓緑の中にひっそりと建つバリ様式のバンガロー

○ 抜群の眺望とスタイリッシュな建築美

ラディソン・ブル・バリ・ウルワツ

Radisson Blu Bali Uluwatu

ウルワツ MAP 付録P.4 B-4

2018年、インド洋を望む崖上にオープン。プールを囲むようにモダンな客室が配され、バーやレストランも充実。

☎0361-3008888 交空港から車で50分 所Jl. Pemutih, Uluwatu 料ⓈⓉUS$225～ 室数125 HP www.radissonblu.com/resort-bali

←緑に囲まれた崖上からの眺めが美しい

○ 老舗ならではの風格を感じる高級ヴィラ

ジ・オベロイ

The Oberoi

スミニャック MAP 付録P.14 B-2

創業は1978年、バリ島のヴィラブームの先駆け。ビーチ沿いに美しい庭が広がり、客室はバリらしい内装で統一。

☎0361-730361 交空港から車で1時間45分 所Seminyak Beach, Jl. Kayu Aya, Seminyak 料ⓈⓉRp.581万4000～ 室数74 HP www.oberoihotels.com/hotels-in-bali

←手入れの行き届いた中庭でのんびりするのも気持ちいい
↓プライベートプール付きの「ラグジュアリー・ヴィラ」

深い自然のなかで一流のもてなしを受ける

ウブド周辺のリゾートホテル

**森林に渓谷、水田と、多彩で豊かな自然に恵まれたウブド。
その景観を存分に生かした、充実した滞在がかなうホテルももちろんたくさん。**

⬆300m²の広さを誇るヴィラ。ガーデンまたはリバービューの2種類がある

⬅自然の風景を望むスパ。極上のトリートメントとフラワーバスで至福の時間

⬇バリ島の伝統建築を背景としたウエディングセレモニーも注目を集める

⬆隣接するバリ動物園で、動物に触れたり、一緒に写真を撮ったりできる

○隣接する動物園でのふれあい体験も楽しい

サントゥー・ヴィラ

The Sanctoo Villa at Bali Zoo

MAP 付録P.3 D-3

自然のなかにひっそりとたたずむヴィラは、全室プライベートプール付き。バリの伝統とモダンなセンスが融合したシックなインテリアが心地よい。隣にはバリ動物園があり、動物とふれあえるプログラムにも気軽に参加できる。

☎0361-4711222 交空港から車で55分 所Jl. Raya Singapdu, Sukawati, Ubud 料ⓈⓉRp.229万9000～ 室数40 HP www.thesanctoovilla.com 💳

○濃密な森と渓谷に抱かれて癒やしのひととき

テジャプラナ

Tejaprana

MAP 付録P.7 D-2

渓谷沿いの緑に溶け込むように全28のヴィラが点在。それぞれにインフィニティ・プールとガゼボ、天然石のバスタブが備わり、誰にも邪魔されずにプライベートな休日を満喫できる。

☎0361-9080939 交空港から車で1時間20分 所Banjar Sapat, Tegallalang, Ubud 料ⓈⓉRp.300万～ 室数28 HP www.tejaprana.com 💳

⬆周囲は鬱蒼としたジャングル。ヴィラはすべて東向きに設計され、朝日を浴びて一日が始まる

⬅受賞歴のある建築家が手がけたモダンな客室。大きなベッドとソファが配され、窓の外の景色も美しい

○アユン渓谷の絶景を望む神秘的な隠れ家

フォーシーズンズ・リゾート・バリ・アット・サヤン

Four Seasons Resort Bali at Sayan

MAP 付録P.6 B-3

渓谷に架かる橋を渡ると、そこは日常から隔絶された別世界。アユン川のせせらぎが静かに響き、雄大な風景に圧倒される。客室はビルディングとプール付きヴィラの2タイプ。開放的なダイニング「アユン・テラス」も利用したい。

☎0361-977577 交空港から車で1時間15分 所Sayan, Ubud 料ⓈⓉ1350万～ 室数60 HP fourseasons.com/sayan J 💳

⬆深い緑に囲まれた、大きな蓮池に感動する

○ のどかな農村風景が広がる体験型リゾート

デサ・ヴィセサ・ウブド

Desa Visesa Ubud

MAP 付録P.6 C-2

6.5haの敷地に、田園や畑などを配置して昔ながらの村を再現。さまざまな農村体験アクティビティが用意され、バリの伝統文化を肌で感じることができる。客室はスイートとヴィラタイプがあり、いずれも洗練された贅沢なつくり。

☎0361-2091788 交空港から車で1時間30分 所Jl. Suwata, Banjar Bentuyung Sakti Ubud 料ⓈⓉRp.420万～ 室数106 HP www.visesaubud.com

↑竹をふんだんに使ったさわやかなオープンエアのスパルーム

↑広々としたシックな空間で伝統的なインドネシア料理が楽しめる「ルンブン レストラン」

↑プライベートプール付きのヴィラはカップルやファミリーに人気

○ 王族の伝統を受け継ぐ格式高い名門ホテル

ザ・ロイヤル・ピタマハ

The Royal Pita Maha

MAP 付録P.6 B-2

ウブドの王族が経営するホテルとあって、風格と気品は折り紙付き。伝統的な建物は緻密な装飾で彩られ、渓谷の自然と調和している。山の斜面にたたずむ各ヴィラや、オープンエアのダイニングから見渡す絶景も素晴らしい。

☎0361-980022 交空港から車で1時間20分 所Desa Kedewatan, Ubud 料ⓈⓉRp.712万5000～ 室数75 HP www.royalpitamaha-bali.com

←ダイナミックな渓谷を一望する吹き抜け構造のレストラン

↑「ロイヤル・プール・ヴィラ」の高級感漂うバスルーム

↑天蓋付きのキングサイズベッドでゆっくり疲れを癒やしたい

↑熱帯の植物に覆われたヴィラ。独特の丸いファサードが目を引く

○ 自然素材を使った不思議な形のヴィラに注目

アディワナ・ディジワ・ウブド

Adiwana Dijiwa Ubud

MAP 付録P.9 F-3

素朴な田園風景を望む大人専用のヴィラ。ユニークな外観が印象的で、木や竹などの自然素材が温かみを醸す。

☎0361-6207677 交空港から車で1時間15分 所Jl. Sawah Indah, Peliatan, Ubud 料ⓈⓉRp.280万～ 室数7 HP www.adiwanabeehouse.com

○ 熱帯雨林に囲まれた神聖な癒やしスポット

バグース・ジャティ

Bagus Jati

MAP 付録P.3 E-2

「健康で豊かな暮らし」がコンセプト。古くから聖地と伝わる標高765mの高地に、ヴィラやシャレーが点在する。

☎0361-901888 交空港から車で1時間50分 所Banjar Jati Desa Sebatu, Kecamatan Tegallalang Ubud, Gianyar 料ⓈⓉRp.230万～ 室数33 HP bagusjati.com/jp

↑木の風合いを生かした落ち着きのある「スーペリア・ヴィラ」

↑鬱蒼とした木々に縁どられた開放感あふれるパブリックプール

○ 川の流れと深い森が織りなす風景に感動

スタラ・ア・ポートフォリオ・ホテル・ウブド

Sthala, a Tribute Portfolio Hotel, Ubud

MAP 付録P.3 D-3

ウブド中心部からやや離れたウォス川のほとり。143の客室はバルコニー付きで、どの部屋からも絶景が望める。

☎0361-3018700 交空港から車で1時間 所Jl. A.A Gede Rai Mawang Kelod, Lodtunduh, Kecamatan Ubud 料ⓈⓉRp.205万～ 室数143 HP www.sthalaubudbali.com

↑白を基調とした明るい「デラックス・ツイン・プール・ビュー」

↑ウォス川近くの自然豊かな場所にあり、深緑が目に鮮やか

郊外ならではの至極のステイ

バリ島内の郊外リゾート

喧騒を離れてラグジュアリーな時間を独り占めしたいなら、いたれり尽くせりな郊外の極上ホテルもおすすめ。

豪華なテント型の部屋でグランピング体験

ムンジャンガン・ダイナスティー・リゾート

Menjangan Dynasty Resort

バリ島北西部 MAP 付録P.2 A-2

バリ島では数少ないグランピングスタイルのリゾート。テント型の客室には家具やエアコン、バスルームなどが完備され、快適にアウトドアを楽しめる。海と一体化したインフィニティ・プールで自然に身をゆだねるのもいい。

☎0362-3355000 交空港から車で4時間 所Desa Pejarakan - Gerokgak, Buleleng, North West Bali 料ⓈⓉRp.250万～ 室数33 HP mdr.pphotels.com

1. 上質な家具を配したラグジュアリーな「クリフ・テント・ヴィラ」
2. 手つかずの自然が残るバリ島北西部にあり、海は透明度抜群

美しい棚田を眺めながら過ごす休息の日々

ワパ・デ・ウメ・シドメン

Wapa di Ume Sidmen

バリ島東部 MAP 付録P.3 E-3

アグン山の麓にあり、目の前に広がるのは熱帯雨林とライステラス。山の斜面を利用した2層のインフィニティ・プール、オープンエアのレストランなど、自然と調和した施設が揃う。客室はヴィラやスイートなど3タイプ。

☎081-1399-8972 交空港から車で1時間30分 所Banjar Dinas Tebola, Telaga Tawang, Sidemen 料ⓈⓉRp.364万5000～ 室数21 HP wapadiumesidemen.com

1.やわらかい色調でまとめられたテラス付きの「ラナイ・ルーム」2.山の中腹にひっそりと建ち、周囲には素朴な山里の風景が広がる

コスパ良好、質も良好

バジェットホテルで快適ステイ

宿泊はリーズナブルにいきたい方に、バジェット(低料金)、でも安心して過ごせるおすすめホテルをご紹介。

○ 絶好の立地でショッピングや食事にも便利

ザ・ワン・レギャン

The ONE Legian

レギャン MAP 付録P.16 C-3

レギャン通り沿いの便利な場所にあり、ミニマルなデザインの客室は明るく快適。屋上には開放感抜群のプールやダイニングが設けられ、街の中にいながらリゾートステイを満喫できる。ミニジムやイベントスペースも完備。

☎0361-3001101 交空港から車で20分 所Jl. Legian No. 117, Kuta 料Ⓢ①Rp. 65万~ 室数301 HP www.theonelegian.com

1.暖色系の明るいカラーリングが安らぎを演出するゲストルーム 2.1階のレストラン「ザ・デッキ」では幅広い料理が楽しめる

1.宿泊棟に囲まれたメインプール。奥にはバーを併設 2.独立したリビングとベッドルームがある「ハリス・ワンベッドルーム・レジデンス」

○ キッズ向け施設が豊富でファミリーに人気

ホテル&レジデンス・リバービュー・クタ

Hotel & Residences Riverview Kuta

クタ MAP 付録P.17 E-4

客室はホテルタイプとレジデンスタイプがあり、ファミリー向けの部屋も完備。白とオレンジを基調としたモダンなインテリアが目を引く。3つのプールをはじめ、キッズクラブ、スパ、ジム、レストランなど施設も充実している。

☎0361-761007 交空港から車で15分 所Jl. Raya Kuta 62A, Kuta 料Ⓢ①Rp.57万8000~ 室数120 HP www.harrishotels.com/en-us/Riverview J

○ アートと音楽があふれる個性派ホテル

ソル・ハウス・バリ・レギャン

Sol House Bali Legian

レギャン MAP 付録P.16 C-2

ペイントアートで彩られた館内は、ポップで明るい雰囲気。1階と屋上にプールがあり、ルーフトップバーでは平日のDJパフォーマンスや週末のイベントなどが楽しめる。恵まれた立地も魅力で、レギャン・ビーチも徒歩圏内。

☎0361-4752999 交空港から車で25分 所Jl. Sriwijaya No.16, Legian 料Ⓢ①Rp.65万~ 室数115 HP www.melia.com/en/hotels/indonesia/bali/sol-house-bali-legian/index.htm

1.シンプルで機能的な「ハウス・ルーム」。白と木目を生かした内装は清潔感がある 2.食事やお酒が味わえるプレイバー。音楽イベントも開催

1.ルーフトッププールから、飛行機が離発着する様子が見られる 2.落ち着いた色使いで統一された贅沢な間取りの「ジュニア・スイート」

○ 飛行機を見ながら屋上のプールでリラックス

Hソブリン

H Sovereign

クタ MAP 付録P.4 C-3

ングラ・ライ国際空港から車で数分の距離にあり、トランジットや深夜発着便を利用する際に便利。客室は上品ながらエッジの効いたデザインで、贅沢なスイートも用意されている。屋上のプールやバー、スパにも注目したい。

☎0361-2090740 交空港から車で5分 所Jl. Raya Tuban No.2, Lingkungan Tuban Griya, Tuban, Kuta 料Ⓢ①Rp.75万~ 室数194 HP www.hsovereignhotels.com

バリ島から近くの島々へ

少し足を延ばして
多彩な魅力を探しに

**膨大な数の島々からなるインドネシアは、多様な人々が共存する世界屈指の多民族国家。
バリ島周辺に浮かぶ島々もそれぞれに個性的で、新鮮な発見や驚きに満ちている。**

壮大な遺跡や美しい自然にふれ バリ島とは違った文化を知る

バリ島の周辺には、日帰りで手軽に行ける観光スポットが点在。ジャワ島では、世界遺産のボロブドゥールやプランバナンの寺院群や古都ジョグジャカルタを訪ねて、歴史ロマンに思いを馳せるのもいい。美しいビーチが広がるロンボク島、大トカゲで有名なコモド島では、豊かな自然や素朴な人々の暮らしに出会える。

↑古都ジョグジャカルタに受け継がれる、伝統的な柄をしたバティック

↑三輪自転車のタクシー「ベチャ」。昔ながらの市民の交通手段だ

世界最大級の仏教遺跡

ボロブドゥール寺院遺跡群

Candi Borobudur ▶P.154

MAP 付録P.2 A-4

8～9世紀に建造された仏教の寺院群。ボロブドゥール寺院は世界最大級の仏教遺跡で、曼荼羅を立体的に表したとされる。

壮麗なヒンドゥ教寺院

プランバナン寺院群

Candi Prambanan ▶P.156

MAP 付録P.2 A-4

ヒンドゥ教と仏教の寺院が約5km四方に点在。中心のプランバナン寺院は鋭い尖塔が特徴で、ジャワ・ヒンドゥ建築の傑作。

王朝文化が伝わる古都

ジョグジャカルタの街

Yogyakarta ▶P.158

MAP 付録P.2 A-4

18世紀に王国の都として繁栄し、歴史的建造物が多い。郊外にはボロブドゥールとプランバナンの2つの世界遺産がある。

トゥンバサンバ Tumbangsamba
プランガン Balangan
サンピ Sampit
プガタン Pagatan
クアラペンブアン KualaPembuang
ジャワ海 Java Sea
チレゴン Cilegon
ジャカルタ Jakarta
マリンピン Malingping
チアンジュル Cianjur
スカブミ Sukabumi
バンドン Bandung
チレボン Cirebon
プカロンガン Pekalongan
テガル Tegal
プマラン Pemalang
ジャワ島 Java
ゲンテン Genteng
タシッマラヤ Tasikmalaya
パムンプ Pameungpeuk
チパトゥジャ Cipatujah
チラチャップ Cilacap
クブメン Kubumen
マディウン Madiun
ジョンバン Jombang
クディリ Kediri
ドゥレナン Durenan
パチタン Pacitan
マラン Malang
スラバヤ Surabaya
パスルアン Pasuruan
プロボリンゴ Probolinggo
マドゥ P. Mad
インド洋 Indian Ocean

バリ島に隣接する島

ロンボク島

Pulau Lombok ▶P.162

MAP 付録P.2 B-4

透明な海と白砂ビーチに恵まれた島。観光開発が進む一方、素朴な雰囲気も残る。バリ島とは異なる独特の文化も興味深い。

コモドドラゴンで有名

コモド島

Pulau Komodo ▶P.160

MAP 付録P.2 C-4

世界最大級のトカゲ、コモドドラゴンが生息する島。手つかずの大自然が残り、珍しいピンク色のビーチも注目を集める。

01 仏教の世界観を表す 荘厳華麗な巨大遺跡

ジャワ島 ボロブドゥール寺院遺跡群

8〜9世紀にかけて仏教文化が花開いたシャイレンドラ朝時代の広大な遺跡が、悠久の時を超えて人々を魅了し続ける。

円壇からの雄大な眺め。特に日の出の様子は幻想的で、サンライズツアーが人気を集める

密林の中で1000年以上眠っていた壮大なボロブドゥール寺院

盛土の上に約200万個の石を積んで造られた世界最大級の仏教遺跡。8世紀頃の建造と推定されるが、いまだ謎は多い。長らく密林に埋もれていたが、1814年にイギリス人ラッフルズが再発見。基壇1層、方形壇5層、円壇3層からなるピラミッド構造で、仏教の三界(欲界、色界、無色界)を表しているとされる。2672面の精巧なレリーフと504体の仏像があり、頂上には巨大ストゥーパが鎮座。往時の高い技術力と仏教文化の繁栄が偲ばれる。

MAP P.154
開6:30〜16:30 休無休 料US$25

正面から望む荘厳な姿。寺院全体が仏教の世界観を表現した立体曼荼羅ともいわれる

ボロブドゥールを守る獅子像。日本の狛犬を思わせる存在で、愛嬌のある表情が印象的

バリ島からのアクセス

ジョグジャカルタの空港は、ジョグジャカルタ市の南西部にある2019年に開港したジョグジャカルタ国際空港。バリ島のングラ・ライ国際空港から国内線で約1時間40分。空港から市内中心部にあるトゥグ駅までは鉄道で約40分。タクシーで約1時間30分。空港からボロブドゥール寺院遺跡群へはタクシーで約1時間30分。

見学のアドバイス

回廊は右回りで見学
回廊のレリーフは右回りに見るのが基本。物語の展開を順に追うことができる。

ガイドの解説付きで
遺跡についてより詳しく知りたいなら、ガイド付きで見学するのがおすすめ。

熱中症や日焼けに注意
日陰がなく日差しが強いので帽子や長袖シャツは必須。水分補給も忘れずに。

ストゥーパ
釣鐘型の仏塔で、内部に仏像を安置。格子状の小窓があり、菱形は不安定、正方形は安定を示すとされる

円壇
3層からなる円形の壇。頂上の大ストゥーパを取り囲むように、72基のストゥーパが同心円状に林立する

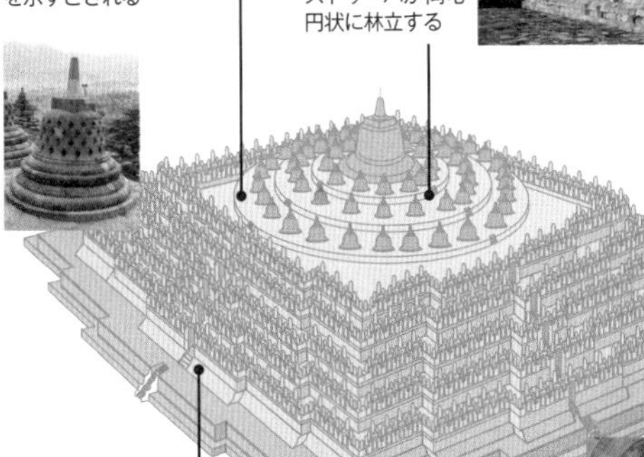

回廊
総延長5kmに及び、釈迦の生涯や仏教説話などを題材とした緻密なレリーフが美しい

仏像
ストゥーパ内のほか、方形壇にも仏像があり、第1～4層の仏像は東西南北それぞれに異なる印相を結んでいる

ここにも立ち寄り

ボロブドゥール寺院周辺の遺跡

ボロブドゥール寺院をはじめとする3つの寺院が、東西に延びる直線上に並ぶ。かつて参拝者は2つの寺院を巡ったあと、ボロブドゥール寺院を訪れたという。

聖樹や天女のレリーフが見どころ

パウォン寺院

Candi Pawon

MAP P.154

高さ12mの小さな寺院で、シャイレンドラ朝の王廟との説もある。内部は空洞だが、外壁には聖なる木カラパタルや天女などのレリーフが刻まれている。

交 市内中心部から車で1時間 開 7:00～11:00、12:00～16:00 休 無休 料 無料

↑小規模ながら優美な彫刻は見応えがある
→聖樹カラパタルを描いた精緻なレリーフ

美しい石仏はジャワ美術の傑作

ムンドゥッ寺院

Candi Mendut

MAP P.154

9世紀初頭の建立。内部に釈迦如来、観世音菩薩、金剛手菩薩の三尊像が安置され、「世界で最も美しい仏像のひとつ」とも評される。繊細なレリーフも必見。

交 市内中心部から車で1時間 開 8:00～16:00 休 無休 料 無料

↑1836年に地中から発見された仏教寺院
→グプタ様式の流れをくむ釈迦如来像

02 2つの宗教が融合したジャワ文化の結晶
ジャワ島
プランバナン寺院群

約5km四方にわたって大小の遺跡が点在。ヒンドゥ教と仏教の寺院が入り交じり、2つの宗教が共存した時代の記憶が残る。

中心のプランバナン寺院(別名ロロ・ジョングラン寺院)。切り立った山のような塔が並ぶ

鋭い尖塔が天高くそびえ立つ ジャワ・ヒンドゥ文化の象徴

遺跡群の中核をなすプランバナン寺院は、9世紀中頃に古マタラム王国のピカタン王により造営が始められたと伝わるヒンドゥ教寺院。1733年に荒廃した状態で発見され、修復を経て現在の姿となった。高さ47mのシヴァ堂を中心として、北にヴィシュヌ堂、南にブラフマー堂が鎮座。各堂の向かい側にはそれぞれの神の乗り物を祀る堂が控えている。外壁は古代インド叙事詩を題材としたレリーフで飾られ、緻密かつ壮大な建築美に圧倒される。

MAP P.156
開6:30～17:00 休無休 料US$25

古代インド叙事詩『ラーマーヤナ』の物語を描いたレリーフ。精緻な描写が目を奪う

セウ寺院は、「千の寺」の名を持つ仏教寺院。入口には一対の守護神クベラ像が立つ

バリ島からのアクセス

バリ島のングラ・ライ国際空港から国内線で約1時間40分。空港からプランバナン寺院群へは、タクシーで約1時間30分。

ブラフマー堂

創造神ブラフマー像を安置。シヴァ堂から続く『ラーマーヤナ』のレリーフが外壁を飾る

野外舞踊

敷地内にある屋外劇場で5～10月に『ラーマーヤナ』の舞踊を上演。夜の寺院を背景として華麗な演技を繰り広げる

ここにも立ち寄り

プランバナン寺院周辺の遺跡

史跡公園の外側にも遺跡が点在し、仏教とヒンドゥ教の建築が混在している。

美しい彫刻で彩られた仏教寺院

プラオサン寺院

Candi Plaosan

MAP P.156

仏教国から嫁いだ王妃のために建てられたとも。菩薩像や外壁の彫刻が美しい。

交市内中心部から車で25分 開7:30～16:30 休無休 料無料

仏教とヒンドゥ教の要素が融合

カラサン寺院

Candi Kalasan

MAP P.156

ヒンドゥ教国と仏教国の王族の結婚を機に建立。2つの宗教の特徴がみられる。

交市内中心部から車で20分 開8:00～17:00 休無休 料無料

優美な菩薩像の浮き彫りに注目

サリ寺院

Candi Sari

MAP P.156

重層の曲板構造が特徴的な仏教寺院。外壁に彫られた菩薩像のレリーフが見事。

交市内中心部から車で20分 開8:00～16:00 休無休 料無料

長年火山灰に埋もれていた寺院

サンビ・サリ寺院

Candi Sambi Sari

MAP P.156

1966年に地中から発見された遺跡。主堂の外壁にヒンドゥの神々のレリーフがある。

交市内中心部から車で20分 開8:00～16:00 休無休 料無料

遺跡群を一望する絶景ポイント

ボコの丘

Ratu Boko

MAP P.156

プランバナン寺院群を見渡す標高約200mの丘。特に夕方の光景が見事だ。

交市内中心部から車で25分 開7:00～17:00 休無休 料無料

➲ボコの丘からの眺め。のどかな風景に遺跡が溶け込んでいる

03 華やかな宮廷文化が現代まで残る古都

ジャワ島
ジョグジャカルタの街

18世紀に王都として栄えた面影をとどめ、古都らしい落ち着いた風情を漂わせる街。深く刻まれた歴史とジャワ文化が息づく。

Yogyakarta

↑しっとりと落ち着いた街並みが広がる

バリ島から ✈🚗で 約3時間30分

王朝時代の歴史を伝える見どころが点在 2つの世界遺産を巡る拠点としても賑わう

ジャワ語で「平和の都」を意味するジョグジャカルタは、古くから仏教やヒンドゥ教が伝来して栄えた地。イスラム・マタラム王国が分裂した18世紀に王都となり、インドネシア独立戦争時には臨時首都となった。街の中心部には王朝ゆかりのスポットが多く、王宮では今もスルタン(君主)が暮らしている。郊外には世界文化遺産のボロブドゥールとプランバナンがあり、観光の起点として賑わう。オランダ統治時代の面影も残り、情緒ある古都の風景と調和。伝統芸能も盛んで、ジャワ独特の文化にふれることができる。
2023年、ジョグジャカルタは、王宮(クラトン)を中心としたジャワの精神世界と文化歴史を踏まえた「ジョグジャカルタの宇宙論的枢軸とその歴史的建造物群」の名のもと、世界文化遺産に登録された。

バリ島からのアクセス(→P154)

空港からのアクセス(→P154)

ジョグジャカルタ
Yogyakarta City

Magelang St.
Jl. P. Mangkubumi
Jl. Kyai Mojo
Jl. HOS Cokroaminoto
Jl. KH. Ahmad Dahlan

ホテル サンティカ プレミア ジョグジャ
Hotel Santika Premiere Jogja

首都ジャカルタとジャワ島東部につながる鉄道駅

グランド ズリマ
Grand Zuri Malioboro

ジョグジャカルタ駅

ホテル ネオ マリオボロ
Hotel Neo Malioboro

目抜き通りのマリオボロ通り。国内外の旅行者で大変な賑わいに

衣服や雑貨など生活用品が揃う巨大市場

ベンテン博物館
Museum Benteng Vredeb

ジョグジャカルタ 国立博物館
Jogja National Museum

PUK ジョグジャカルタ ムハマディア病院
RS PKU Muhammadiyah Yogyakarta

ソノブドヨ博物館
Museum Sonobudoyo

王宮北広場
Alun Alun Lor

今もスルタン(君主)が暮らす王宮で、一帯は古き良き時代の面影を残す

公園
Lapangan Mancasan

王宮馬車博物館
Museum Wahanarata

王宮
Kraton

瀟洒な石造りのプールを備えた離宮

パサール・ンガスン
Pasar Ngasem

タマン・サリ(水の宮殿)
Taman Sari

政府機関
Ministry of Social Affairs Ri

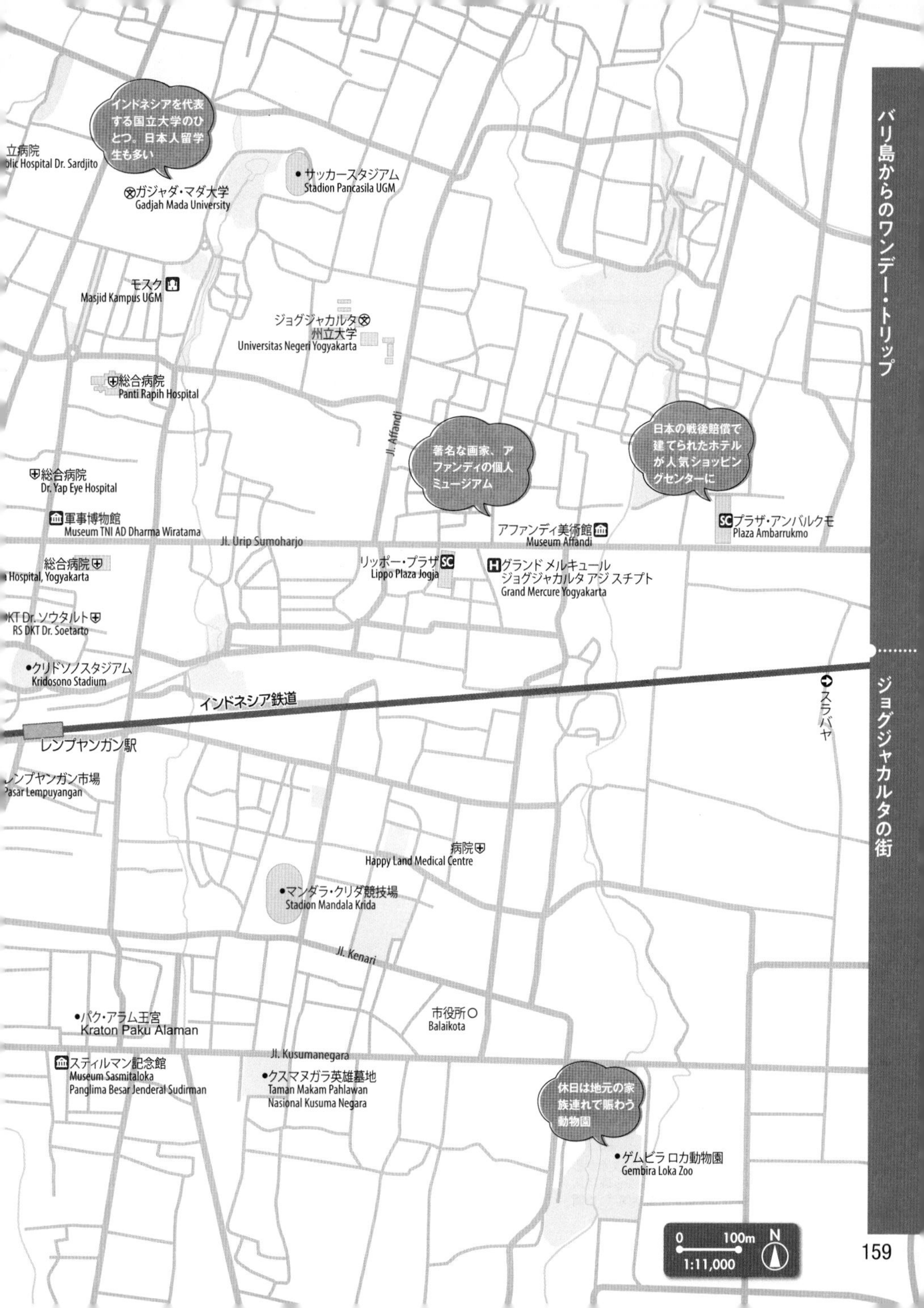
インドネシアを代表する国立大学のひとつ。日本人留学生も多い
立病院
blic Hospital Dr. Sardjito
ガジャダ・マダ大学
Gadjah Mada University
サッカースタジアム
Stadion Pancasila UGM
モスク
Masjid Kampus UGM
ジョグジャカルタ州立大学
Universitas Negeri Yogyakarta
総合病院
Panti Rapih Hospital
Jl. Affandi
著名な画家、アファンディの個人ミュージアム
日本の戦後賠償で建てられたホテルが人気ショッピングセンターに
総合病院
Dr. Yap Eye Hospital
軍事博物館
Museum TNI AD Dharma Wiratama
アファンディ美術館
Museum Affandi
プラザ・アンバルクモ
Plaza Ambarrukmo
Jl. Urip Sumoharjo
総合病院
Hospital, Yogyakarta
リッポー・プラザ
Lippo Plaza Jogja
グランド メルキュール ジョグジャカルタ アジ スチプト
Grand Mercure Yogyakarta
KT Dr. ソウタルト
RS DKT Dr. Soetarto
クリドソノスタジアム
Kridosono Stadium
インドネシア鉄道
スラバヤ
レンプヤンガン駅
レンプヤンガン市場
Pasar Lempuyangan
病院
Happy Land Medical Centre
マンダラ・クリダ競技場
Stadion Mandala Krida
Jl. Kenari
パク・アラム王宮
Kraton Paku Alaman
市役所
Balaikota
Jl. Kusumanegara
スティルマン記念館
Museum Sasmitaloka
Panglima Besar Jenderal Sudirman
クスマヌガラ英雄墓地
Taman Makam Pahlawan
Nasional Kusuma Negara
休日は地元の家族連れで賑わう動物園
ゲムビラ ロカ動物園
Gembira Loka Zoo
0 100m
1:11,000
N

ONE DAY TRIP FROM BALI

04 コモドドラゴンの棲むワイルドアイランド
コモド島

太古の恐竜が現代に蘇ったような巨大なコモドドラゴンの姿を間近で観察。透明な海とピンク色の砂浜も美しい

⬆コモドドラゴンの生息数はわずか3000～5000頭で、絶滅危惧種となっている

豊かな自然に抱かれた秘境で希少な生物と絶景に出会う

手つかずの自然が残るコモド島は、人口2000人ほどの小さな島。隣接するリンチャ島、パダール島とともにコモド国立公園を形成し、世界自然遺産に登録されている。世界最大級のトカゲ、コモドドラゴンが生息しており、大きな個体は体長3m、体重150kgに達することも。恐竜のような姿は迫力たっぷりで、レンジャーの案内付きであれば間近で観察できる。島の東側には赤いサンゴと砂が混じり合ってできたピンク色のビーチがあり、青い海とのコントラストが鮮やか。透明度抜群の海は絶好のダイビングスポットでもある。

バリ島からのアクセス

ングラ・ライ国際空港からコモド島近く、フローレス島のコモド空港まで飛行機で直行便が出ている。所要時間は約1時間。

空港からのアクセス

コモド島へはツアー利用が一般的。空港から船着き場まで車で行き、船着き場から専用スピードボートに乗り換える。所要時間は1時間45分ほど。

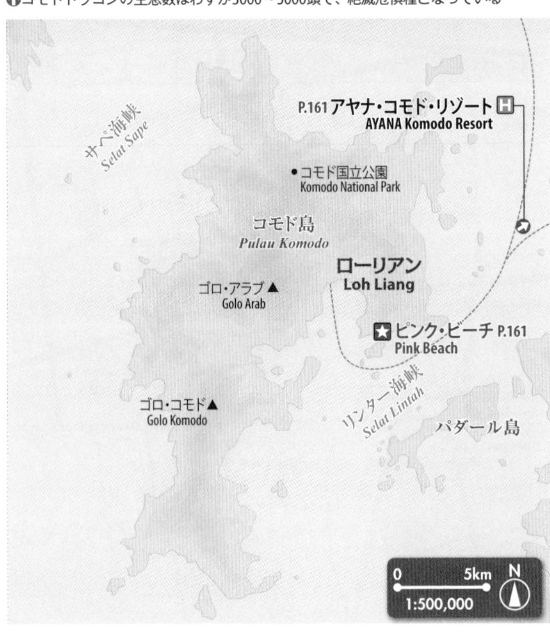

↑ピンク色の正体は、白い砂にオルガンパイプコーラルという赤サンゴの破片が混じっているため

ロマンティックなピンク色の砂
ピンク・ビーチ
Pink Beach

MAP P.160

砂浜のピンクと海のブルーとのコントラストは、自然が創造した奇跡の光景。4～6月、9～11月の期間が、一年のなかで最も美しい色合いになるといわれている。

交コモド空港から車と船で2時間

一生の記憶に残る旅をするなら、インドネシアの秘境「コモド島」へ
密かな人気を集める秘境ステイ

コモドドラゴンとの遭遇やシュノーケルが楽しめるバリ島発1泊ツアーもあるので、ぜひ利用したい。

島唯一の5ツ星リゾート
アヤナ・コモド・リゾート
AYANA Komodo Resort

MAP P.2 C-4

バリ島の人気リゾートが2018年フローレス島にオープン。ラブハンバジョの絶景ポイントとして知られるワエチチュ・ビーチにあり、アドベンチャーとリゾートを兼ね備えた唯一無二の滞在ができる。

☎0385-2441000 交コモド空港から車で15分 所Pantai Waecicu, Labuan Bajo, Kab, Kabupaten Manggarai Barat, Nusa Tenggara Tim 室数201 料Ⓣ Rp.757万4524～ HP www.ayana.com/ja/labuan-bajo/ayana-komodo

↑客室はすべてオーシャンビュー。専用桟橋から出航するボートに乗ってアクティビティも楽しめる

↑極上の滞在を約束するフルオーシャンビューのスイートルーム

↑美しい海を眺めながらゆったりとくつろげるバスルーム

↑インフィニティ・プールやキッズプールなどを備えている

05 美しいビーチと伝統が息づく島 ロンボク島

バリ島とはまったく異なる独特の魅力を持つ白砂ビーチが美しいのんびりとした楽園。ササック族の素朴な暮らしも垣間見える。

⇧海は透明度が高く、シュノーケリングに最適。ビーチでのんびり過ごすのもいい

「第2のバリ」と呼ばれるのどかな雰囲気の穴場リゾート

バリ島の東約50kmに位置し、澄んだ海と白砂ビーチが美しい島。国際空港が開業し、「第2のバリ」として観光開発が進められているが、昔ながらの素朴な雰囲気はそのままだ。バリ島とは海溝で隔てられているため、2つの島は近距離にありながら、気候風土や植生はまったく異なる。島民の大多数は先住民ササック族で、イスラム教とヒンドゥ教、土着信仰が融合した独特の文化を育んでいる。観光の中心となるスンギギは、ホテルやレストランが集まる賑やかなビーチタウン。静かに過ごしたいなら、南部のクタがおすすめだ。

バリ島からのアクセス

空便ならングラ・ライ国際空港からロンボク国際空港まで約35分。船便は一般的でないが、公共・民間ともにフェリーが出ており、4～5時間ほどかかるが格安で行くことができる。

空港からのアクセス

近くのタンジュンアン・ビーチなら車で40分ほど。ギリ三島やオベロイには1時間40分ほどかかる。

ロンボク島ならではの素朴さが魅力

注目のビーチセレクション

Beach Selection

↑訪れる人も少ない穴場ビーチ。手つかずの自然に包まれて、景色を眺めているだけで癒やされそう

豊かな自然と透明度抜群の海に囲まれた
シークレットパラダイス。サーファーの聖地としても有名。

知る人ぞ知る絶景ビーチ

タンジュンアン・ビーチ

Tanjung Aan Beach

MAP P.162

ロンボク島の南部、クタの近くにあるビーチ。インドネシアのベストビーチに選ばれたこともあり、真っ白な砂浜と青い海が織りなす光景は、息をのむほど美しい。

交ロンボク国際空港から車で40分

島のメインサーフポイント

グルプック

Gerupuk

MAP P.162

年間を通してサーフィンが楽しめることで有名な港町グルプック。湾の中に複数のサーフポイントがあり、絶好の波がサーファーを魅了する。周辺にホテルも建つ。

交ロンボク国際空港から車で50分

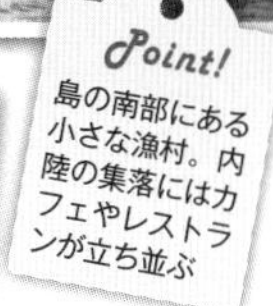

ロンボク島南部の穴場ビーチ

セガール・ビーチ

Segar Beach

MAP P.162

まだあまり知られていないビーチ。白く長いビーチ上に小さな屋台数軒と手作りの写真スポットがある素朴で静かな場所。タンジュンアン・ビーチからは車で10分ほど。

交ロンボク国際空港から車で35分

Point!
喧騒を離れて静かに過ごすのにぴったりな隠れ家ビーチ。丘の上からはビーチ全体を眺めることもできる

ここにも立ち寄り **離島の楽園ビーチへ行こう**

サンゴの海に浮かぶ3つの島

ギリ三島

Gili Islands

MAP P.162

ロンボク島北西部沖に位置するトラワンガン島、メノ島、アイル島の総称。澄んだ海はシュノーケリングやダイビングに最適。白砂のビーチで過ごすだけでも楽しい。

交ロンボク国際空港から車と船で2時間

↑隠れリゾートとして密かに人気

ロンボク島随一のリゾートエリアには各クラスのホテルがずらり

海沿いの極上ホテルでビーチリゾートを満喫

美しい海を目の前に過ごす至高のリゾートステイを叶えよう。高級～中級ホテルは、オフシーズンに料金割引もあるので要チェック。空港からの無料送迎があるホテルも多い。

島ならではの風情たっぷり

ノボテル・ロンボク

Novotel Lombok

MAP P.162

インドネシアで屈指の美しさを誇るクタ・ビーチにある4ツ星ホテル。先住民族ササック人の村落を模した独特のリゾート空間で、多彩なアクティビティが満喫できる。

☎0370-6153333 交ロンボク国際空港から車で30分 所Pantai Putri Nyale, Kuta, Lombok Tengah 室数102 料ⓈⓉRp.150万～ HP www.novotellombok.com

↑ロンボク島の住居であるササック様式で建てられたバンガローとホテルタイプの客室棟が並ぶ

↑オンザビーチの贅沢なロケーション。絶好のサーフポイントも近い

↑トロピカルな庭園に囲まれた3つのプライベートプールを完備

↑海を目の前にした開放的なレストラン。夜にはショーも開催

↑かわいい牛たちがビーチの砂をならしている朝の風景

スンギギを代表するリゾート

シェラトン・スンギギ

Sheraton Senggigi

MAP P.162

海と街の両方が楽しめる好立地。ビーチとガーデンを囲むように6つの建物棟があり、優雅なバカンスを満喫できる施設が整う。

☎0370-693333 交ロンボク国際空港から車で1時間 所Jl.Raya Senggigi Km. 8, Senggigi, Lombok 室数154 料ⓈⓉRp.170万～ HP www.marriott.co.jp/hotels/travel/lopsi-sheraton-senggigi-beach-resort

↑本格的なインドネシア料理

↑ボディトリートメントが受けられるフルサービススパ

↑洞窟やウォータースライダーのあるプールなど、施設も充実

ロンボク随一の高級ホテル

ジ・オベロイ・ロンボク

The Oberoi Lombok

MAP P.162

メダナ・ビーチに建つラグジュアリーリゾート。約3万坪の広大なガーデンにバリ伝統様式のヴィラやバンガローが点在し、レストラン、バー、スパなど施設も充実。

☎0370-6138444 交ロンボク国際空港から車で1時間10分 所Medana Beach, Tanjung, North Lombok 室数20 料ⓈⓉRp.349万～ HP www.oberoihotels.com/hotels-in-lombok

↑バーからサンセットも一望

↑天蓋付きのベッドなど、リゾート感あふれるインテリア

↑刻々と表情を変える美しい景色を映すインフィニティ・プール

TRAVEL INFORMATION

旅の基本情報

旅の準備

パスポート(旅券)

旅行の予定が決まったら、まずはパスポートを取得。各都道府県、または市区町村のパスポート申請窓口で取得の申請をする。すでに取得している場合も、有効期限をチェック。インドネシア入国時には、パスポートの有効残存期間が6カ月以上残っており、ビザ欄の空白ページが十分残っている必要がある。

ビザ(査証)

観光などを目的とした30日以内の滞在であれば、ビザは不要。

海外旅行保険

海外で病気や事故に遭うと、思わぬ費用がかかってしまうもの。携行品の破損なども補償されるため、必ず加入しておきたい。保険会社や旅行会社の窓口やインターネットで加入できるほか、簡易なものであれば出国直前でも空港にある自動販売機でも加入できる。クレジットカードに付帯しているものもあるので、補償範囲を確認しておきたい。

日本からインドネシアへの電話のかけ方

010 → 62 → 相手の電話番号

010：国際電話の識別番号
62：インドネシアの国番号

荷物チェックリスト

◎	パスポート	
◎	パスポートのコピー (パスポートと別の場所に保管)	
◎	ESTAの申請番号控え（46日以上の滞在の場合）	
◎	現金	
◎	クレジットカード（2枚以上を推奨）	
◎	航空券またはeチケット	
◎	ホテルの予約確認書	
◎	海外旅行保険証	
◎	ガイドブック	
	洗面用具（歯磨き・歯ブラシ）	
	常備薬・虫除け・生理用品	
	化粧品・日焼け止め	
	着替え用の衣類・下着	
	冷房対策用の上着	
	水着	
	ビーチサンダル	
	雨具・折り畳み傘	
	帽子・日傘	
	サングラス	
	防水ポーチ・防水スマホケース	
	部屋着	
	エコバッグ	
	携帯電話・充電器・モバイルバッテリー	
	デジタルカメラ・充電器・メモリーカード	
	Wi-Fiルーター	
	ウェットティッシュ・ティッシュ・ハンカチ	
△	スリッパ（ホテルでも使用）	
△	アイマスク・耳栓	
△	エア枕	
△	筆記具	

◎必要なもの　△機内で便利なもの

入国・出国はあわてずスマートに手続きしたい!

手続きの流れをおさらいしておけば安心。空港は混雑するので、時間に余裕をもって早めの行動を。

インドネシア入国

① 入国審査

入国には到着ビザ(VOA)が必要。事前に取得していない場合は、入国審査前に専用カウンターでパスポートと航空券(eチケット控え)を提示し、Rp.50万を支払えば取得できる。また、2024年8月よりエムポックスのインドネシア国内流入を防ぐため、検疫が再度行われている。出発空港にてSATUSEHAT Health Pass(https://sshp.kemkes.go.id/)を記入しておこう。その後、カウンターでパスポートと航空券、到着ビザ、SATUSEHAT Health PassのQRコードを提出。入国スタンプは必須なので、押印と日付をその場で確認すること。

② 預けた荷物の受け取り

モニターで搭乗機の便名を確認し、該当のターンテーブルから機内に預けた荷物をピックアップ。荷物が見つからない場合は、荷物引換証(クレーム・タグ)を持って専用カウンターへ。

③ 税関手続き

荷物を受け取ったら、税関カウンターへ。事前に登録した電子税関申告書のサイトで取得したQRコードを提示し、簡単な荷物検査を受ければ終了。

インドネシア入国時の免税範囲

アルコール類	アルコール飲料1ℓ(21歳以上)
たばこ	紙巻たばこ200本、または葉巻たばこ25本、または刻みたばこ100g(18歳以上)
香水	個人用の適量
物品	1人あたりUS$500
現金	Rp.1億以上の現金、またはRp.10億以上の外貨を持ち込む場合は要申告

※成人1人あたりの免税範囲

SIMカードを利用する

空港の到着フロアに、インドネシア最大手のテレコムセル(Telkomsel)、エックスエル(XL)などのカウンターがあり、現地SIMカードを購入できる。出発前にネットで申し込み、現地で受け取ることも可能。また、街なかのショップでも買えるが、通信会社の直営店でIDを提示して開通手続きをする必要がある。

出発前に確認しておきたい!

税関申告(e-CD)

インドネシア入国時の税関申告書は全面的に電子化され、事前に申請した情報から取得したQRコードを税関職員に提示する必要がある。事前申請はインドネシア税関申告(https://ecd.beacukai.go.id/)の公式サイトから、到着予定日の3日前から可能。

観光税

2024年2月から外国人観光客に対する観光税の支払い制度が開始。1人Rp.15万(クレジットカード払い可能)をバリ島到着前にLove Baliからオンラインで支払う。事前支払いを忘れても、空港出口付近に専用カウンター(6:00~翌3:00)があるので安心。規則や運用は今後、変更となる可能性があるので、在デンパサール日本国総領事館(www.denpasar.id.emb-japan.go.jp/itprtop_ja/index.html)の公式サイトを要確認。

飛行機機内への持ち込み制限

◉**液体物** 100mℓ(3.4oz)を超える容器に入った液体物はすべて持ち込めない。100mℓ以下の容器に小分けにしたうえで、ジッパー付きの透明なプラスチック製袋に入れる。免税店で購入したものは100mℓを超えても持ち込み可能だが、乗り継ぎの際に没収されることがある。

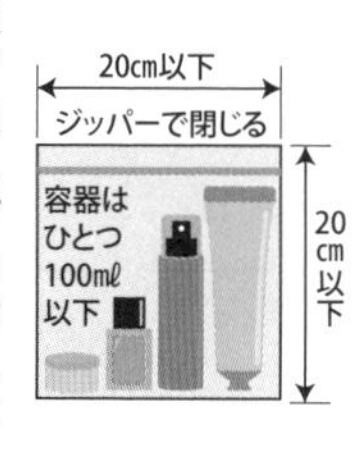

◉**刃物** ナイフやカッターなど刃物は、形や大きさを問わずすべて持ち込むことができない。

◉**電池・バッテリー** 100Whを超え160Wh以下のリチウムを含む電池は2個まで。100Wh以下や本体内蔵のものは制限はない。160Whを超えるものは持ち込み不可。

◉**ライター** 小型かつ携帯型のものを1個まで。

荷物の重量制限

航空会社によって異なるが、ガルーダ・インドネシア航空の日本発着便の場合、無料受託手荷物はエコノミークラス46kg、ビジネスクラス64kgまで。この範囲を超えると、超過料金が必要となる。

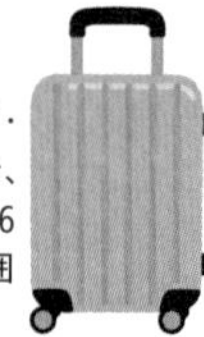

インドネシア出国

① 空港へ向かう

チェックインがまだであれば出発2時間30分前、Webチェックイン済みでも2時間前には空港に着いていたい。観光シーズンはもう少し余裕をもって。

② チェックイン

空港入口で荷物の検査を受け、航空会社のカウンターでパスポートと航空券(eチケット控え)を提示して搭乗券を受け取る。荷物を預けた場合は、荷物引換証(クレーム・タグ)をもらう。

③ 出国審査&搭乗

手荷物のX線検査とボディチェックを受けたあと、出国審査へ進んでパスポートと搭乗券を提示。審査が終了したら、搭乗時間と搭乗ゲートの場所を確認し、早めにゲートへ向かいたい。時間がある場合は、免税店でのショッピングやカフェでの食事などを楽しもう。出発時間や搭乗ゲートは変更となる場合もあるので、出発案内をこまめにチェック。

日本帰国時の免税範囲

アルコール類	1本760mℓ程度のものを3本
たばこ	紙巻たばこ200本、葉巻たばこ50本、その他250g、加熱式たばこ個装等10個のいずれか
香水	2オンス(オーデコロン、オードトワレは含まない)
その他物品	1品目ごとの海外市価の合計額が1万円以下のもの全量。1万円を超えるものは合計20万円まで

※成人1人あたりの免税範囲

日本への主な持ち込み禁止・制限品

持ち込み禁止品	麻薬類、覚醒剤、向精神薬など
	拳銃などの鉄砲、弾薬など
	ポルノ書籍やDVDなどわいせつ物
	偽ブランド商品や違法コピー
	DVDなど知的財産権を侵害するもの
	家畜伝染病予防法、植物防疫法で定められた動植物とそれを原料とする製品
持ち込み制限品	ハム、ソーセージ、10kgを超える乳製品など検疫が必要なもの
	ワシントン国際条約の対象となる動植物とそれを原料とする製品
	猟銃、空気銃、刀剣など
	医療品、化粧品など

再両替は現地で

余ったルピアは日本に持ち帰っても両替が難しいので、現地で日本円に戻すのが基本。しかし、レートがとても悪く、硬貨は両替できないので、少額なら空港内のショップやレストランで使いきるほうがよい。

スムーズに免税手続きをしたい!

付加価値税(TVA)

インドネシアでは、物品やサービスなどは原則として10%の付加価値税(VAT)が加算されている。日本の消費税に該当するもので、旅行者が国内の指定ショップで購入した商品を国外に持ち出す場合、条件を満たせば税金が還付される。ただし、還付制度が適用される指定店は少なく、ディスカバリー・ショッピング・モール内のショップなど一部のみ。

払い戻しの条件

付加価値税(VAT)には還付制度(タックス・リファンド)がある。指定ショップでの1回の購入額がRp.50万以上(税抜き)となる場合、購入額を合算してRp.500万以上(税抜き)となれば、還付対象になる。以前は、合算できるのは同じ日に同一店舗で購入した場合のみだったが、2019年10月から条件が緩和され、購入日や購入店が違っても合算できるようになった。対象者は、外国のパスポートを所有し、インドネシアに居住していない2カ月以内の滞在者で、航空会社職員以外。出国の1カ月以内に購入した未使用の商品に限られる。

払い戻し方法

◉お店　指定ショップでRp.50万(税抜き)以上の買い物をしたら、パスポートを提示してタックス支払い証明書とレシートを受け取る。要求しないと発行してもらえないので、会計の際に申し出ること。証明書の購入日や金額が正しいかどうか確認を忘れずに。

◉空港　空港のVAT還付カウンターで、タックス支払い証明書、レシート、パスポート、航空券、購入した未使用の品物を提示して申請。品物をスーツケースに入れて機内に預ける場合は、チェックイン前に手続きする。還付金額がRp.500万以下の場合は現金(ルピア)で返金。それ以上の場合は銀行口座に振り込まれるので、書類に銀行名や指定通貨などを記入して提出すると、1カ月程度で支払われる。

手続きの注意点

免税品や飲食品、たばこなどは還付対象外。また、ングラ・ライ国際空港やスカルノ・ハッタ国際空港などの主要空港から出国する場合のみ手続きが可能となる。品物は購入後1カ月以内に本人が国外に持ち出すことが条件。還付制度が適用される指定ショップには、「VAT Refund for Tourists」と表示されているが、今のところ少数にとどまっている。

ングラ・ライ国際空港

MAP 付録P.4 C-3

Ngurah Rai International Airport

クタとジンバランの間に位置するバリ島の玄関口。デンパサール国際空港とも呼ばれるが、デンパサール中心部からは約13㎞離れている。インドネシアで3番目に旅客数の多い空港で、深夜の発着便も多数。2013年、APEC開催に合わせて国際線ターミナルが新設され、免税店やレストランなども充実している。

出発ロビー

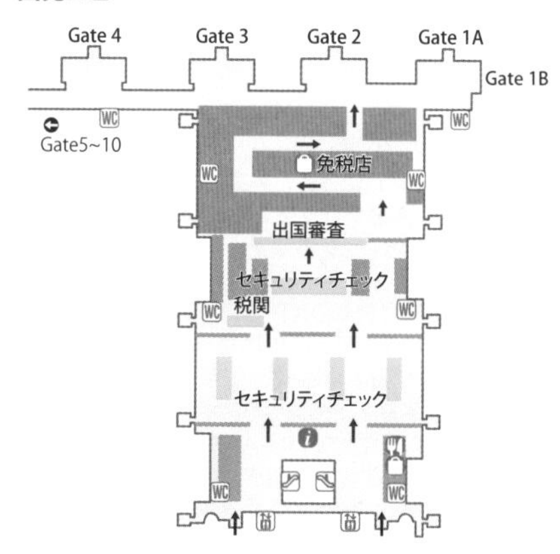

到着ロビー

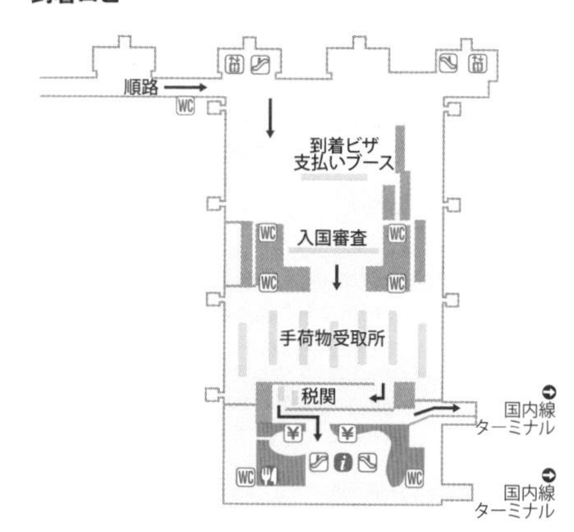

空港からホテルへはスムーズにアクセスしたい！

空港から街の中心部までの移動手段は車のみ。客引きをしている違法タクシーには注意しよう。

空港からバリ島各地へ

エアポートタクシー

行き先	料金
クタ	Rp.15万～20万
レギャン	Rp.20万～
スミニャック	Rp.20万～24万5000
クロボカン	Rp.24万5000～
チャングー	Rp.40万～
ヌサ・ドゥア	Rp.24万5000～
ジンバラン	Rp.15万～24万5000
サヌール	Rp.32万5000～
ウブド	Rp.40万～

空港への乗り入れが許可された公認タクシー。メーター制のタクシーと、エリアごとに料金が決まっている定額制のミニバンの2種類がある。空港の到着ロビーにある発券機でチケットを発券し、そのまま先へ進んで駐車場の手前にある専用カウンターへ。定額制の場合はその場で料金を支払い、案内された車に乗る。メーター制のタクシーは最低料金Rp.9万～。夕方などの渋滞しやすい時間帯であれば定額制のほうが安心。

ホテル・旅行会社の送迎バス

所要	クタ&レギャン …約10～20分 クロボカン …約40～45分 ヌサ・ドゥア …約30～40分 サヌール …約35～45分 ウブド …約1～2時間
料金	無料～

バリ島のホテルでは、空港とホテル間の送迎サービスを行っているところが多い。宿泊ホテルに事前予約しておけば、名前やホテル名が書かれたプレートを持ったスタッフが、空港の到着ロビーで待機している。料金はホテルによって異なり、ほとんどの場合が有料。やや割高だが、安心して利用できるのが魅力だ。送迎付きのパッケージツアーに参加している場合は、旅行会社が手配した車でホテルへ向かう。日本語ガイドが旅行会社やツアー名、名前などを記したプレートを持って到着ロビーで迎えてくれる。他のホテルの宿泊客と混乗の場合は、複数のホテルをまわるため時間がかかることもある。

電話・インターネット事情を確認しておきたい！

情報収集に便利なインターネット接続や、いざというときの電話のかけ方をおさらいしておこう。

電話をかける

国番号は、日本が81、インドネシアが62

バリ島から日本への電話のかけ方

ホテル、公衆電話から

ホテルからは外線番号 → **001** → **81** → **相手の電話番号**

001：国際電話の識別番号　81：日本の国番号　※固定電話・携帯電話とも市外局番の最初の0は不要

携帯電話、スマートフォンから

0または＊を長押し → **81** → **相手の電話番号**

※機種により異なる　81：日本の国番号　※固定電話・携帯電話とも市外局番の最初の0は不要

固定電話からかける

ホテルから　外線番号（ホテルにより異なる）を押してから、相手先の番号をダイヤル。たいていは国際電話もかけることができる。公衆電話は、携帯電話の普及により街で見かけることはほとんどなくなった。

日本へのコレクトコール

緊急時にはホテルから通話相手に料金が発生するコレクトコールを利用しよう。

◉KDDI ジャパンダイレクト

☎001-801-81／008-801-81

オペレーターに日本の電話番号と、話したい相手の名前を伝える。

携帯電話／スマートフォンからかける

国際ローミングサービスに加入していれば、日本で使用している端末でそのまま通話できる。滞在中、インドネシアの電話には8桁の番号をダイヤルするだけでよい。日本の電話には、＋を表示させてから、国番号＋相手先の番号（最初の0は除く）。同行者の端末にかけるときも、国際電話としてかける必要がある。

海外での通話料金　日本国内での定額制は適用されず、着信時にも通話料が発生するため、料金が高額になりがち。ホテルの電話やIP電話を組み合わせて利用したい。同行者の端末にかけるときも日本への国際電話と同料金。

IP電話を使う　インターネットに接続できる状況であれば、SkypeやLINE、Viberなどの通話アプリを利用することで、同じアプリ間であれば無料で通話することができる。SkypeやViberは有料プランでバリ島の固定電話にもかけられる。

インターネットを利用する

ホテルやゲストハウスではWi-Fiが利用できるところがほとんど。有料の場合もあるので、利用条件を事前に確認しておこう。最近は街なかのカフェやレストランでも無料Wi-Fiが使える店が増えているが、セキュリティ面が弱いので、重要な個人情報を含む通信は行わないほうが無難。また、ローカルな食堂や郊外エリアなどはWi-Fi環境が整っていないため、常にインターネットに接続したい人は、海外用Wi-Fiルーターをレンタルして持っていくと便利だ。

インターネットに接続する

海外データ定額サービスに加入していれば、1日1000～3000円程度でデータ通信を行うことができる。通信業者によっては空港到着時に自動で案内メールが届くこともあるが、事前の契約や手動での設定が必要なこともあるため、よく確認しておきたい。定額サービスに加入せずにデータ通信を行うと高額な料金となるため、不安であれば電源を切るか、機内モードやモバイルデータ通信をオフにしておくことがおすすめ。

SIMカード／レンタルWi-Fiルーター

スマートフォンを頻繁に利用するならば、現地SIMカードの購入や海外用Wi-Fiルーターのレンタルも検討したい。SIMフリーの端末があれば、空港やショッピングセンターで購入したSIMカードを差し込むだけで、インターネットに接続できる。購入にはパスポートが必要。プリペイド式のSIMカードが主流で、プルサと呼ばれる料金をチャージして使用する。Wi-Fiルーターの料金は大容量プランで1日500～1500円ほど。複数人で同時に使うこともできる。

	カメラ／時計	Wi-Fi	通話料	データ通信料
電源オフ	×	×	×	×
機内モード	○	○	×	×
モバイルデータ通信オフ	○	○	$	×
通常 モバイルデータ通信オン	○	○	$	$

○利用できる　$料金が発生する

オフラインの地図アプリ

地図アプリでは、地図データをあらかじめダウンロードしておくことで、データ通信なしで利用することができる。機内モードでもGPS機能は使用できるので、通信量なしで地図データを確認できる。

バリ島のお金のことを知っておきたい！

旅行の費用はなるべく節約したいもの。知識不足で損をしないためにも、基本を学んでおこう。

通貨

通貨はインドネシアルピア（Rp.）。

Rp.1000 ＝ 約10円

（2024年8月現在）

1万円 ＝ 約Rp.100万

主に流通している紙幣は7種類、硬貨は5種類。旧デザインの紙幣や硬貨も使える。あまりに汚れたり破れたりした紙幣は受け取ってもらえないことがあるので注意。

紙幣　硬貨

Rp.1000

Rp.50

Rp.2000

Rp.100

Rp.5000

Rp.200

Rp.1万

Rp.500

Rp.2万

Rp.1000

Rp.5万

Rp.10万

両替

どこで両替をすればいい？

両替は日本でもできるが、現地で行うのが一般的。空港や銀行、ホテル、街なかの両替所などで両替できる。レートが良いのは街なかの両替所だが、金額をごまかすなど悪質なところもあるので、政府公認の両替所を利用するのがおすすめ。クレジットカードの海外キャッシングサービスを利用して、ATMで現金を引き出す方法もある。

レート表の見方

日本円からの両替はBUYING

CURRENCY（通貨）	UNIT	SELLING	BUYING
JAPANESE YEN	100	13236.17	13259.86
US DOLLAR	1	14137.57	14165.00

UNIT：日本円は100円に対するレート

SELLING：ルピアを日本円に両替するときのレート

BUYING：日本円をルピアに両替するときのレート。この場合、100円がRp.1万3236の換算

※数値は実際のレートとは異なります

クレジットカードのキャッシング／デビットカード

クレジットカードのキャッシングによる現地通貨の引き出しは利息が発生するが、帰国後すぐに繰上返済すれば、現金での両替よりもレートが有利なこともある。事前にキャッシングの可否やPIN（暗証番号）の確認を忘れずに。また、VISAかJCBのデビットカードもATMで現地通貨の引き出しが可能。即時決済なのでクレジットカードのように借り入れになるのが気になる人におすすめ。

海外トラベルプリペイドカード

プリペイドカードを利用して事前に日本で必要な分だけ入金しておき、ATMで現地通貨を引き出せる。任意の金額しかカードに入っていないので安全性が高く、為替手数料は現地両替所やほかのカードと比べて割安なことがある。

クレジットカード

中級以上のホテル、観光客向けのショップやレストランなどでは、ほぼ利用OK。ローカルなみやげ物店や食堂では使えないところが多い。広く普及しているのは、VISAやMastercardなど。手数料が加算される場合もあるので会計の前に確認しておこう。また、使用する際に暗証番号（PIN）を求められることもあるので覚えておこう。

ATMの使い方

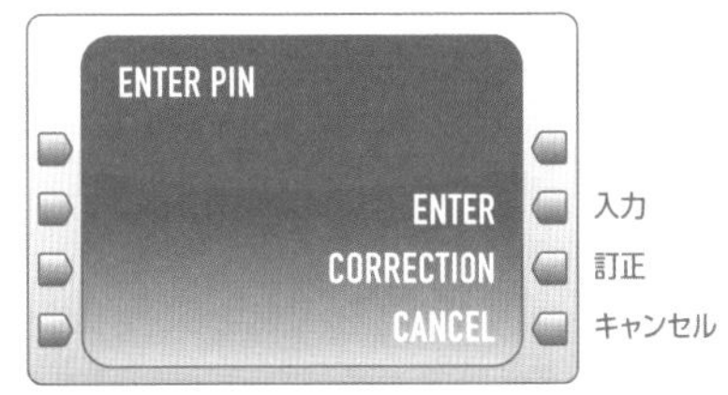

暗証番号を入力 ENTER PIN

PIN(暗証番号)を入力と表示されたら、クレジットカードの4ケタの暗証番号を入力し、最後にENTER(入力)を押す

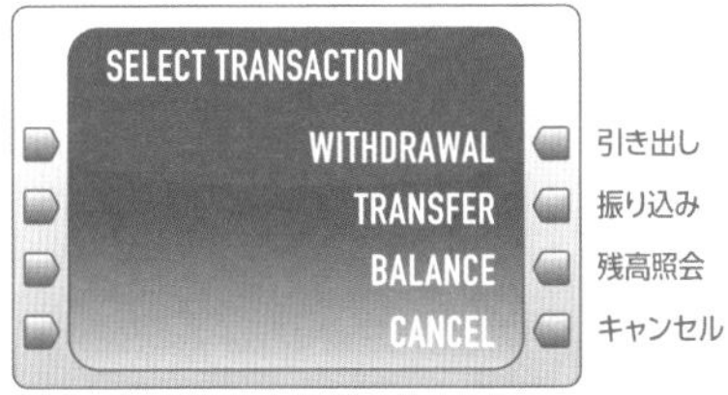

取引内容を選択 SELECT TRANSACTION

クレジットカードでのキャッシングも、国際キャッシュカードやデビットカード、トラベルプリペイドカードで引き出すときもWITHDRAWAL(引き出し)を選択

取引口座を選択 SELECT SOURCE ACCOUNT

クレジットカードでキャッシングする場合はCREDIT(クレジットカード)、トラベルプリペイドカードなどで預金を引き出す場合はSAVINGS(預金)を選択

SELECT AMOUNT
10 100
20 200
50 500
OTHER CANCEL

金額を選択 SELECT AMOUNT

引き出したい現地通貨の金額を選ぶ。決められた金額以外の場合はOTHER(その他)を選ぶ。現金と明細書、カードを受け取る

物価

日本に比べて物価は安いが、最近は上昇中。観光客向けの店とローカルな店では料金が大きく異なる。日用品は安めだが、ものによっては日本と変わらない場合も。

タクシー初乗り
Rp.1万2000(約120円)

水着
Rp.80万~(約8000円)

ビール
330mℓ
Rp.2万8000
(約280円)

飲料水
300mℓ
Rp.3200
(約32円)

ナシ・チャンプル
Rp.5万(約500円)

ピザ
Rp.10万
(約1000円)

予算の目安

必要な予算は旅のスタイル次第。安いホテルやローカルな食堂を利用すれば、出費を抑えることもできる。

宿泊費 1泊5000円以下の格安ホテルから、5万円以上の高級ホテルまでさまざま。7~9月のハイシーズンや年末年始は通常より高くなる。

食費 大衆食堂を利用すれば、食費は日本の3分の1程度で済む。旅行者向けのカフェや高級レストランでは、日本と大差ない場合もある。

交通費 メーター制のタクシーは初乗りRp.1万2000、1kmごとの加算料金Rp.6500と安く、深夜料金もない。ただし、ぼられることがあるので注意。

チップ

本来チップの習慣はなかったが、観光化が進むにつれて一般化。ホテルのポーターやハウスキーパーなどにはRp.1万~2万が目安。料金にサービス料が含まれているレストランでは不要だが、サービスが良いと感じた場合はおつりを残してきてもよい。庶民向けの食堂では払う必要はない。

金額の目安

ホテル・ベッドメイキング	Rp.1万~2万
空港やホテルのポーター	荷物1つにつきRp.1万
バレーパーキング	Rp.5000~1万(手間により多めに)
エステ・マッサージ	利用料金の15~20%程度

滞在中に知っておきたいバリ島のあれこれ！

旅先の文化や規則を理解しておくことは大切。バリ島特有の宗教的マナーや衛生面にも配慮を。

飲料水

水道水は飲用に適さないので、ミネラルウォーターを購入すること。ホテルの客室には、無料のミネラルウォーターが用意されている場合も多い。ローカルな食堂や屋台などでは、飲み物に入っている氷にも注意したほうがよい。

トイレ

ホテルや旅行者向けのレストランでは洋式の水洗トイレがほとんど。安宿や寺院、食堂などでは和式に似たインドネシア式が多い。手桶で水を汲んで流す方式で、床が濡れていることもあるので注意。トイレットペーパーは持参する必要があり、使用後は便器に流さず専用のごみ箱へ。

各種マナー

ヒンドゥ教に基づく独特の風習があるバリ島。日本では当たり前のことも、タブーとされる場合がある。

レストランで

不浄の手とされている左手で直接食べ物をさわるのは厳禁。手づかみで食事をする場合は、右手だけを使うこと。また、汁物は器に口をつけず、スプーンを使って飲むのがマナー。

寺院で

バリ・ヒンドゥ寺院を訪れる際は、短パンやミニスカート、ノースリーブなど肌を露出する服装はNG。サロン(腰布)と帯を巻いて参拝するのが礼儀とされ、寺院の入口で貸し出しているところもある。また、出血を伴うけがをしている人、生理中の女性や出産後105日以内の人、近親者を亡くして42日以内の人などは、原則として寺院に入ることはできない。

街なかで

頭には精霊が宿ると考えられているため、人の頭をさわるのは禁物。うっかり子どもの頭をなでたりしないように注意しよう。不浄の左手で握手をしたり、ものを渡したりするのもタブー。また、人前で怒りをあらわにするのは恥ずべきこととされているので、大声で怒鳴るなど感情的になるのはよくない。

度量衡

日本と同じメートル法で、重量はグラム(g)、体積はリットル(ℓ)。服や靴のサイズ表記は店により若干異なる。

ビジネスアワー

銀行や公共機関の窓口業務は平日8～16時頃が一般的。土・日曜、祝日は休みの場合が多い。ショップの営業時間は店により異なるが、8～10時頃に開店、19～21時頃に閉店し、ニュピ(正月)やガルンガン(お盆)を除きほとんどが無休。コンビニは24時間営業が主流。

電化製品の使用

電圧は日本と異なる

インドネシアの電圧は220V、周波数は50Hzで、日本から電化製品を持ち込む場合は変圧器が必要。そのまま使用すると故障や火災の原因となる。スマートフォンやパソコン、デジタルカメラなどは100～240Vの電圧に対応しているものが多いが、念のため取扱説明書の確認を。

プラグはC型が主流

プラグの形は、円筒状のピンが2本出ているCタイプがほとんど。変換アダプターを貸してくれるホテルもあるが、海外旅行用の汎用型変換プラグを持っていくと便利。

C型プラグ

郵便

はがき／手紙

日本へ送る場合の料金は、はがき・封書ともにRp.1万～。通常は1週間程度で届く。街なかに郵便ポストは少ないため、郵便局の窓口で出すのが確実。中級以上のホテルでは、フロントに頼めば投函してくれる。

小包

30kg以内の荷物であれば郵便局から国際スピード郵便(EMS)で日本に送れる。配送状況は日本郵便を通して追跡できるので便利。

飲酒と喫煙

飲酒、喫煙とも年齢による規制は特にない。

レストラン・バーなどで飲酒が可能

多くのレストランでお酒を提供しているが、関税が高いので輸入酒は割高。また、インドネシアでは原則としてお酒の購入は21歳以上に制限されている。

喫煙は喫煙スペースで

喫煙率の高いインドネシアだが、公共交通機関や空港、学校、病院、役所など、公共エリアでの喫煙は原則禁止。最近はホテルやレストランでも分煙化が進んでいる。

病気、盗難、紛失…。トラブルに遭ったときはどうする?

事故や病気は予期せず起こるもの。万が一のときにもあわてずに行動したい。

治安が心配

バリ島の治安は比較的良いが、油断は禁物。凶悪犯罪は少ないものの、スリやひったくり、置き引きなどの被害に遭う旅行者が多い。また、女性をだまして金品を巻き上げるジゴロや違法ドラッグにも注意が必要。出発前に外務省海外安全ホームページで最新の治安情報をチェックしていこう。

緊急時はどこへ連絡?

盗難やけがなど緊急の事態には警察や消防に直接連絡すると同時に、日本大使館にも連絡するように。

警察 ☎112
消防・救急 ☎118

大使館

在デンパサール日本国総領事館
デンパサール MAP 付録P.5 D-1
☎0361-227628 所 Jl. Raya Puputan No.170, Renon, Denpasar HP www.denpasar.id.emb-japan.go.jp

病院

バリ・タケノコ診療所
クタ MAP 付録P.17 E-4
☎036-1472-7288/036-1787-3432(日本語) 所 Jl. Sunset Road No.77A, Ruko No1, Kuta

カシイブ総合病院
デンパサール MAP 付録P.5 D-2
☎036-1300-3030/081-3387-86919(日本語, 平日8:00~17:00) 所 Jl. Teuku Umar 120 Denpasar

病気・けがのときは?

緊急の場合はすぐに医師の診察を受けること。南部エリアには日本語が通じる病院もあるので、ホテルのスタッフに相談しよう。医療費が高額になることもあるので、海外旅行保険に加入しておくと安心。深刻な病気やけがの場合は帰国して治療するほうがよい。

パスポートをなくしたら?

1. 最寄りの警察に届け、盗難・紛失届出証明書(Police Report)を発行してもらう。
2. 証明書とともに、顔写真2枚、本人確認用の書類を用意し、在デンパサール日本国大使館に、紛失一般旅券等届出書を提出する。
3. パスポート失効後、「帰国のための渡航書」の発行を申請(日本への直接帰国のみ)。渡航書には帰りの航空券(eチケット控えで可)が必要となる。手数料はRp27万、所要1~2日。

新規パスポートも申請できるが、発行に所要1週間、戸籍謄本(抄本)の原本が必要となる。手数料は、5年有効がRp.121万、10年有効がRp.176。支払いは現金のみ。

クレジットカードをなくしたら?

不正利用を防ぐため、カード会社にカード番号、最後に使用した場所、金額などを伝え、カードを失効してもらう。再発行にかかる日数は会社によって異なるが、翌日~3週間ほど。事前にカード発行会社名、紛失・盗難時の連絡先電話番号、カード番号をメモし、カードとは別の場所に保管しておくこと。

現金・貴重品をなくしたら?

現金はまず返ってくることはなく、海外旅行保険でも免責となるため補償されない。荷物は補償範囲に入っているので、警察に届け出て盗難・紛失届出証明書(Police Report)を発行してもらい、帰国後保険会社に申請する。

外務省 海外安全ホームページ&たびレジ

外務省の「海外安全ホームページ」には、治安情報やトラブル事例、緊急時連絡先などが国ごとにまとめられている。出発前に確認しておきたい。また、「たびレジ」に渡航先を登録すると、現地の事件や事故などの最新情報が随時届き、緊急時にも安否の確認や必要な支援が受けられる。

旅のトラブル実例集

スリ

事例1 路上でコインやハンカチを落としたり、背中に飲み物やクリーム状のものを付けられたりなど、気をとられている隙に、後ろにいた共犯者から財布や貴重品などを抜き取られる。

事例2 買い物中に、背後からカミソリなどでバッグを切り裂き、中身を抜き取られる。

対策 多額の現金や貴重品はできる限り持ち歩かず、位置を常に意識しておく。支払いのときに、財布の中を他人に見えないようにする。バッグはいつも腕にかけてしっかりと抱え込むように持つ。

ぼったくり

事例1 空港から市内までのタクシーは固定料金にもかかわらず、メーター料金や高額料金を請求された。

事例2 レストランで水道水を頼んだつもりが、ミネラルウォーターを開封され料金を取られてしまった。

対策 値段の相場を事前にきちんと調べておく、多額の現金の入った財布を見せないなど自己防衛術を身につけよう。タクシーは乗ったときにレシートが欲しいことを伝えるとぼったくりの回避ができることも。

ジゴロ・麻薬

事例1 日本人女性を言葉巧みにだまして恋愛感情を抱かせ、お金を巻き上げるジゴロ。帰国後も詐欺に気づかず大金を貢ぐ女性もいる。

事例2 繁華街などで麻薬の密売人が声をかけてくる。おとり捜査の場合もあり、誘いにのれば現行犯逮捕。麻薬犯罪には死刑も適用される。

対策 旅行中は開放的になって気を許しがちだが、日本語で親しげに話しかけてくる人物は怪しいと思ったほうがいい。甘い言葉で誘われても、相手にせずにその場を立ち去ること。深夜の繁華街にはできるだけ近づかず、軽い気持ちで違法薬物に手を出すことは絶対に避けたい。

観光

アート

グルメ

スイーツ

ショッピング

ビューティ&リラックス

◆ナイトスポット

ワンデー・トリップ

ホテル

STAFF

● 編集制作 Editors
K&Bパブリッシャーズ K&B Publishers

● 取材・執筆・撮影 Writers&Photographers
アピ・マガジン API Magazine
前田 愛 Megumi Maeda
佐藤 顕子 Akiko Satou
キスナ アディ プトラ Kisna Adi putra
ラティ プラドニャ Ratih Pradnya
宮崎容子 Yoko Miyazaki
アリスキー ラフマット ディッキー Arizky Rahmat Dicky
レディシア サンデラ Ladycia Sundayra
パンデ マデ マハヤナ Pande Made Mahayana
ワヤン スギャルタ Wayan Sugiarta
ワヤン スシラ Wayan Susila
片野優 Masaru Katano
須貝典子 Noriko Sugai
森合紀子 Noriko Moriai
伊藤麻衣子 Maiko Ito
阿部真奈美 Manami Abe
新崎理良子 Riyoko Arasaki

● カバー・本文デザイン Design
山田尚志 Hisashi Yamada

● 地図制作 Maps
トラベラ・ドットネット TRAVELA.NET
フロマージュ Fromage

● 表紙写真 Cover Photo
iStock.com

● 写真協力 Photographs
ビジットインドネシアツーリズムオフィス日本地区事務所
Visit Indonesia Tourism Office, Japan
PIXTA
iStock.com

● 総合プロデューサー Total Producer
河村季里 Kiri Kawamura

● TAC出版担当 Producer
君塚太 Futoshi Kimizuka

● エグゼクティヴ・プロデューサー Executive Producer
猪野樹 Tatsuki Ino

おとな旅プレミアム
バリ島

2024年12月7日 初版 第1刷発行

著　　者 TAC出版編集部
発 行 者 多 田 敏 男
発 行 所 TAC株式会社 出版事業部（TAC出版）
〒101-8383 東京都千代田区神田三崎町3-2-18
電話 03(5276)9492(営業)
FAX 03(5276)9674
https://shuppan.tac-school.co.jp
印　　刷 株式会社 光邦
製　　本 東京美術紙工協業組合

ISBN978-4-300-11285-4
N.D.C.299